DICTIONNAIRE AMOUREUX
DU VIN

DU MÊME AUTEUR

L'Amour en vogue, roman, Calmann-Lévy, 1959.
La Vie oh là là !, chroniques, Grasset, 1966.
Les Critiques littéraires, essai, Flammarion, 1968.
Texte de l'album : *Beaujolaises*, Chêne, 1978.
Le Football en vert, Hachette-Gamma, 1980.
Le Métier de lire, réponses à Pierre Nora, Gallimard, 1990 ; réédité et complété, Folio, juin 2001.
Remontrance à la ménagère de moins de 50 ans, Plon, 1998.
Les Dictées de Bernard Pivot, Albin Michel, 2002.
100 mots à sauver, Albin Michel, 2004.

BERNARD PIVOT
de l'académie Goncourt

DICTIONNAIRE AMOUREUX DU VIN

Dessins d'Alain Bouldouyre

Plon

COLLECTION DIRIGÉE PAR
JEAN-CLAUDE SIMOËN

ISBN : 978-2-259-19733-5

Pour Agnès,
qui s'y connaît

Avant-propos

Le vin d'honneur

Je n'avais d'autre légitimité à écrire ce *Dictionnaire amoureux* que mon amour du vin, ainsi que mon enfance, pour sa part la plus libre, passée dans les vignes. J'y ajoute le hasard qui a sollicité du vin quelques heureuses interventions sur le cours de mon existence. Tout cela fait peu, comparé à la science et à l'expérience des professionnels, qu'ils soient vignerons, œnologues, marchands, cavistes, sommeliers, journalistes, experts de l'étiquette ayant justement l'étiquette d'experts, érudits pipelets de la pipette. Et combien d'écrivains nés dans un vignoble ou adoptés par une appellation auraient été enchantés de vinifier tout un livre, d'y célébrer les vins qu'ils ont appris à écrire avec les mots qu'ils ont appris à déguster ?

Ce qui m'a déterminé à me lancer dans cet ouvrage, c'est, au contraire de la double peine, le double plaisir : écrire sur le vin après l'avoir bu. Je n'étais pas le plus autorisé à le faire ; je n'avais pas le moins l'envie de remplir des pages après avoir, une vie durant, vidé un certain nombre de bouteilles. Encore que ce livre ne soit ni un manuel de dégustation ni un carnet d'adresses. Dans l'édition et dans la presse, des confrères compétents sont nombreux à guider le public.

Ce dictionnaire n'est pas non plus une encyclopédie des vignobles, des cépages, des appellations et de leurs classements, des travaux de la vigne, des techniques œnologiques. Ni une histoire universelle de la vigne et du vin. Ni une anthologie littéraire et artistique. Ni un traité politique, juridique, médical, religieux sur un sujet très sensible. Voilà qui occuperait combien de dizaines de volumes ?

Mais il y a un petit peu de tout cela dans ce livre de soif dont je ne me risquerais pas à affirmer, quoique je vieillisse, sinon dans du chêne du moins en touchant du bois, qu'il peut prétendre à quelques années de garde. Je n'évoque dans les pages qui suivent que ce que je connais, j'aime, et qui me passionne. Il y a de l'autobiographie, des lectures, des souvenirs de cuvage, de cave, de table et de zinc, des portraits d'hommes du vin, des vignobles, des châteaux, des bouteilles, des tire-bouchons, des tastevins, des dégustations, des arômes, tout cet arroi d'objets, de sensations et de mots qui accompagne Casanova dans sa conquête perpétuelle des jolies bouteilles.

Voici cependant l'essentiel : le vin, c'est de la culture. La culture de la vigne, mais aussi de la culture pour l'esprit. C'est cette dimension culturelle d'un produit universel de consommation que ce livre a l'ambition de rappeler, dans un temps où le vin n'est pas mieux considéré qu'un alcool de maïs ou de pomme de terre. Rien ne surpasse le pain et le vin dans la mémoire mythique et nourricière de l'homme. Ils sont unis dans le travail et le repos, l'effort et le plaisir, sur la table du repas fondateur du miracle chrétien. Le vin l'emporte même sur le pain dans l'histoire et la fable de l'Antiquité gréco-romaine, dans l'épique (l'*Iliade* et l'*Odyssée*), dans le sacré (la Bible). Le vin est une récompense et un interdit.

Comment citer tous les écrivains, d'Homère à Colette, qui ont célébré le vin, ou qui en ont fait un acteur de la comédie humaine ? Moins que le sang, moins que l'argent, mais souvent associé à l'un et à l'autre, et plus encore à l'amour et au succès, le vin coule au théâtre, à l'opéra, au cinéma, dans la peinture, dans la chanson. Pour le meilleur ou pour le pire, depuis la nuit des temps et jusqu'à la fin du monde, le vin est indissociable de l'aventure de l'homme, de la civilisation, de l'art, du grand mystère du pourquoi et du comment.

Bref, le vin, ce n'est pas de la petite bière.

Les vignerons sont des auteurs, des artisans, des artistes. Les meilleurs signent leurs œuvres. Les vins français sont d'une diversité stupéfiante. Les plus riches du monde par la palette de leurs couleurs et la carte de leurs saveurs. Je ne les connais pas tous. J'en fréquente certains plus souvent que d'autres. Question de naissance, de résidence, de voyages, de vacances, d'amitiés, d'affinités, d'opportunités. Mais aucun ne m'indiffère. Les absents de ce livre de cave sans cave, de géographie viticole vagabonde et rapide, appartiennent, disons, à ma réserve. Il faut toujours avoir un écrivain et un vin à découvrir.

Peut-être s'étonnera-t-on que j'évoque souvent avec légèreté et amusement un sujet dont je viens de rappeler qu'il humecte notre bouche et notre âme ? C'est ma manière de le prendre au sérieux. J'ai le vin gai. Pourquoi mon encre serait-elle acide, revêche ou épaisse ?

Il existe une expression qui traduit bien le rôle social du vin dans notre pays : *vin d'honneur*. Demande-t-on de l'honneur à l'eau, au whisky, au pastis, à la Kronenbourg, au bloody mary ? Ce *Dictionnaire amoureux* voudrait être un joyeux vin d'honneur.

B.P.
9 juillet 2006

On trouvera en fin de volume une importante bibliographie, où sont répertoriés les ouvrages des spécialistes auxquels je me réfère.

Je remercie Guy Renvoisé pour sa lecture critique et amicale du manuscrit.

Toute ma gratitude à Anne-Marie Bourgnon pour sa capacité à résister aux effluves du vin et des mots.

À la tienne ! la nôtre ! la vôtre !

Ensemble, nous levons notre coupe de champagne ou notre verre de vin et nous proposons de boire *à*. Tout est dans le *à* qui va introduire des vœux, de la demande, du désir. « À nous ! » est la formule la plus lapidaire. Nous sommes heureux d'être réunis et de boire, soyons égoïstes, pensons d'abord à nous, souhaitons-nous du beau et du bon, à la convenance de chacun. « À la nôtre ! » dit à peu près la même chose, mais en privilégiant la santé, qui est implicite. Parfois, on précise : « À notre santé ! » Certains, supprimant le *à*, déclarent et appellent pour tous · « Santé, bonheur ! »

On peut aussi lever son verre à l'intention d'un

seul que l'on fête et qui est la cause des libations : « à la vôtre ! », « à la bonne vôtre ! », « à votre bonne santé ! », « à la tienne ! ». « À la tienne, Étienne ! » est une formule populaire due à l'assonance, comme « tu parles, Charles ! ». Les Étienne ayant leur fête le 26 décembre, il faut beaucoup les aimer pour ouvrir des bouteilles après les excès des 24 et 25.

Si c'est d'abord à la santé, d'un seul ou de tous, qu'on boit, c'est parce que l'alcool conserve, qu'il est censé donner du tonus. Ainsi, grâce aux vœux formulés à l'intention de ceux qui trinquent, qui choquent leurs verres en signe d'amitié et de joie ou qui se contentent de lever le leur à hauteur des yeux, espérons-nous nous retrouver, toujours en excellente santé, pour trinquer de nouveau.

« Tchin-tchin ! » est une amusante interjection qui vient de *tsing-tsing*, « salut » en anglais de Canton. Elle est employée dans l'ordinaire de la vie, dans des circonstances banales, pour inviter l'autre à boire bière, eau minérale ou Coca-Cola, n'importe. On ne souhaite pas un anniversaire ou une fête, on n'arrose pas un succès ou une récompense, par un désinvolte « tchin ! ».

On peut aussi trinquer à la santé d'un absent, en particulier quand cette personne est tenue éloignée par la maladie. Les naissances et les baptêmes sont prétextes à de nombreuses libations auxquelles dans certaines familles on fait participer le bébé par l'humectage de ses lèvres avec du champagne. Le 3 avril 1867, Victor Hugo note simplement, pour saluer l'arrivée sur terre de son petit-fils Georges, « nous avons bu à la santé du nouveau-né ». Bu quoi ? On aurait aimé le savoir.

Mon père ne se rappelait pas si, à mon baptême,

on avait passé sur mes lèvres un doigt trempé dans du champagne, mais il affirmait que les invités avaient bu du Moët et Chandon. Le hasard a voulu qu'on bût le même champagne à mes fiançailles. Vingt-cinq ans après, ma fille aînée entrait au service des relations publiques de Moët et Chandon. C'est ce qu'on appelle être fidèle à une marque.

Je n'apprécie pas les toasts rituels des repas russes et chinois. Les conversations doivent s'arrêter pour écouter des propos trop souvent convenus, parfois fallacieux, et il faut boire des eaux-de-vie de grain qui ne s'accordent pas toujours avec ce qu'on est en train de manger. La multiplication obligatoire des petits verres d'un alcool impitoyable équivaut à des tentatives d'homicides volontaires groupés. En revanche, je suis le premier à lever un verre rempli à moitié d'un fameux bordeaux ou d'un bourgogne exceptionnel, servi avec le plat principal, et à demander le silence pour que l'un des convives, moi y compris, porte un toast. C'est une manière de saluer le vin, d'attirer l'attention sur lui et de l'associer au plaisir et, parfois, à l'émotion d'un vœu collectif. Le plaisir sera identique en procédant de même avec une vendange tardive au moment du dessert.

Autrefois, dans les rédactions des journaux, on buvait au moins autant qu'on écrivait. Tout était prétexte à des libations, en particulier avec les correcteurs et les ouvriers de l'imprimerie. Le calendrier des fêtes et des anniversaires était soigneusement tenu. Scoops, retours de reportage à l'étranger, promotions, publication d'un livre, et même les départs en vacances, devaient être « arrosés ». Au pastis, au whisky, au vin. Les *ala* importants étaient annoncés sur les portes des rédactions et de l'atelier. *Ala* est le début de « À la santé du confrère ». Pas un pot où on ne chantait tous ensemble :

> *Ala ! Ala ! Ala !*
> *À la santé du confrère*
> *qui nous régale aujourd'hui.*
> *Ce n'est pas de l'eau de rivière,*
> *encore moins de celle du puits.*
> *Pas d'eau ! Pas d'eau ! Pas d'eau !*

Le 19 juin 1974, pour mes adieux au *Figaro*, une affichette annonçait sur toutes les portes de l'immeuble du rond-point des Champs-Élysées : « Le beaujolais coulera en abondance ce mercredi 19 juin, entre 17 h 30 et 19 h 30, dans le hall du Littéraire, à l'occasion du départ de Bernard Pivot. »

En bas de l'affichette, imprimé en petits caractères, on lisait encore ceci : « Si tu dois partir, ne crains pas la sécheresse le long du chemin, redoute plutôt la soif de ceux qui restent. Confucius, extrait du *Louen Yu*. »

Confucius était d'une nature trop sobre pour avoir écrit cela.

Glouglou

Le tableau a pour titre . *Double portrait au verre de vin*. Mais Marc Chagall aurait très bien pu lui préférer *À la vôtre, mes amis !* Juché sur les épaules de sa femme Bella, en robe blanche, en lévitation au-dessus de la Dvina, fleuve qui traverse Vitebsk, ville natale du peintre russe, Chagall s'est représenté en lutin espiègle, farceur, rigolard. Il est vêtu d'une veste rouge. De sa main gauche, il brandit un verre de vin, rouge également, et il semble nous dire : je célèbre mon anniversaire de mariage, voyez comme je suis gai et heureux, je bois à votre santé, mes amis, buvez à la nôtre… Quand je vais au musée d'Art moderne du centre Georges-Pompidou, je ne manque jamais d'aller trinquer avec les Chagall.

CHAMPAGNE. TRINQUER, ZINC

Abû Nuwâs

Drôle de paroissien, cet Abû Nuwâs, si tant est qu'on puisse qualifier de paroissien un poète libertin et bachique, né en Iran, qui écrivait en langue arabe et qui préférait au pèlerinage à La Mecque les virées dans les tavernes et les soirées dans les lupanars ! Satiriste de surcroît, comment dès lors s'étonner qu'il ait fait des séjours en prison ?

Comme le sublime Omar Khayyam, il préférait passer sur cette terre pour un jouisseur et un débauché plutôt qu'espérer d'hypothétiques joies dans un autre monde. Que son œuvre soit interdite dans plusieurs pays arabes n'étonne donc pas. Son traducteur en France, l'érudit Omar Merzoua, écrit dans sa présentation des *Poèmes bachiques et libertins* : « Ce goût du vin, ce penchant pour les amours interdites, cette course effrénée à travers tripots et tavernes, n'est-ce pas le signe d'un destin enté sur le désespoir et la perdition ? »

Imagine-t-on aujourd'hui en terre d'islam un poète osant écrire ceci :

Susciter l'amour et la volupté
jouir des plaisirs délectables
de la vie est plus hardi et plus respectable,
qu'être un intolérant et un lapidateur patenté !

Dans presque tous ses poèmes Abû Nuwâs célèbre le vin, « le vin de Babylone », « le vin de Karkh » (quartier de Bagdad). Il sait que le Prophète en a interdit la consommation, mais il préfère en boire et encourir la punition de quatre-vingts coups de fouet. Il attend du vin qu'il le réjouisse, qu'il apaise son chagrin, qu'il le grise et même qu'il lui procure l'ivresse.

Pur esprit est le vin libre de toute onde,
qu'à travers les os il se répande !

Si on le goûte, on vogue dans l'éther
et on perd raison et bonnes manières.

Abû Nuwâs n'imagine pas qu'une histoire d'amour ou que l'acte sexuel, avec une femme ou avec un éphèbe, puissent ne pas être accompagnés d'un vin. Souvent, parce que tels étaient les usages à l'époque, il y met de l'eau. Coupé ou pas, le vin est pour lui synonyme de liberté.

De son vrai nom Hassan ibn Hanî al-Hakamî, Abû Nuwâs (« aux cheveux bouclés ») a vécu, aimé, forniqué et bu dans la seconde moitié du IIe siècle de l'Hégire, ce qui correspond à la fin du VIIIe siècle de l'ère chrétienne.

ISLAM ET LE VIN (L')

Alsace

Rien que le riesling, la choucroute et la tarte aux quetsches justifiaient que la France se battît pour conserver l'Alsace ! Pour faire bonne mesure on peut ajouter la cathédrale de Strasbourg, le retable d'Issenheim, la bibliothèque humaniste de Sélestat et les centaines de splendides maisons de viticulteurs des XVe et XVIe siècles qui ont fait la renommée de Colmar, Riquewihr, Ribeauvillé, d'Eguisheim, d'Obernai et des autres villages de la Route des vins. Par parenthèse, on s'interroge sur la nature du miracle grâce auquel l'Alsace, enjeu et théâtre de guerres séculaires, en est sortie presque telle qu'en elle-même l'Histoire l'a bâtie. Riquewihr, qui comptait plus de 2 000 habitants au début du XVIIe siècle, n'en avait plus que 74 à la fin de la guerre de Trente Ans. Pressentant l'essor du tourisme quatre siècles plus tard, les soldats considéraient-ils qu'il était moins dommageable pour l'Alsace d'exterminer ses habitants que de brûler ses maisons ?

Il y avait à Sélestat un intellectuel — à l'époque on disait un humaniste —, Beatus Rhenanus (1485-1547), de si grande réputation qu'Érasme lui-même lui faisait d'amicales visites. Le savant philosophe de Rotterdam, étonné que la petite ville alsacienne produisît autant d'« hommes distingués par les mérites de l'esprit », écrivit et publia un *Éloge de Sélestat*. Il y célébrait aussi « la plaine fertile » et « les coteaux couverts de vignes ». En ce temps-là, il est vrai, le vin assurait à l'Alsace une prospérité considérable, qui disparut par la suite et avec laquelle la région n'a renoué réellement qu'à partir de la seconde moitié du XXe siècle.

Comme le délicieux maquereau, l'Alsace est au vin blanc. Les vins blancs sont sa langue, sa grammaire et sa culture. On ne peut être plus franc, plus direct : les crus portent les noms des cépages. Tout enseignement de l'œnologie doit commencer par l'Alsace. Au moins, là, on ne mélange pas, on ne subdivise pas, on n'embrouille pas, on sait à qui on a affaire. À côté du prince rhénan, le riesling, qui donne les grands crus secs et floraux les plus recherchés, on dispose du sylvaner, du tokay appelé maintenant pinot gris, du pinot blanc, du muscat d'Alsace, du chasselas et du gewürztraminer, si onctueux. Avec principalement le riesling et le gewürztraminer, on obtient, quand l'arrière-saison est longue et ensoleillée — ce qui n'est pas rare en Alsace —, des « vendanges tardives » et même des « sélections de grains nobles » d'un irrésistible moelleux. Mon préféré, entré récemment dans mon existence : le riesling vendanges tardives, tout en contradictions, puisqu'il a gardé de son cépage un peu de sécheresse minérale et de légèreté florale, et que la pourriture noble (bel oxymore !) lui a ajouté une exubérance sucrée et voluptueuse. Quelle bagarre dans la bouche entre le riesling qu'il continue d'être et le riesling qu'il est devenu !

Le dernier cépage d'Alsace, le pinot noir, est le seul à donner un vin rosé ou rouge. Rosé, comme beaucoup de rosés, je le boude. Rouge, c'est un vin de soif. Transparent, comme délavé, il manque de corps, mais fleure souvent bon la cerise... Ma foi, bien frais...

Nous dînions chez Haeberlin, à « L'Auberge de l'Ill ». Après un très séduisant grand cru Geisberg 1998, riesling de Ribeauvillé, Serge Dubs (meilleur sommelier du monde 1989) nous demanda quel rouge aurait notre préférence. Un bourgogne ? Un bordeaux ? Je répondis que je préférais rester en Alsace. Il parut un instant déconcerté, puis se ravisa. « Faites-moi confiance ! » dit-il. On lui fit confiance. Avec raison.

Il revint avec une bouteille qui se révéla digne des meilleurs crus de la Côte de Nuits : un pinot noir (c'est le cépage des rouges de Bourgogne, faut-il le rappeler ?) du millésime 1990, cuvée « Les neveux », de chez Hugel, à Riquewihr. Un vin rouge sombre, profond, d'une puissance alcoolique (14,5 %) et aromatique exceptionnelle, sans aucun rapport avec les habituels pinots noirs aériens d'Alsace.

Voici l'histoire. Les Hugel sont vignerons à Riquewihr depuis le milieu du XVIIe siècle. Il y eut Hans Ulrich, il y eut Frédéric Émile, il y eut des Jean, des Georges et des André, il y a des Jean-Philippe, des Marc et des Étienne. Jean Hugel est l'un de ces avisés professionnels qui obtinrent la classification et la réglementation des vins d'Alsace, en 1983 et en 1992, à l'exemple des autres grandes régions viticoles. Ses neveux lui déclarèrent un jour que les pinots noirs n'étaient décidément pas à la hauteur des cépages de blancs et qu'on pouvait faire mieux. Il leur dit d'essayer. En 1990, année que les bûches et arabesques lumineuses de la *Schiwalaschlaje* avaient rendue particulièrement ensoleillée, sur une parcelle de vieux ceps de pinot noir bien exposée les neveux limitèrent la production à 30 hectos l'hectare, vinifièrent avec rigueur, firent vieillir en fûts de chêne et obtinrent ces bouteilles extraordinaires. Jean Hugel, bluffé, baptisa la cuvée « Les neveux », et renouvela l'expérience avec succès dans des millésimes généreux.

D'autres viticulteurs alsaciens ont réalisé des cuvées superbes avec du pinot noir. Ainsi René Muré, à Rouffach, avec son clos saint-lancelin 1999, dégusté au « Rendez-vous de chasse », à Colmar. Ainsi, encore, Zind-Humbrecht. Mais, pour des raisons de rentabilité, elles sont condamnées à rester exceptionnelles. L'Alsace triomphe sous le drapeau blanc.

Glouglou

Avec son ami le plus cher, l'écrivain et dessinateur André Rouveyre, Henri Matisse a entretenu une copieuse correspondance. Un dessin à la plume et à l'encre représente un verre à pied rempli, à l'aquarelle, de vin rouge. Texte d'accompagnement : « Dans ce verre, je bois à ta santé tous les jours du vin d'Alsace frais et parfumé. Que n'es-tu là ? » L'envoi est daté du 6 mai 1945, deux jours avant la capitulation de l'Allemagne. Mais ce n'est pas par patriotisme que Matisse buvait à ce moment-là de l'alsace. C'était par goût et plaisir.

L'Amour et le vin

Qui sait boire sait aimer
qui sait aimer sait boire

(Proverbe)

Deux villages ont la chance de s'appeler Saint-Amour.

L'un, situé dans le Jura, produit des côtes-du-jura. Il comptait parmi ses habitants Léon Werth, ami de Saint-Exupéry qui lui dédia *Le Petit Prince*.

L'autre, qui a donné son nom à l'un des dix crus du Beaujolais, en occupe la partie la plus septentrionale, à la frontière du Mâconnais. Moins charpenté et cossu que ses voisins le moulin-à-vent, le juliénas et le chénas, le saint-amour reste généralement plus souple et plus rond. Il faut le boire jeune. On l'a qualifié de « vin galant », mais c'est sous l'influence de son nom magique. Il ne le doit pas à un directeur de marketing, mais, dit-on, à un légionnaire romain qui s'amouracha d'une payse et pour elle laissa tomber Jules César.

Le jour de la Saint-Valentin, il se boit une grande quantité de saint-amour, les yeux dans les yeux. Le choisir sur une carte, au début d'un repas à deux, est déjà une déclaration. Il en est de même pour les Suisses quand, le 14 février, ils optent pour un valentin, chardonnay, pinot noir ou chasselas de Neuchâtel.

Plus original, mais aussi beaucoup plus cher, si l'on veut séduire par le truchement du sommelier : lui commander une bouteille de chambolle-musigny, du premier cru « Les amoureuses ».

Mais c'est sans conteste le champagne qui accompagne le plus souvent les mots et les actes d'amour.

On entend parfois dire d'un rouge qu'il est « amoureux ». Cela ne s'applique pas à des vins virils, costauds, mais plutôt à des vins friands, tendres, féminins. Le volnay est un vin amoureux. En vérité, toute personne fortement éprise d'une autre, avec laquelle elle boit de concert, projette son sentiment sur le vin et, plutôt que capiteux, gouleyant, suave ou épanoui, le qualifie d'amoureux. Et peut-être, déjà, de caressant.

Voyez sur la couverture de ce livre la reproduction (détail) du tableau de Nattier : *L'Alliance de l'amour et du vin*. Le garçon au plumet jette des regards languissants à la jeune femme, un sein déjà découvert. Leurs mains gauches sont enlacées tandis qu'elle, un peu moins impatiente que lui, tend son verre vide pour qu'il y verse du vin de la carafe. Nous n'en connaissons pas l'appellation. C'est un vin très amoureux, très caressant. Était-ce le même que Jean-Marc Nattier buvait en peignant ce chef-d'œuvre de galanterie ?

Le cœur et le vin sont ici à l'unisson. Mais qu'en sera-t-il, un peu plus tard, entre le sexe et le vin ?

Et, beaucoup plus tard, lorsque l'indifférence ou l'acrimonie aura succédé à l'amour ? Le manque d'amour ne pousse pas à la tempérance, bien au contraire. Pas ou plus aimés, il en est qui se soûlent la gueule. Ce qui différencie l'amateur de vins, heureux en amour, et l'amateur, malheureux, c'est que celui-ci, n'ayant plus à faire partager son plaisir, boit médiocre, il s'en fout. Pourvu qu'il y ait assez d'alcool pour s'étourdir. Victime du verre solitaire, le veuf, l'inconsolé, le transi largué, n'encourage pas l'excellence des vins.

CHAMPAGNE, SEXE ET LE VIN (LE)

Antiquité

Si l'on englobe d'un seul regard toute l'histoire du vin, du Proche-Orient néolithique, où il est né, à la Gaule des IIe et IIIe siècles après Jésus-Christ, en passant par la Grèce et la Rome antiques, on est stupéfait de constater que les hommes de la vigne et du vin d'alors ont quasiment tout inventé.

Ils ont inventé l'ampélographie.

Ils ont inventé les grands crus et les vins de pays.

Ils ont inventé le vieillissement des meilleures appellations.

Ils ont inventé les millésimes.

Ils ont inventé le vin des riches et le vin des pauvres.

Ils ont inventé le classement qualitatif et argumenté des vins.

Ils ont inventé le pinard qu'on sert d'abondance aux soldats avant la bataille.

Ils ont inventé les fêtes des vendanges.

Ils ont inventé le pressoir, la cuve et le chai.

Ils ont inventé le refroidissement des cuves.

Ils ont inventé la chaptalisation.

Ils ont inventé le bouchon.

Ils ont inventé le tonneau.

Ils ont inventé le métier d'œnologue.

Ils ont inventé les coupes, puis les verres à boire.

Ils ont inventé l'étiquette sous forme d'estampillage des amphores.

Ils ont inventé les fraudes sur le vin.

Ils ont inventé la surproduction.

Ils ont inventé la crise viticole et l'arrachage des vignes.

Ils ont inventé les bateaux-citernes.

Ils ont inventé les entrepôts.

Ils ont inventé le négoce des vins.

Ils ont inventé l'alliance du pain et du vin.

Ils ont inventé les sommeliers.

Ils ont inventé les repas bien arrosés et les banquets bachiques.

Ils auraient inventé l'ivresse si Noé et Dionysos n'avaient pris avant eux des cuites carabinées.

Ils ont inventé la sacralisation du vin.

Ils ont inventé le vin comme métaphore transcendante et liturgique du sang.

Ils ont inventé la science et l'amour du vin.

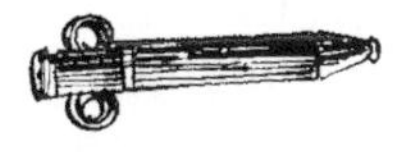

BACCHUS, DIEUX ET LE VIN (LES), GAULOIS, MILLÉSIME, TONNEAU

Arômes

« Nous sommes sur une gamme florale assez étendue et complexe où nous distinguons bien le tilleul, le jasmin, la capucine, l'angélique, l'acacia, la camomille, le mélilot, avec des touches de pivoine séchée, et, peut-être même, de fleur de thuya. Quant aux arômes secondaires et tertiaires, qu'il faut savoir mériter par une grande attention et que ce vin, encore trop jeune, ne développe pas dans toute leur diversité, ils sont, cependant, d'ores et déjà présents, avec des notes assez franches — dues à la roche granitique particulièrement bien exposée au sud-sud-est — de litchi, de mangue, de figue, de pamplemousse, à quoi nous ajouterons la pomme caramélisée et la compote de pruneaux où un soupçon de cannelle et un rien de muscade se sont glissés en raison du bel ensoleillement des vendanges. »

Ce n'est plus un vin, c'est la boutique de Fauchon !

Certains œnologues et sommeliers charrient. À un nez et un palais, il est vrai, hors du commun, ils ajoutent une langue bien pendue. Devant l'étalage de ce qu'ils ont trouvé dans un vin, le dégustateur moyen, qui renifle son verre avec désespoir, n'y décelant au mieux qu'un ou deux parfums, se sent honteux. À un sommelier qui m'avait agacé par un discours mirobolant autour d'un vin que nous étions en train de humer et de goûter, et pour lequel il avait repris, semblait-il, la liste des fruits, légumes, épices et fleurs que sa femme avait rapportés du marché le matin même, j'ai dit, après la première gorgée : « Il me semble, cher monsieur, que vous avez oublié le poivron vert. »

Au-delà des surenchères des spécialistes et des excès de langage, il est exact que les bons vins, qui sont la somme de ce que leur apportent les cépages, le terroir, le climat, la vinification, l'assemblage pour certains, l'élevage, le vieillissement, exhalent une extraordinaire variété d'arômes. (On notera au passage la présence logique d'un accent circonflexe sur le o d'arôme, qui représente bien le parfum qui s'élève du cercle de la bonde, du goulot ou du verre.)

Un millier de molécules aromatiques — pourquoi, diable, pas de circonflexe sur l'adjectif issu d'arôme ? —, réparties en une demi-douzaine de familles (fleurs, fruits, végétaux, épices, minéraux, animaux, etc.), ont été découvertes par les chimistes depuis les années 1950. Ils les capturent et les identifient à l'aide d'un procédé savant appelé chromatographie. Leur mérite est d'autant plus grand que certaines molécules relèvent presque du soupçon.

On pourrait croire, tant les arômes sont nombreux dans l'universelle variété des vins, que ceux-ci sont un condensé de la Création, le réceptacle magique du foisonnement et de l'hétérogénéité de la nature. Tous les bons vins sont des énigmes plus ou moins complexes. C'est pourquoi la dégustation — de la muqueuse olfactive du nez à la mémoire olfactive du cerveau — est une science pour les professionnels et un jeu pour les amateurs, pour tous une passionnante quête d'identité.

S'il est assez facile de repérer les fruits rouges du gamay, les épices du tokay, les notes de chocolat du maury, le poivre du châteauneuf-du-pape, les fruits exotiques du gewürztraminer, le coing du vouvray, etc., la plupart des vins ne se laissent pas deviner aisément. Il y faut de l'odorat, du goût, de l'attention, de la perspicacité, de la mémoire, de l'expérience, du savoir. La saisie des arômes est une activité à la fois gourmande et policière, sensuelle et mentale.

Le catalogue des arômes est impressionnant : de la groseille au tabac, de la myrtille à la truffe, de la banane au pain grillé, de la pierre à fusil au pipi de chat (détestable), de l'herbe coupée au bonbon anglais… Plus par humour, je suppose, que par manque de mots, certains ont distingué des arômes surprenants comme la pomme de terre en « robe de chambre », l'orchidée, le feu de bois (différent, il est vrai, du bois sec ou du bois vert), le velours cramoisi et — horreur ! — l'embrocation solaire et le lacet mouillé. J'aimerais bien, puisque le vin se révèle être aussi un sac à malice ou à poésie, humer un jour dans un verre l'arôme si particulier et si recherché de la peau du cou d'une jeune femme amoureuse, dans le parc de Bagatelle, un soir de mai, au soleil couchant, après une matinée de pluie.

~~*Glouglou*~~

« Le pédantisme des grands connaisseurs de crus m'impatiente » (L'empereur Hadrien dans *Mémoires d'Hadrien* de Marguerite Yourcenar).

COMPLEXITÉ, ŒNOLOGUES, SOMMELIERS

Ausone (château)

Ausone. Ce n'est pas parce que Decimus Magnus Ausonius, dit Ausone, écrivait en latin qu'il ne faut pas le classer parmi les grands écrivains bordelais. Paresseusement, on s'en tient aux trois M : Montaigne, Montesquieu, Mauriac. Que ce soit par ordre alphabétique ou chronologique, Ausone, né et mort à Burdigala (Bordeaux), poète du IVe siècle, mérite la première place.

D'autant qu'un château du Saint-Émilionnais porte son nom. Et pas n'importe lequel, puisque, estime et gloire partagées avec le seul château cheval blanc, le château ausone est classé premier grand cru A (les onze qui suivent étant rangés sous la lettre B).

Donc A comme Ausone. Plutôt futé, le maître-tonnelier Jean Cantenat, qui donna le nom du poète latin au château qu'il se fit construire, en 1781, en haut d'une côte dite de la Madeleine. Cette appropriation était justifiée par la découverte dans le coin de vestiges susceptibles d'être ce qui restait d'une *villa* (domaine rural dans l'Empire romain) ayant appartenu à Ausone. Les archéologues n'en apportèrent pas la preuve, pas plus que d'autres archéologues qui contestèrent l'emplacement et, sans plus de certitude, en proposèrent sept ou huit autres, en Gironde et dans le Sud-Ouest, notamment à Bourg, sur la rive droite de la Dordogne. Contrairement aux poètes d'aujourd'hui Ausone était très riche, il possédait plusieurs *villas*, et ce serait bien le diable s'il n'avait pas séjourné dans plusieurs des sites qui lui sont généreusement attribués.

Quoi qu'il en soit, il ne saurait se plaindre de « son » château puisqu'il est considéré comme le meilleur. Après une lente ascension de vainqueur du

Tour de Saint-Émilion : 11e en 1850 ; 4e en 1868 ; 2e en 1886 ; officieusement 1er *ex æquo* en 1898 ; officiellement, 1er *ex æquo* depuis 1955. Et, puisque nous sommes dans les chiffres : un peu plus de 7 hectares de vignes ; 50 % de merlot, 50 % de cabernet franc. Quant au prix des bouteilles, ausone ayant le plus petit vignoble des premiers grands crus classés du Bordelais, il est en adéquation avec la fortune de feu le poète virgilien.

En sorte que nous sommes avec ausone, comme avec cheval blanc, ou lafite, ou margaux, ou pétrus, ou romanée-conti, ou chambertin, dont les experts nous disent que les grands millésimes doivent être bus après avoir vieilli au moins vingt ans, souvent trente et plus, devant cette farce de l'existence : même si l'on gagne confortablement son picotin, c'est rarement avant quarante ans que l'on peut s'offrir une caisse d'un nouveau millésime exceptionnel (Seigneur, le prix des 2005 !). Et, quand ce vin-là sera au sommet de sa forme, qui peut nous assurer que nous ne serons pas au plus bas de la nôtre ? Et peut-être même, comme les bouteilles, dans une caisse ?

Ah ! le regard pathétique du vieil homme sur les dernières rescapées de crus et de millésimes historiques ! En finir avec elles n'est-ce pas hâter sa propre fin ? L'optimiste se donne du temps ; le pessimiste se donne du plaisir.

Soudain, le vieil homme entend une vieille bouteille lui dire :

... De l'heure fugitive
Hâtons-nous, jouissons !
L'homme n'a point de port, le temps n'a point de rive ;
Il coule et nous passons !
(Non, ce n'est pas d'Ausone, c'est de Lamartine.)

Dans le silence de la cave, qui saura convaincre l'autre que l'heure a sonné de se donner l'un à l'autre ?

Saint-Émilion. Le plus beau et le plus pittoresque village du Bordelais. Avant de déguster, prendre le temps de se balader dans les rues pavées, de visiter l'église monolithe creusée par les bénédictins, le cloître des Cordeliers, les vestiges des remparts, et d'admirer du haut de la terrasse le rose fouillis des toits que n'agresse aucune antenne de télévision.

Les propriétés du vignoble de Saint-Émilion sont plus modestes que celles du Médoc. La géologie y est disparate, de sorte que les terroirs exercent une influence manifeste sur les assemblages du merlot, dominant, avec le cabernet franc et le cabernet sauvignon. Du château angélus — récemment promu, avant d'être le troisième A ? — au château trottevieille, du château la gaffelière au château figeac (30 % de merlot seulement), du château canon (55 % de merlot) au château bel-air (pas de cabernet sauvignon) — tous premiers grands crus classés B —, les assemblages varient considérablement, le goût des vins aussi. À Saint-Émilion, n'en déplaise à Ausone qui était aussi grammairien, la syntaxe est très libre. Choisir son saint-émilion est un exercice grammatical et gourmand, surtout dans les « grands crus », ni premiers, ni A, ni B, qui sont nombreux, et plus encore dans les saint-émilions génériques.

BORDELAIS, MAURIAC (FRANÇOIS), MONTESQUIEU

Bacchus

Le Dionysos des Grecs et le Bacchus des Romains ne sont qu'un seul et même dieu. Si le premier bénéficie de l'antériorité, du prestige de la création mythologique, le second, qui en est la réplique latine, a pour lui la popularité que les artistes et les poètes occidentaux lui ont assurée au fil des siècles.

Bacchus est identifié aujourd'hui comme le dieu des vendanges, du vin et de l'ivresse. L'opinion l'a réduit à cela, alors que dans l'Antiquité on lui attribuait une action bénéfique sur toute l'agriculture. Il ne se contentait pas d'étancher la soif avec du vin : il nourrissait. À ses débuts, il était jeune et beau, avec le charme que procure la générosité du cœur et des mains. Mais, comme il a beaucoup bu — du moins l'a-t-on fait beaucoup boire —, il est devenu gras, ventru, fessu, boudiné, rougeaud. Toujours joyeux, entre deux cuites, il trône, coiffé d'une couronne de pampres, une coupe à la main, au milieu des bacchantes, quand il ne chevauche pas un tonneau.

Bacchus sera-t-il un jour interdit de représentation parce qu'il boit sans modération et qu'il donne le fâcheux exemple d'un gros picoleur hédoniste qui se fiche des ballons de la police dans lesquels nous, pauvres humains traqués, devons souffler ?

Dionysos est un dieu beaucoup plus complexe que Bacchus. D'une beauté renversante, sa colère était impitoyable envers les humains, imprudents, dubitatifs ou révoltés, qui ne reconnaissaient pas sa tutelle divine. Il les rendait fous et les anéantissait. Il était hors de question qu'il ne fût pas considéré, avec toutes les révérences et supplications dues à son rang, comme le dieu de la fertilité, de la fécondité et de la félicité. Parmi ses spécialités figurait la vigne, qu'il créa et dont il répandit la culture en Grèce, dans tout le Proche-Orient, en Italie et en Espagne. Dionysos était tout à la fois un conquérant, un tyran et un bienfaiteur de l'humanité.

Sa naissance mouvementée explique son besoin forcené de reconnaissance. Car il eut deux mamans : sa maman et son papa. Fils des amours illégitimes de Zeus et de la belle mais mortelle Sémélé, il n'était qu'un fœtus quand sa mère mourut, foudroyée pour avoir contemplé le dieu des dieux dans son éclatante splendeur. Celui-ci recueillit le fœtus et le cousit dans sa cuisse afin qu'il y achevât son développement et échappât à la jalousie assassine d'Héra, la régulière de Zeus. Elle ne parvint jamais à se saisir de l'enfant tant il fut bien protégé par Silène (son éducateur, ivrogne de grand talent), les Nymphes, les Ménades et les Satyres. Toujours pour fuir les tueurs appointés par sa belle-mère, mais aussi pour affirmer aux yeux du monde sa nature divine et les pouvoirs extraordinaires qu'il tenait de son père, Dionysos voyagea sans cesse. Nul ne dirigea mieux que lui ses relations publiques. Pouvait-il faire plus beau cadeau à l'humanité que la vigne et le vin ? Il est logique d'imaginer que les sceptiques qui le jugeaient un peu trop arrogant et m'as-tu-vu, et qui payèrent de leur vie leur blasphème dionysiaque, n'aimaient pas le vin.

Bacchus et Vénus sont les seuls dieux à avoir survécu à la grande lessive de l'Olympe à laquelle s'est livré sans charité le christianisme. (Les autres, pour les éloigner, on a donné leur nom à des planètes.) Ils ont été sauvés de l'oubli par la popularité de leurs domaines d'élection : le vin et l'amour. Sous les noms grecs de Dionysos et d'Aphrodite, après un repas où ils s'enivrèrent des meilleurs vins de l'île de Chio, ils s'unirent pour donner la vie à Priape, obsédé sexuel aux attributs pharaoniques (dans la mythologie tout est permis, même les anachronismes. D'ailleurs Dionysos répandit aussi la vigne en Égypte).

Vénus est très redevable aux grands peintres de la Renaissance. Ils célébrèrent sa beauté avec d'autant plus de sensualité qu'ils pouvaient la représenter nue sans (trop) choquer l'Église. Au bain, au miroir, sa naissance, sa toilette, son triomphe, etc., ce n'était après tout qu'une jolie païenne dévergondée !

Le palmarès pictural de Bacchus est presque aussi impressionnant que celui de sa divine maîtresse d'un soir.

L'enfant potelé de Bellini est charmant.

Le Bacchus en bronze de Michel-Ange est sidérant de jeunesse et de beauté. Il ne boit pas encore.

La tête ceinte de pampres, une coupe de vin rouge à moitié remplie dans la main gauche, le Bacchus du Caravage vient de sortir de l'adolescence. Il boit. Son air est grave.

Le Bacchus de Vélasquez, jeune encore, nu jusqu'à

la taille, est déchaîné. Assis sur un tonneau, il couronne un ivrogne agenouillé devant lui, tandis que d'autres pochetrons s'amusent de la farce ou attendent d'être eux aussi honorés par le dieu du vin.

Le Bacchus de Léonard de Vinci ressemble bizarrement à un saint Jean-Baptiste surpris sur le chemin qui le mènerait de l'eau au vin.

Rubens, épris de chairs volumineuses, a peint un Bacchus bien gras, bien bombé, poussah décadent et cauchemardesque.

Enfin, *Bacchus sortant de l'ombre* (1997), de Paul Rebeyrolle, est encore plus effroyable. D'une masse noirâtre, lugubre, pendent un pauvre sexe et des couilles ratatinées. Bacchus les frotte à la grosse carafe de vin blanc que tient sa main gauche décharnée, tandis qu'une petite carafe de vin rouge, un verre rempli à moitié, des raisins et des oignons occupent le premier plan. Le dieu n'est plus qu'un homme misérable épuisé de vices et d'excès.

C'est dans l'art populaire que Bacchus l'emporte sur Vénus. En porcelaine, en faïence, en plâtre, en bois, en chocolat, le dieu pullule. Mieux, il a réussi à fédérer autour de son nom et de sa liberté de mœurs toute une philosophie hédoniste — représentée hier par Nietzsche, aujourd'hui par Michel Onfray ; une poésie du vin, de l'ivresse, de la licence, de la débauche impie ; une grammaire de la liberté, du désordre et du secret où le triomphe de Bacchus est popularisé par les mots forgés à partir de son nom : bacchanale (orgie bruyante et vineuse), bachique (chanson bachique, confrérie bachique, fête bachique, etc.).

Bacchus, cher vieux compagnon de nouba, ceux qui vont boire te saluent !

Dieux et le vin (Les)

Beaujolais 1 — Miracle, étiquette et couvert

Miracle. Ce fut en effet un miracle qui me fit me spécialiser dans le journalisme littéraire, alors que mon inculture dans ce domaine aurait dû, en toute justice, m'en écarter. Et c'est au beaujolais — oui, je sais, c'est à n'y pas croire ! — que je dois cette faveur du destin. Voici comment.

J'avais vingt-trois ans et j'en avais fini avec le service militaire. Arrivé de Lyon par le train de 14 heures, je me rendis aussitôt rue du Louvre, au Centre de formation des journalistes (CFJ) dont j'étais l'ancien élève et qui recevait des demandes pour des postes de stagiaire. Si j'avais un souhait ? Oui, *L'Équipe*. Claire Richet, directrice du CFJ, me dit qu'elle n'y connaissait personne, mais que, ce matin même, elle avait refusé une place de débutant au *Figaro littéraire*, n'ayant aucun nom à proposer. Si la place était toujours libre ? Oui, cela me conviendrait, mais je n'étais pas sûr de convenir au journal. Débrouillez-vous. J'eus un rendez-vous le soir même.

Le Figaro et *Le Figaro littéraire* étaient alors somptueusement logés — avec l'imprimerie en sous-sol — au rond-point des Champs-Élysées, dans l'ancien hôtel particulier du parfumeur Coty. Sous les lambris dorés, je fus reçu par le secrétaire général de la rédaction, Jean Sénard, qui, avec vaillance et humour, représentait la SFIO dans les élections du VIIIe arrondissement où il n'avait aucune chance d'être élu. Il était lyonnais. Je vis là un heureux présage (en dépit de notre différence d'âge, nous devînmes par la suite des amis intimes). Il m'expliqua que j'allais être reçu par le rédacteur en chef, Maurice Noël, ami de Claudel, admirateur de Valéry, homme d'une carrure aussi imposante que sa culture, d'un abord assez impressionnant. Je ne devais justement pas me laisser impressionner, car l'homme, apparemment bourru, rêche, tout d'un bloc, avait un cœur généreux.

C'était bien vu, quoique la partie de son corps qui retînt tout de suite mon attention quand j'entrai dans son bureau, aussi haut de plafond et chamarré que le salon de la rédaction, fut ses épaisses mains de bûcheron, l'une ayant broyé la mienne. Un jour que je montrais un peu d'insolence à son égard, il se leva, me saisit par le fond de mon pantalon et me jeta dehors. Moins d'un quart d'heure après ses bouffées de colère, il priait ses victimes de l'en excuser.

Nous n'en étions pas là. Nous en étions à mes lectures. Mes réponses l'attristaient de plus en plus. Les *Mémoires d'Hadrien* ? Non, je n'avais jamais entendu parler de Marguerite Yourcenar. *L'Amour et l'Occident*, de Denis de Rougemont ? Je n'en pensais rien puisque je ne l'avais pas lu. Il énuméra une douzaine de noms et de titres — il me semble qu'il y avait Roger Martin du Gard, *Les Fleurs de Tarbes*, *Monsieur Teste* —, auxquels j'opposai un silence de plus en plus honteux. À la fin, ironique, il me demanda s'il m'arrivait de lire. Oui, et je citai Antoine Blondin, Aragon — mais ce n'était pas sa tasse de vodka —, Félicien Marceau. C'était bien maigre pour un jeune homme supposé être un fou de lecture et qui, imaginait-il, ambitionnait, depuis la maternelle, de faire carrière dans le journalisme littéraire. Il était patent que je ne faisais pas l'affaire. J'avais hâte d'en terminer.

Maurice Noël me demanda alors, tout à trac, probablement pour ne pas clore cet examen oral sur une fin de non-recevoir brutale, si j'étais parisien ou provincial. « Je suis lyonnais », lui dis-je. Il me raconta qu'au début de l'Occupation *Le Figaro* s'était replié en zone libre, à Lyon. En dépit de la tristesse qu'il éprouvait à voir la France battue et humiliée, et des difficultés à faire un journal qui ne fût pas indigne de ses rédacteurs et de ses lecteurs, il avait gardé un excellent souvenir de la ville de la Belle Cordière. C'est d'ailleurs rue Bellecordière, mais aussi rue des Marronniers, place des Célestins, qu'il fréquentait des bouchons où, le soir, après le bouclage, il se régalait de jésus, de cochonnailles, et même, une fois, d'un tablier de sapeur (ça, je connaissais !). Toujours arrosés, ajouta-t-il, de délicieux beaujolais.

— Ah, vous aimez le beaujolais ? lui demandai-je, revenu de ma déroute, le sourire retrouvé.

— Oui, beaucoup. S'il est bon.

Et je m'entendis dire, du ton le plus naturel du monde, à cet homme physiquement et intellectuellement si intimidant, que je ne connaissais pas un quart d'heure auparavant et que je ne reverrais sans doute jamais :

— Mes parents ont une petite propriété dans le Beaujolais, enfin, ma mère…

L'œil de Maurice Noël frisa aussitôt. Pour la première fois je l'étonnais, je l'intéressais.

— Ils font du bon beaujolais ?

— Ce n'est pas eux qui le font. Ils ont un vigneron. Et son vin est considéré comme un des meilleurs, dis-je avec l'assurance d'un vieux connaisseur.

— On peut en acheter ?

— Bien sûr !

— Serait-ce possible d'avoir un petit tonneau, comment les appelle-t-on dans le Beaujolais, ces tonneaux d'une dizaine de litres ?

— Des caquillons ?

— Voilà, un caquillon ! Payant, cela va de soi.

— Rien de plus facile. Dans huit jours, vous l'avez.

— Eh bien, convenons que je vous prends à l'essai pour une période de trois mois. Vous commencez lundi.

Il devait être à peu près 19 heures.

Il se leva, saisit sur la cheminée deux ou trois livres qu'il me tendit en me demandant de les lire sans attendre. Ce que je fis, dès le soir même. Je n'ai plus depuis relevé la tête. (Je ne me souviens pas, hélas, de ces premières lectures professionnelles.)

Une quinzaine de jours après, Maurice Noël entra dans le salon de la rédaction et, de sa voix nasillarde si présente encore à mon oreille, lança très fort : « Ah, Bernard Pivot, le beaujolais de vos parents, quelle merveille ! »

Jean Sénard et les autres journalistes du *Figaro littéraire* me dirent que, sauf paresse et sottise dont je montrerais des signes caractérisés, la déclaration de Maurice Noël avait valeur d'engagement définitif.

Étiquette. Bien des années après, ayant lu entre-temps comme un damné (par Belzébuth, lit-on en Enfer ? J'en doute), animateur à la télévision d'une émission sur les livres, « Apostrophes », qui faisait de moi un personnage de la comédie littéraire, ma filiation beaujolaise fut retenue à charge. N'y avait-il pas incompatibilité entre la littérature et un vin de joueurs de boules à la lyonnaise ? Pouvait-on s'en remettre à un consommateur de beaujolpif pour s'entretenir avec Marcel Jouhandeau, Marguerite Yourcenar (je n'ai jamais osé lui avouer mon ignorance jusqu'à son nom dans le bureau de Maurice Noël), Claude Lévi-Strauss, Georges Dumézil, Julien Green, etc. ? Mon amour du football n'arrangeait rien, et quelques intellectuels, de droite et de gauche, quelques confrères, se demandaient sérieusement s'il n'y avait pas de l'imposture chez un homme qui semblait avoir un certain goût quand il lisait, alors qu'il était manifeste qu'il avait très mauvais goût quand il buvait. Bref, Proust est-il soluble dans le beaujolais ?

Un premier cru du Médoc ou un champagne millésimé accompagneraient mieux, ce point n'est pas contestable, la lecture d'*À la recherche du temps perdu*. Mais le contraste entre un vin canaille et une œuvre distinguée pouvait être amusant, et, de toute façon, je buvais et j'appréciais bien d'autres vins, notamment les médocs et les champagnes. Je n'irai pas jusqu'à prétendre qu'il y avait du racisme — laissons les mots graves à ceux qui en souffrent gravement — dans cette contestation par mes origines vineuses de ma légitimité de lecteur professionnel, mais je soutiens qu'il y avait de l'intolérance œnanthique. (Un excellent médecin m'a raconté qu'avant de prendre la parole dans un congrès international de spécialistes à New York ou à Tokyo, lorsqu'il déclinait son identité et annonçait qu'il travaillait à la Clinique du Beaujolais, des rires fusaient aussitôt.)

Élevé dans les châteaux bordelais ou les maisons champenoises, je n'eusse pas été chatouillé sur la boisson de mon enfance. D'autres vins n'auraient pas fait d'histoires parce qu'ils sont rares ou discrets, comme la mondeuse de Savoie ou le sciaccarello de Corse, ou historiques, comme le jurançon ou le chinon, ou moelleux, comme un bonnezeaux ou un sauternes, ou littéraires, comme le château ausone ou un côtes-de-duras. Mais le beaujolais n'est ni rare, ni discret, ni historique, ni moelleux, ni littéraire. Il n'est que populaire. J'imagine qu'aux yeux de quelques rats de cave et de bibliothèque de la Sorbonne et de l'Institut, cela ne me donnait de la compétence que sur les best-sellers.

J'aurais tort cependant de me plaindre de cette étiquette beaujolaise collée à mon identité. Car je crois qu'elle entrait dans mon image, rassurante pour la majorité des téléspectateurs, de journaliste qui, à table, était des leurs, et qui continuait de l'être quand il passait au salon avec les écrivains qu'il avait invités.

Couvert. Encore un clin d'œil du destin : à la table des Goncourt, où je me suis assis pour la première fois le 11 janvier 2005, mon couvert, le premier, a été inauguré par l'exigeant appétit de Léon Daudet (son père, Alphonse, est mort avant le premier déjeuner). Or, Léon Daudet était un buveur de beaujolais. Il est l'auteur de cette phrase souvent et mal citée : « Lyon est la capitale de la cuisine française. En dehors du Rhône et de la Saône, elle est parcourue par un troisième fleuve, celui-ci de vin rouge, le beaujolais, et qui n'est jamais limoneux, ni à sec. »

Au même couvert de l'académie Goncourt, j'ai eu pour illustre prédécesseur Colette, née dans la Bourgogne sans vigne, la Puisaye, mais à qui, pour la connaissance et l'appréciation des vins, il ne fallait pas en remontrer. Très éclectique dans ses goûts, elle a célébré les vins de Saint-Tropez, les blancs de Provence, le muscat de Frontignan, le jurançon, l'yquem, les bourgognes bien sûr, et, dans les beaujolais, le brouilly et le côte-de-brouilly.

Alors que l'arthrite l'avait déjà rendue presque impotente, elle assista — en 1947, fameux millésime ! — aux vendanges du château Thivin, sur la côte de Brouilly. « À tout labeur tout honneur : en bas, quarante vendangeurs avaient la meilleure table, servie d'omelettes, de veau, de poules, de cochon, et arrosée de ce vin qui, comme les plus beaux rubis, garde claire, aux lumières, sa sanguine et franche couleur » (*Le Fanal bleu*).

Enfin, le dernier domicile parisien de Colette, au Palais-Royal, était rue… de Beaujolais.

Beaujolais 2 — Après Pâques

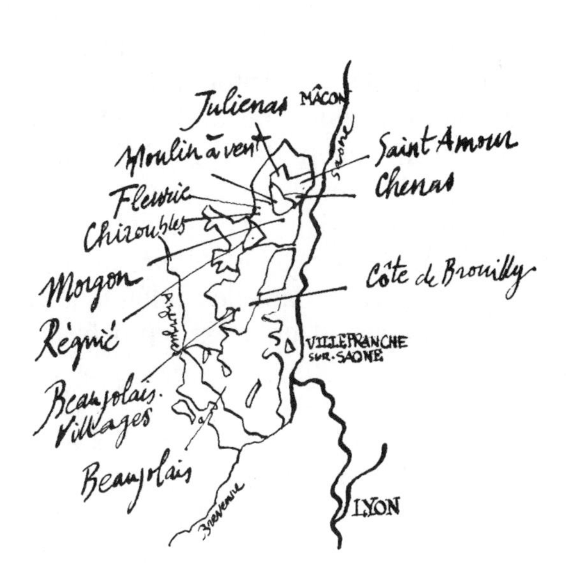

C'est un beau vignoble. Là-dessus tout le monde est d'accord. Douces collines et vallées serpentines forment un paysage très français, aux ardeurs tempérées, avec de brusques échappatoires et des digressions rêveuses, la forêt en altitude servant de toile de fond. Avec ses magnifiques villages en pierres dorées, le Beaujolais du Sud — ou bas Beaujolais — est plus touristique que le Beaujolais du Nord, mais plus on s'éloigne de Lyon, plus on se rapproche de Mâcon, meilleur est le vin. En gros : au sud le beaujolais simple, au centre le beaujolais-villages, au nord la plupart des crus.

Il y a unanimité aussi sur la générosité et la jovialité des vignerons. On sait accueillir les étrangers. Par intérêt bien compris, certes. Mais aussi par une disposition naturelle à la convivialité, au plaisir de trinquer. Sans chichis, sans manières. Avec la rondeur, la simplicité, les couleurs enjôleuses qu'évoque le mot beaujolais. Le génie populaire, un coup dans le nez, donc inspiré, aidé de San-Antonio, l'a transformé en beaujo, beaujolo, beaujol, beaujolpif, et autres trouvailles qui disent autant la cordialité enjouée des producteurs que l'humour des consommateurs.

Mais sitôt qu'est évoqué le beaujolais — sans le B majuscule de la région ou de l'aire d'appellation, donc le vin —, on entre dans des polémiques fondées sur des idées fausses et de vrais reproches. Voyons tout cela.

Le beaujolais est-il un vin récent ? J'ai été plusieurs fois étonné d'entendre des personnes, peu au fait des choses du vin il est vrai, affirmer que le Beaujolais ne produit du vin que depuis quelques dizaines d'années, un siècle tout au plus. C'est probablement le nom de « beaujolais nouveau » (qui sera abordé dans le chapitre suivant) qui les a abusées. S'il est l'un des moins vieux vignobles français, le Beaujolais — qui tire son nom de sa capitale historique, Beaujeu — cultive quand même la vigne depuis belle lurette. Depuis au moins le Xe siècle, date d'une charte mâconnaise qui en atteste la présence.

Ce qui est exact, c'est que la région a longtemps été polyculturale. Les champs de seigle et les prairies étaient plus nombreux et plus vastes que les vignes. Celles-ci ne vont proliférer, occuper le paysage, qu'à partir du milieu du XVIIIe, puis au XIXe siècle, et plus encore après la Deuxième Guerre mondiale. Il se produisait quand même assez de vin, et de bon vin, dans la région, pour que Voltaire, à Ferney, en eût fait son ordinaire. Ce qui, par parenthèse, ruine une autre légende, à savoir qu'en ce temps-là le beaujolais voyageait mal. Au XVIIIe, d'octrois en péages, de chemins en rivières et canaux, les queues, les muids et les pièces étaient acheminés jusqu'aux ports Saint-Bernard et Saint-Paul, à Paris, d'abord sur des charrettes à bœufs qui devaient franchir les montagnes du Beaujolais, puis par bateaux, à partir du port de Pouilly-sous-Charlieu, sur la Loire.

Le voyage de Lyon était beaucoup plus court. En dépit de la concurrence des vins des coteaux du Lyonnais, plus proches encore, le beaujolais installa peu à peu son empire entre Rhône et Saône.

Le beaujolais est-il un vin de Bourgogne ? L'essentiel du Beaujolais se situe dans le département du Rhône, qui appartient à la région Rhône-Alpes, et non à la Bourgogne. Jamais le comté du Beaujolais n'a été la possession du duché de Bourgogne. Les ducs se fichaient bien des terres qui étaient au sud. Ils avaient le regard et les armes tournés vers le nord et l'est. C'est au septentrion que brillaient l'or, l'argent, les étoffes, les œuvres d'art. À l'exception du duché de Mâcon qui fut la propriété de Philippe le Bon, ils ne songèrent à établir et à maintenir leur autorité que sur les Flandres, l'Artois, la Picardie, la Franche-Comté, etc. Les seigneurs du Beaujolais, des Bourbons à partir de 1400, faisaient des guerres à leur mesure. Contre leurs voisins, les comtes du Forez, qu'ils ne pouvaient pas piffer. À la grande colère des comtes puis des ducs de Savoie, ils ajoutèrent la Dombes, pendant un temps, à leur apanage.

Historiquement, géographiquement — Beaune est distante de Villefranche-sur-Saône, capitale administrative du Beaujolais, de 125 kilomètres —, la Bourgogne et le Beaujolais n'ont donc aucun lien. Du côté de la vigne et du vin, ils ne forment pas non plus un même attelage. Les côtes de Bourgogne sont plantées pour l'essentiel de chardonnay et de pinot noir, alors que les coteaux du Beaujolais sont voués au seul gamay noir à jus blanc. Certes, Gamay est le nom d'un village bourguignon et ce cépage fut autrefois celui de Beaune. Mais il en fut chassé par le duc Philippe le Hardi, qui le jugeait « très mauvais et très déloyal ». Les échevins de Mâcon le condamnèrent également, estimant qu'il était dangereux pour la santé. On imagine la fureur de leurs voisins beaujolais et caladois. L'historien Roger Dion pense que le gamay d'alors était peut-être d'une « variété grossière ». Il y avait aussi que le sol de la Bourgogne ne lui convenait guère, alors qu'il a trouvé, en particulier sur les terrains granitiques du haut Beaujolais, sa Terre promise.

Enfin, au nez et au palais, bourgogne rouge et beaujolais ne se ressemblent pas du tout. Ils ne sont pas vinifiés de la même façon. L'un vit vieux, l'autre meurt jeune. Dans l'excellence et la réputation, leur statut est bien différent. Sur la carte des sommeliers et des cavistes, ils ne concourent pas dans la même catégorie.

Et pourtant, depuis un jugement de 1930, le Beaujolais appartient à la Bourgogne viticole. De sorte que celle-ci s'étend d'Auxerre et son chablis jusqu'à Villefranche et son beaujolais. L'Administration a unifié et simplifié. Cela n'autorise cependant pas le beaujolais à se prétendre bourgogne (non plus qu'un bourgogne à pousser l'humilité jusqu'à se dire beaujolais). À cette règle, comme toujours, une exception : les dix crus du Beaujolais — brouilly, côte-de-brouilly, chénas, chiroubles, fleurie, juliénas, morgon, moulin-à-vent, régnié, saint-amour — ont le droit et l'honneur, au mépris de toute logique, de s'afficher vin de Bourgogne sur leurs étiquettes.

Un seul devrait y être autorisé : le moulin-à-vent. En effet, quand il est issu d'un excellent millésime et qu'il vieillit confortablement, une étrange alchimie, due au manganèse de son sol, « pinotise » son gamay. Il se « bourgognise » si bien que, dans une dégustation à l'aveugle, on peut, après au moins cinq ans d'âge, le confondre avec des climats de la Côte de Nuits. Le moulin-à-vent est l'élégante réponse du gamay à Philippe le Hardi.

Le beaujolais est-il un « vin industriel » ? Un célèbre moustachu du plateau de Larzac, qui s'y connaît mieux en côtelettes de mouton qu'en côte-de-brouilly, a qualifié, un jour de disette démagogique, le beaujolais de « vin industriel ». Si une industrie était bâtie sur le modèle du Beaujolais, elle serait très vite acculée à la faillite. Car ce vaste vignoble est connu pour la modeste superficie de ses exploitations. Pas aussi émietté que la Bourgogne, mais sans rapport avec les amples domaines du Bordelais ou du Languedoc.

Une industrie se doit de gagner du temps, donc de l'argent, en ayant recours à des machines de plus en plus performantes. Or, le Beaujolais continue de vendanger à la main. Beaucoup de vignerons sont des artisans qui font eux-mêmes leur vin. Certains le mettent en bouteilles et le vendent à une clientèle qu'ils se sont constituée au fil des années, quand, imités naguère par les caveaux et les caves coopératives, ils ne le proposent pas à des touristes de passage, à l'exemple des fromagers dans la montagne. Mais, devant la chute des cours, la rudesse de la crise viticole qui leur paraît sans fin, ils sont de plus en plus nombreux à s'en remettre au négoce et aux caves coopératives. Dans cette démission, il y a du désespoir.

C'est de l'inverse que pâtit le Beaujolais : des structures du passé, des méthodes de façonnier, le vieillissement du vignoble, une inadaptation au marché soit des vins industriels, soit des vins de l'élite. Le beaujolais a le cru entre deux chais.

Le beaujolais est-il un vin de jeu de boules ? Mais oui. Jadis, durant les parties de jeu de boules à la lyonnaise, sur des terrains spécialement aménagés dans des clos, sur les bas-ports du Rhône, à côté des restaurants et des bistrots, les Lyonnais buvaient le beaujolais au mètre. Douze pots de 46 cl, le treizième étant offert par le patron, occupaient en effet un mètre linéaire.

Mais, à lire et entendre quelques chroniqueurs, le beaujolais ne serait qu'un vin de jeu de boules. Pas plus, pas mieux. Un vin de soif, de copains, de cocher, de comptoir, de virée, de casse-croûte, de pique-nique, de fête foraine. Certes, il est tout cela. C'est son côté popu et sympa. Mais s'il n'était que cela, s'il n'était apprécié et bu que par des gens en goguette ou en baguenaude, depuis plus de deux siècles son offre serait de beaucoup, beaucoup, supérieure à sa demande. Que je sache, ses biographes ne font de Voltaire ni un joueur de boules ni un casse-croûteur.

Le beaujolais a toujours été *aussi* un vin de bourgeois. Plus petits que grands. Le vin des canuts et le vin des rad-soc's. Le vin de Gnafron et le vin d'Édouard Herriot. Le vin des usines Berliet et le vin de l'académie du Gourguillon. Le vin de Clochemerle et le vin d'Anne de Beaujeu. Le vin des bleus de chauffe et le vin des costumes-lavallière. Le vin de la Vache-qui-rit et le vin du gigot-qui-pleure. Le vin des mâchons entre vieux potes et le vin des déjeuners en famille. Le vin de la gauche-saucisson et le vin de la droite-pot-au-feu. Le juliénas des journalistes du *Canard enchaîné* et le morgon des congrès de notaires. Le beaujolpif des meetings et le saint-amour des mariages. Le vin dominical des classes laborieuses et le vin de tous les jours des classes aisées.

Du temps marxiste où régnait la lutte des classes, le beaujolais la niait. Il était sur les tables des pauvres et des riches. Oh ! non, il ne les réconciliait pas. Il ne les rapprochait même pas. Il ne les trahissait pas non plus. Ses arômes de fruits rouges étaient pluralistes. Entre les châteaux de la haute (mot aujourd'hui démodé) et les piquettes des chantiers, du simple beaujolais au moulin-à-vent il s'était fait une jolie place dans la hiérarchie sociale du tastevin.

L'étranger s'étant mis lui aussi de la fête, les cours ont flambé dans les années 1960 et 1970. Devenu trop cher pour les joueurs de boules et les clients des « pieds-humides » (à Lyon, débits de boissons édifiés en plein air, qui assurent la protection de la tête contre la pluie mais pas des pieds), le beaujolais perdit peu à peu sa position dominante dans les bars et cafés au profit de son rival du Sud, moins coûteux, le côtes-du-rhône. Plus le beaujolais devenait populaire à Paris, à Genève et à Hambourg, plus Lyon lui faisait la gueule. La froideur, et même l'hostilité, des Lyonnais à son égard — leurs rapports sont aujourd'hui un peu meilleurs — a, ensuite, beaucoup encouragé la fronde acrimonieuse du « people » parisien contre un vin dont beaucoup avaient contribué à établir la notoriété. (Je reviendrai là-dessus avec le beaujolais nouveau.) Cela a aussi quelque peu détourné les « notables » des crus du beaujolais, soumis, il est vrai, à la concurrence de vins français et étrangers de plus en plus compétitifs, en qualité et en prix.

Le beaujolais a-t-il été victime de son succès ? Doublement, parce que sa réussite, on vient de le voir, en a irrité plus d'un. Parce que lui-même s'est vu trop beau. Dans les années d'euphorie, il a manqué à la tête de son Comité interprofessionnel un homme de discernement, d'anticipation, de courage et d'influence (oui, je le reconnais, c'est beaucoup de qualités chez un seul homme). Il se serait opposé à l'extension galopante des vignes sur des hauteurs froides, mal exposées, et sur les terres à céréales des vallées du bas Beaujolais. Il aurait invité les viticulteurs à user modérément des désherbants, des engrais, et à lutter contre les gros rendements. Il aurait condamné la surchaptalisation. Une sorte de Jules Chauvet (*voir cette entrée*), point aussi puriste et intransigeant — les paroissiens se détournent des pasteurs qui exigent d'eux trop de sainteté —, mais qui aurait compris que la rigueur, la qualité étaient les seuls garants de la pérennité du succès et qu'il fallait les encourager, voire les imposer. De même que la mauvaise monnaie chasse la bonne, les mauvais vins, quoique minoritaires, font du tort aux bons.

Pierre-Marie Doutrelant a raconté tout cela dans une enquête décapante qui fit sensation en 1976 (*Les Bons Vins et les autres*). Il dénonçait la furie de planter, avec la bénédiction des pouvoirs publics, de tous les vignobles : Alsace, Champagne, Médoc, Sancerrois, Côtes du Rhône, etc. Il épinglait les excès de chaptalisation de l'Alsace au Sauternois, de la Bourgogne au Languedoc (mais oui), de la Loire au Rhône. En 1994, Guy Renvoisé publiait *Le Monde du vin : art ou bluff ?* (suivi dix ans plus tard de *Le monde du vin a-t-il perdu la raison ?*), livre d'un arpenteur de vignes et de chais, qui en célébrait les réussites mais en inventoriait aussi sans pitié les abus, les dérives, ceux relevés par Pierre-Marie Doutrelant plus quelques autres, comme l'utilisation de la potasse en Bourgogne.

Tous les vignobles en ont pris pour leur grade. Mais, lorsque la presse veut à son tour — elle est dans son rôle — blâmer les excès de plantation, de production, de chaptalisation, c'est toujours le Beaujolais qui sert d'exemple et de cible. Effet boomerang d'une communication autrefois sollicitée et efficace. Rançon permanente d'une gloire à la longue chèrement payée.

Pourquoi suis-je resté fidèle au beaujolais ? Drôle de question ! Trahit-on sa jeunesse par complaisance ou moutonnerie ? Prend-on ses distances avec ses origines pour mieux épouser les balancements de la mode ? Au fil de la vie, la découverte et la consommation enchantée d'autres vins, plus renommés, plus rares, plus complexes, plus longs en bouche et en mémoire, impliquent-elles qu'on se détourne du vin populaire auquel on doit l'initiation au plaisir ? Et auquel, par plaisir, on revient sans cesse ?

Ex-joueur de boules, ex-casse-croûteur des foins, des moissons et des vendanges, ex-coureur de traboules, copain de Gnafron, j'aime toujours le beaujolais frais, mordant, déluré, au goût de pierre et de cassis, qui goûte bien et que la soif apaisée n'éloigne pas.

J'aime aussi que les repas de famille, les dîners impromptus, le gigot-qui-pleure, la poularde demi-deuil (le gigot et la poularde ont-ils perdu un être cher ?), le gratin de cardons, les fromages de chèvre, les saint-marcellins, etc., soient accompagnés d'un beaujolais-villages qui a fait ses pâques, d'un brouilly aux arômes de mûre et de prune, d'un chiroubles tendre, frotté de violette, d'un fleurie qui justifie son nom par des notes de rose, de violette, d'iris, ou d'un moulin-à-vent corsé, large d'épaules, un peu tannique, capable, le rusé, de transformer au fil du temps ses arômes de fruits rouges en odeurs de truffe et autres champignons.

Glouglou

« Un soir de vendanges, penché sur le pressoir d'où s'échappait le vin bouillonnant d'une grande cuvée, il (le vieux vigneron) me fit une confidence : le Bon Dieu me connaît bien, il m'a dit comme ça, Piarre, bois-en bien pendant que tu es sur la terre, je n'en ai pas du pareil là-haut. » (De Jean Guillermet, éditeur et libraire à Villefranche-sur-Saône, érudit régional qui publia, aidé de Marguerite Guillermet, son épouse, l'*Almanach du Beaujolais*, de 1931 à 1960, mine d'informations sur le vignoble et sur le vin. Il est l'une des figures de cire du musée du Hameau beaujolais, à Romanèche-Thorins.)

BOURGOGNE, VOLTAIRE

Beaujolais 3 — Avant Noël

Il n'a pas été difficile à l'historien et érudit Gilbert Garrier de montrer que « la grande attente du vin nouveau » a toujours existé, à Rome déjà. Imité par d'autres vins, le beaujolais primeur en est simplement la plus récente et la plus spectaculaire illustration, le gamay révélant très tôt ses arômes de fruits rouges, après une cuvaison raccourcie.

Dans les années 1950, le beaujolais nouveau était un produit plutôt rare. Les cafetiers parisiens étaient plus demandeurs que les vignerons n'étaient vendeurs. La production a peu à peu augmenté parce que tout le monde y trouvait son intérêt : un nouveau plaisir pour les uns, une rentrée rapide d'argent pour les autres. Selon Gilbert Garrier, il fallut attendre 1975 — médiocre millésime pourtant, mais, à cette époque, l'enthousiasme débordait des tonneaux — pour que le primeur, dans une sorte de folie, conquît Paris tout entier. Publication du roman de René Fallet : *Le beaujolais nouveau est arrivé*. Baptême officiel du nouveau-né à l'Assemblée nationale sous la présidence d'Edgar Faure et le parrainage de Georges Brassens et de Mireille Mathieu.

Puis, de Paris, le beaujolais nouveau se lança à la conquête de nos voisins européens, enfin du vaste monde. Par hasard, j'ai assisté à son arrivée à Montréal et à Bamako. Au Canada, en dépit du froid, ce fut une incroyable journée de liesse dans les bars et les restaurants. À minuit, tout était bu. Au Mali, la communauté française, européenne et américaine l'accueillit en tenue de soirée, au cours d'un banquet très chic au bord du Niger, sous les manguiers et les eucalyptus.

Pour comprendre le succès phénoménal du beaujolais nouveau, il faut être meilleur psychologue qu'œnologue. Novembre est le mois le plus triste de l'année. Temps froid, mouillé, venteux. L'été et les vacances ne sont plus que des photos. Le 1er ou le 2, on a visité les cimetières. Le 11 célèbre la victoire de millions de morts. Il y a toujours des grèves. Noël paraît encore très loin. On s'ennuie. On a le moral dans les chaussettes. Et voilà que, le troisième jeudi, déboule un vin gai, hardi, aux joues rouges, à la bouche de printemps, qu'on déguste moins qu'on ne le lampe comme un élixir de jeunesse et de bonne humeur. Dans la mélancolie de l'automne, une envie de fête populaire s'exprime à travers le beaujolais nouveau. Sa chance est d'arriver au bon moment.

Ce n'est qu'une curiosité, un bonheur de circonstance, une gourmandise hâtive et friande. À Tokyo comme à New York, à Vancouver comme à Séoul, il détonne parce qu'il est l'un des rares produits à s'écarter de la tradition de grand luxe à la française. On le reçoit *à la bonne franquette* et l'on apprécie — sinon, pourquoi ces étrangers en boiraient-ils ? — ses arômes de verger de curé et de rocaille d'instituteur.

Un succès aussi considérable est difficile à maîtriser. Les années « jalouses » (de qualité médiocre), la commission d'agrément devrait être impitoyable envers les cuvées ratées ou décevantes. Elle était jusqu'à présent, au contraire, accommodante. Elle se contentait de veiller sur le social et non sur le vin. Le social, c'est quand l'affectif, voire la compassion, l'emporte sur le goût et l'intérêt général. Le recours par certains à des levures et à des arômes artificiels fut une triche. Enfin, je ne suis pas sûr que le départ en fanfare des camions chargés de beaujolais nouveau — Georges Dubœuf organisait une fête tonitruante à laquelle j'ai participé — n'ait pas à la longue plus irrité que séduit le public informé par les médias.

Car, si la mode a contribué à la fortune du beaujolais nouveau, une autre mode s'est retournée contre lui. Il subit le sort de ces écrivains qui sont dédaignés ou critiqués par ceux-là mêmes qui les avaient flattés à leurs débuts, et que leur état de best-seller durable insupporte. Il y a de bonnes et de moins bonnes années (ce ne sont pas les vendanges les plus chargées de soleil et les moûts les plus alcoolisés qui font les meilleurs beaujolais nouveaux). À chaque mois de novembre son lot de bouteilles, excellentes, agréables, ou, hélas, quelconques, voire détestables. Je puis cependant témoigner que *grosso modo* le vin était plutôt meilleur ces dernières années qu'il y a vingt ou trente ans. Mais la clientèle et le goût changent. L'attente n'est plus aussi naïve ou indulgente. Passe aussi dans le public, surtout parisien, le sentiment répandu par des œnologues, sommeliers et journalistes, particulièrement remontés contre l'arrivée récurrente du jeune premier, que c'est une grande injustice qu'un vin aussi hâtif jouisse d'une telle renommée. Gens de principe et de morale, ils voudraient que le succès d'un vin fût à proportion de son mérite. De sa capacité à vieillir. De sa rareté. Le beaujolais nouveau échappe à une conception vertueuse du monde. Fripon, espiègle, polisson, canaille, voyou, oui ; escroc, non. La vérité est qu'il est difficile de l'apprécier si l'on a perdu le goût de la fête et le chemin du comptoir et des nappes en papier.

La fête n'est plus aussi joyeuse, ne serait-ce que parce que le beaujolais nouveau (40 % de la récolte) fait du tort aux beaujolais classiques et aux crus qui ont passé l'hiver en cave. Il éclipse ce qui est à venir : le meilleur. Pour beaucoup de consommateurs, le beaujolais se résume au nouveau. Et, quand ils découvrent qu'une grande variété d'appellations en prend le relais, telles les dames de charité ils disent : j'ai déjà donné… Plus le beaujolais nouveau arrive, moins les autres trouvent leur chemin.

Je lève mon verre — tiens ! c'est du régnié — à celle ou celui qui sortira le Beaujolais de cet imbroglio philosophique et commercial.

Bernard (Claude)

Claude Bernard est le seul personnage illustre dont le Beaujolais peut s'enorgueillir.

Né en 1813 à Saint-Julien-en-Beaujolais, près de Villefranche-sur-Saône, Claude Bernard n'est pas du tout représentatif de la traditionnelle psychologie beaujolaise : gaieté, gourmandise, gauloiserie, convivialité. Claude Bernard, tout entier à ses recherches de physiologiste dans son lugubre et insalubre laboratoire du Muséum d'histoire naturelle de Paris, était un grand savant austère. Si sa vie professionnelle lui apporta succès et honneurs (Académie des sciences, Académie française, Sénat où il fut nommé par décret impérial, etc.), sa femme, jusqu'à leur séparation, s'acharna à lui gâcher sa vie privée et son humeur. Lui qui, pour les progrès de la médecine expérimentale, pratiquait la vivisection, en particulier sur les grenouilles, avait eu l'imprudence d'épouser, en ligne directe par les nombreux chiens et chats dont elle s'entourait, une aïeule de Brigitte Bardot, le prestige en moins, la bigoterie en plus.

S'il avait au départ la vigueur du gamay, Claude Bernard perdit la santé dans son laboratoire humide. Il prétendait être « le citoyen le plus enrhumé de la République française ».

Jusqu'à sa mort, à l'âge de soixante-cinq ans, il souffrit d'horribles névralgies de la tête et de l'abdomen qui le tenaient alité plusieurs jours d'affilée.

Nous voilà bien loin de la robustesse des vignerons. Pourtant, il se flattait d'être des leurs pendant les quelque six semaines — parfois plus — qu'il passait, chaque année, à l'époque des vendanges, dans sa propriété de Saint-Julien. « Tous les jours, je me lève à six heures ; je descends au cuvier présider au cuvage et au pressurage. Pendant le jour, je vais dans les vignes visiter les vendangeurs en même temps que je fais une cure de raisin. J'ai à faire six cuvées, ce qui équivaut, environ, à 166 ou 170 pièces de vin. Il y en a déjà deux de parachevées, deux en cuvage et deux à vendanger. Aujourd'hui, je fais vendanger dans le clos qui entoure la maison et, en vous écrivant, je vois les vendangeurs de ma fenêtre. Vous voyez, chère Madame, que, pour le moment, je suis transformé en vigneron » (Lettre à Mme Raffalovich, 24 septembre 1869).

Au vrai, Claude Bernard montrait plus de curiosité pour la quantité et la qualité de la vendange, pour le processus de vinification — il avait installé dans sa maison un petit laboratoire —, pour le prix qu'il obtiendrait de la vente de son vin, que pour le vin lui-même. Il n'apparaît pas dans ses lettres comme un fin ou un franc buveur. On l'imagine mal tenant et animant l'estrade avec les truculents Compagnons du Beaujolais et reprenant leur devise : « Vuidons les tonneaux ! »

Mais il aimait venir se reposer au milieu des ceps et des fleurs, qu'il chérissait particulièrement. Au diable ses leçons au Collège de France, ses séances dans les Académies, ses travaux sur la pathogénie du diabète ! « Noyé dans les étendues incommensurables de vignes », il respirait l'air du terroir, il rêvait, il reprenait des forces. C'est d'ailleurs à Saint-Julien, au cours d'une longue convalescence, qu'il écrivit l'*Introduction à l'étude de la médecine expérimentale*.

Un musée Claude-Bernard a été inauguré, en 1947, dans sa maison natale. Sur le linteau d'une cheminée, des objets dc caviste ont été gravés : un méchoir, un poinçon, un quartaut (petit fût), un tastevin, etc. C'est le père de Claude Bernard qui avait passé commande à un graveur. Le père de Claude Bernard était marchand de vin à Saint-Julien-en-Beaujolais.

Blondin (Antoine)

Le vendredi 14 juillet 1978, le Tour de France ayant fait halte à Clermont-Ferrand, « Apostrophes » y fit étape. Neuf écrivains, sinon usagers du vélo, du moins chantres de la petite reine et de sa légende sportive, étaient réunis dans un peloton turbulent où chacun s'efforçait de déborder ses confrères par ses connaissances et son humour. Au sprint alphabétique, il y avait Yves Berger, Antoine Blondin, Pierre Chany, Georges Conchon, René Fallet, Jean-Edern Hallier (mort en faisant du vélo, un matin, à Deauville), Michel Le Bris, René Mauriès et Louis Nucéra (tué par un chauffard alors que, comme chaque jour, il montait à la force du jarret les côtes du pays niçois).

Tout le monde m'avait déconseillé, à commencer par lui, d'inviter Antoine Blondin. Passé 21 heures, il ne serait plus en état de parler, ni même de tenir sur une chaise. Il serait le dérailleur du plateau. Mais j'aimais l'auteur des *Enfants du Bon Dieu*. J'en connaissais par cœur le début : « Là, où nous habitons, les avenues sont profondes et calmes comme des allées de cimetière. Les chemins qui conduisent de l'École militaire aux Invalides semblent s'ouvrir sur des funérailles nationales. Un trottoir à l'ombre, l'autre au soleil, ils s'en vont entre leurs platanes pétrifiés, devant deux rangées de façades contenues, sans une boutique, sans un cri. Mais une anxiété frémissante peuple l'air : c'est l'appréhension du son des cloches. Le ciel vole bas sur mon quartier prématurément vieilli. Et je n'ai que trente ans et le sang jeune. »

Avec une bravoure dont je suis assez chiche, surtout à jeun, je décidai, tant pis, d'être peut-être l'autre victime de l'alcool qu'il aurait d'abondance ingurgité en ce jour de fête nationale. Blondin buvait-il plus les jours de fête claironnée ou carillonnée que dans l'ordinaire du calendrier ?

Il avait un peu dormi avant l'émission, de sorte que, lorsque son ami Pierre Chany et moi vînmes le chercher, il était dans une forme relativement satisfaisante. D'un pas aussi hésitant que sa volonté, il accepta cependant de nous suivre. Et si, pendant l'émission, il but plus qu'il ne parla, il fut comme à son habitude amusant et inattendu. À l'ébahissement général, il donna dans l'ordre toutes les villes-étapes d'un Tour de France d'avant-guerre et, à la suite, il énuméra les mêmes villes-étapes en sens inverse.

Au souper qui acheva la journée, Antoine Blondin ne toucha pas à son assiette. Il ne se nourrit que d'une côte-d'auvergne et d'un cognac. Au départ de l'étape du lendemain il faisait frisquet et nous appréciâmes le café fumant servi aux journalistes, aux accompagnateurs et aux invités. Antoine Blondin, enfin raisonnable, avait lui aussi un gobelet en carton dans une main. Je lui dis bonjour, le remerciai de sa présence, la veille, à « Apostrophes ». Il me répondit des choses agréables. C'est son haleine qui me fit baisser les yeux sur son gobelet. Il était rempli de rhum.

Il disait qu'il était empêché d'entrer à l'Académie française par la présence entre son domicile et le quai Conti de cinq cafés. Un seul aurait suffi pour lui couper la route de l'immortalité ! Alors, cinq ? D'autant que sa devise était « Remettez-nous ça ». L'Académie est riche et elle aurait pu faire l'effort de racheter les baux des cinq bistrots pour les transformer en boutiques de fringues, d'antiquités ou, mieux, de livres.

Comment un tel soûlographe a-t-il pu vivre près de soixante-dix ans ? C'était dans son domaine un champion du monde, qui aimait fréquenter d'autres champions du monde : Bobet, Anquetil, Hinault, Merckx, Lucien Mias, les frères Spanghero, les frères Boniface, etc.

Pour le dixième anniversaire de la mort de Blondin, une belle affiche le représentant annonçait, sous le titre « Remettez-nous ça », le marathon des leveurs de coude de Saint-Germain-des-Prés. Il s'agit d'une course par équipes qui consiste à faire le tour de la quarantaine de cafés et bistrots du quartier, vider au comptoir un verre de beaujolais et accomplir le trajet dans le minimum de temps. Au bas de l'affiche on pouvait lire, sans rire : « Sachez apprécier et consommer avec modération. » Des avants néo-zélandais, premières et deuxièmes lignes, taillés comme des muids, remportèrent la victoire haut le coude, quoiqu'elle fût contestée par des juges ayant eux-mêmes accompli une partie du marathon.

J'ai regretté qu'on n'eût pas songé à placer auprès de chaque zinc un lecteur qui, au passage des concurrents, aurait lu quelques phrases de la prose enchanteresse de Blondin.

Ceci, par exemple : « Quand nous serons bien vieux et bien milliardaires, dit Roger Nimier, nous réveillonnerons sur un banc, au pied de nos hôtels particuliers de l'avenue Foch, d'une gamelle de nouilles arrosées d'un Dom Pérignon qui aille avec. Nos mères, qui sont immortelles, viendront nous faire de la musique dans le froid ; la tienne jouera de l'accordéon, la mienne du violon. Et il n'est pas impossible que nous soyons heureux » (*Monsieur Jadis ou l'École du soir*).

Antoine Blondin écrivait avec allégresse, avec élégance, des choses qui hésitaient entre la gaieté et le chagrin.

IVRESSE, PAF

Bordelais

Ancienne colonie anglaise. Peut-être le seul exemple au monde de décolonisation parfaitement réussie, les liens économiques et culturels entre la tutelle et le dominion, depuis longtemps indépendant, ne s'étant jamais relâchés, au profit et à la satisfaction de l'un et de l'autre. Les États-Unis, surgeon de l'Empire britannique, sont même devenus le meilleur client du Bordelais.

Il n'y a pas plus anglo-irlando-américanophile qu'un Bordelais. Les noms des courtiers, négociants, propriétaires, arrivés par bateau, témoignent de leur intégration réussie : Lawton, Barton, Johnston, Brown, McCarthy, Maxwell, Palmer, Lynch, Colck,

Lichine, Mitchell, etc., sans oublier la branche britannique des Rothschild. C'est aussi par le port ou l'aéroport de Bordeaux qu'ont débarqué les nombreux écrivains et journalistes *british* ou *yankees* qui ont publié sur les vins français : Richard Olney, William Echikson, Oz Clarke, Margaret Rand, James Turnbull, Robert Parker, David Cobbold, Dewey Markham, Hugh Johnson, Nicholas Faith, Kermit Lynch, Andrew Jefford, Tom Stevenson, j'en oublie sûrement, n'est-ce pas impressionnant ?

Les Hollandais ont aussi été très bien accueillis. Beyerman, leur plus ancienne maison de négoce, fut fondée à Bordeaux en 1620. Ce sont les Hollandais qui inventèrent le soutirage moderne, sans risque, d'une barrique dans une autre. « Il faut désinfecter la première barrique, et les Hollandais trouvèrent qu'en brûlant des mèches de soufre, on pouvait désinfecter correctement la barrique des bactéries. Quand j'étais enfant, on appelait encore ces mèches de soufre des allumettes hollandaises. » Qui raconte ? Un négociant des Chartrons, d'identité typiquement bordelaise somme toute, Hugues Lawton.

Comment ne pas se demander après cela, ainsi que l'a judicieusement fait Jean-Robert Pitte dans *L'Amateur de bordeaux*, si le vin de Bordeaux n'est pas un peu protestant ? Beaucoup plus parpaillot, en tout cas, que le bourgogne et le champagne, foncièrement catholiques. *Réforme* a applaudi ; les géographes apostoliques bordelais, confrères de Jean-Robert Pitte, se sont récriés. Pourtant, une partie de la « noblesse du bouchon » est protestante. Il me semble aussi que les médocs, beaucoup plus que les pomerols et les saint-émilions, présentent en bouche une complexité d'emblée austère, une mâche quelque peu anglicane, je n'ai pas dit calviniste, des tanins qui exigent un long temps de méditation pour s'arrondir et laisser passer dans toute sa richesse l'âme du vin. Les cathos sont plus pressés. Bernard Frank s'est fait là-dessus sa religion : « Avant même d'avoir humé le bordeaux, enfant, c'est le protestant, le persécuté, l'Armagnac, l'Anglais qui me l'a fait aimer. La Bourgogne, c'était pour moi le sale catho, le Bavarois, toute la lourdeur du monde » (*Vingt ans avant*).

Cette initiative d'embarquer les vins de Bordeaux sur des bateaux et leur faire faire le tour du monde pour en accélérer le vieillissement, est-elle bien huguenote ? Oui, parce que les protestants passent pour des industriels et des commerçants plus avisés que les catholiques. On ne sait qui, le premier, observa les heureux effets d'un long voyage en bateau sur des bouteilles revenues à bon port (la chance, c'est qu'elles n'aient pas été toutes bues pendant l'interminable traversée des océans). Celui-là était un homme unique puisque, outre qu'il dégustait bien, il pouvait se flatter d'être un horloger et un philosophe. N'avait-il pas découvert un procédé naturel pour accélérer le temps en utilisant l'espace ? Qu'a-t-il dit quand il découvrit, si c'était un négociant-passager, que, lui allongé dans sa cabine, les bouteilles dans la cale, elles vieillissaient plus vite que lui ? S'est-il félicité de ce que le bateau et la mer ne fissent pas l'inverse ? Retiré des marées et du roulis, a-t-il fini ses jours dans un château, au-dessus d'un chai creusé dans l'immobilité géologique, s'évertuant, cette fois, à ralentir le temps ?

Les châteaux sont dans le Bordelais ce que sont les piscines dans le Luberon : il y en a partout. Sauf que les châteaux ne sont pas tous, d'un point de vue d'architecte, des châteaux. Il suffit de quelques hectares de vigne pour anoblir une maison, pour lui donner de la hauteur, de la carrure, un passé, du lustre. Ce n'est pas le château qui plante la vigne, c'est la vigne qui élève le château. On peut être châtelain en Gironde sans avoir de vignes ; on ne peut pas avoir des vignes sans être domicilié dans un château. Le Bordelais est la seule région viticole au monde où la vigne confère à celui qui la possède l'éminente faveur sociale d'accoler son nom à un château, même s'il habite une maisonnette ou un appartement en ville. Dans une bouteille de bordeaux, on achète et on boit de l'architecture.

Trêve de billevesées. Les châteaux authentiques ou les demeures princières sont souvent magnifiques, en particulier dans les Graves et dans le Médoc. Le vignoble girondin porte si beau, il est si riche qu'il donne l'impression d'avoir toujours vécu dans l'opulence. Erreur de le croire, car le Bordelais, pas plus que les autres vignobles, n'a été préservé du phylloxéra. Et, plus que les autres, parce que dépendant du commerce et des transports internationaux, il a souffert des deux guerres mondiales. Plus, entre les deux, le krach de Wall Street qui a ruiné plus d'un domaine. Le père de Hugues Lawton avait publié dans la presse un article intitulé : « Une terre qui se meurt, le Médoc ». Enfin, le gel historique de 1956 a failli décourager les meilleures volontés.

Depuis, ça va beaucoup mieux, merci. Et même très très bien. Surtout pour les crus classés. Car la crise, liée à la surproduction mondiale de vins, ainsi que, en Bordelais comme ailleurs, à l'extension peu raisonnable des surfaces plantées et cependant gratifiées d'appellations, frappe gravement les « bordeaux supérieurs » et les « bordeaux » simples, rouges et blancs, et même des vins classés juste au-dessus dans la hiérarchie. L'éclatante prospérité des châteaux du Médoc, de Pomerol et de Saint-Émilion, contraste avec les difficultés des châteaux du tout-venant, changés en communs par le négoce et la clientèle.

N'empêche. Par son histoire, par la variété et la qualité de ses vins, par la somptuosité des meilleurs, par sa surface considérable, par sa situation au bord de l'océan, face au Nouveau Monde, par son prestige, par sa plus-value culturelle, le Bordelais est considéré comme le premier vignoble du monde.

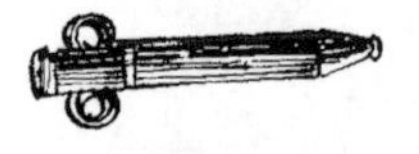

AUSONE (CHÂTEAU), BOURGEOIS, CLASSEMENT DE 1855, MÉDOC, PÉTRUS, PONTAC (JEAN DE), ROTHSCHILD (PHILIPPE DE), YQUEM

Bourgeois

Petits ou grands, les bourgeois sont des personnes moquées, parfois honnies. La noblesse a des quartiers, la bourgeoisie aussi, mais ils ne sont pas de même nature. Rien de plus péjoratif que le nom et l'adjectif « bourgeois ». À deux exceptions : la cuisine bourgeoise, toute familiale, simple et bonne, et les crus de bordeaux dits bourgeois.

Certes, ils n'ont pas été jugés dignes de figurer dans le Classement de 1855. Ce ne sont donc pas des « crus classés ». Ils n'appartiennent pas à l'aristocratie du Bordelais. Mais, outre qu'une dizaine pourraient y prétendre et y remplacer quelques châteaux dont la réputation est tombée dans les chausses de leurs propriétaires, ils forment une classe sociale de vins appréciés et recherchés. Contrairement à une idée reçue, le mot « bourgeois » n'est pas apparu dans le Bordelais au milieu du XIXe siècle. Il remonte au Moyen Âge. Par opposition aux « crus paysans » et aux « crus artisans », les « crus bourgeois » désignaient, sous l'Ancien Régime, des propriétés viticoles acquises par les bourgeois de Bordeaux, bénéficiaires de privilèges dus à leur naissance ou à leur fortune. Après le chambardement politique et social de la Révolution et avec la constitution d'une aristocratie de châteaux classés, le mot « bourgeois » a perduré et s'est appliqué à des vins du Médoc dont la qualité et les prix se situaient juste en dessous de leurs ci-devant confrères et rivaux.

Le Bordelais, en particulier le Médoc, a toujours eu la manie des classements. Les crus bourgeois ne pouvaient y échapper. Un palmarès de 1932 distinguait 6 bourgeois supérieurs exceptionnels et 95 bourgeois supérieurs de 339 autres bourgeois. Un nouveau classement s'imposait avec d'autant plus d'urgence, au début du XXIe siècle, que plusieurs dizaines de bourgeois de 1932 avaient sombré dans le néant ou la médiocrité, que d'autres étaient apparus qui entendaient profiter de ce mot « bourgeois » devenu au fil des ans un sésame commercial, que certains le méritaient et d'autres pas, et que le consommateur éprouvait de plus en plus de difficultés à reconnaître les bourgeois de tradition et de confiance des petits bourgeois plus malins que scrupuleux.

À une époque où toute réforme est ressentie comme une agression, était-il possible de mettre de l'ordre dans le désordre, même sous l'autorité du Syndicat des crus bourgeois et de la Chambre de commerce de Bordeaux ? La réponse a été oui, et on ne saurait trop applaudir l'audace, le courage, la détermination des réformateurs qui, en plein Vinexpo 2003, ont annoncé ce que le journal *Sud-Ouest* a fort justement nommé une « révision historique ». D'autant que les élagueurs n'y sont pas allés de main morte : près de 200 bourgeois rayés de l'arbre généalogique du Médoc ! Sire, ce n'est pas une réformette, c'est une révolution ! Les colères, indignations, protestations ont été à la hauteur de l'événement. Le classement sera révisé tous les dix ans. Mais, pour les exclus ou les rétrogradés, dix ans c'est un siècle. Ils se sont sentis trahis, déconsidérés. Des pétitions ont couru le vignoble, puis des procès ont été instruits. Et gagnés ! Qu'il y ait eu quelques décisions injustes, oui, sûrement. Des maladresses ou des erreurs dans la composition du jury de dégustation, oui, probablement. Mais c'était au risque de déplaire et de scandaliser que les bourgeois se referaient une vertu, une santé et du prestige. Ils y ont réussi.

Dans l'introduction de cet ouvrage, j'ai prévenu le lecteur qu'il n'y trouverait pas ce qu'il trouve dans les encyclopédies spécialisées : les classements des crus, la géographie des climats, la hiérarchie des appellations, etc. Je ferai une exception pour les crus bourgeois du Médoc, dont le nouveau classement est récent et que tous les amateurs de vins, hormis ceux du Bordelais qui savent par cœur la liste des 247 bourgeois, n'ont pas sous la main.

Encore me contenterai-je de publier la liste des 9 « crus bourgeois exceptionnels ».

château chasse-spleen (Moulis-en-Médoc)
château haut-marbuzet (Saint-Estèphe)
château labégorce-zédé (Margaux)
château ormes-de-pez (Saint-Estèphe)
château de pez (Saint-Estèphe)
château phélan-ségur (Saint-Estèphe)
château potensac (Médoc)
château poujeaux (Moulis-en-Médoc)
château siran (Margaux)

Les très réputés château gloria (Saint-Julien) et château sociando-mallet (Haut-Médoc) feraient à coup sûr partie de cette liste de crus bourgeois exceptionnels si leurs propriétaires n'avaient renoncé à l'appellation « bourgeois », considérant qu'ils méritent — ce qui est vrai — d'être anoblis lors d'une hypothétique révision du Classement de 1855.

Parmi les 87 « crus bourgeois supérieurs », je noterai — pour les avoir bus et appréciés — le château d'escurac (Médoc), le château les ormes sorbet (Médoc), le château la-tour-de-by (Médoc), le château-moulin-à-vent (Moulis-en-Médoc), le château de la-tour-de-mons (Margaux), le château maucamps (Haut-Médoc), le château tour-de-marbuzet (Saint-Estèphe) et le château meyney (Saint-Estèphe).

La chasse aux bourgeois — activité beaucoup moins onéreuse que la chasse aux aristocrates du bordeaux et du bourgogne — est un sport agréable et stimulant.

Glouglou

Quand j'ai accepté la proposition d'Olivier Orban, patron des Éditions Plon, d'écrire un *Dictionnaire amoureux du vin*, notre déjeuner était accompagné — arrosé serait excessif — d'une demi-bouteille de château peyre-lebade 1998, cru bourgeois du Haut-Médoc qui appartient au baron Benjamin de Rothschild. Des « intellos » qui boivent un bourgeois, propriété d'un aristo : quel charivari social !

BORDELAIS, CHASSE-SPLEEN,
CLASSEMENT DE 1855, MÉDOC

Bourgogne

Hors Chablis, Mâconnais et Beaujolais — qui sont des dépendances, de belles annexes —, la Bourgogne historique, la vraie Bourgogne, est une région pas bien grande. Les trois Côtes : de Nuits, de Beaune et chalonnaise occupent à peu près 9 000 hectares, soit approximativement deux fois moins que le Beaujolais, quatorze fois moins que le Bordelais (120 000 hectares pour le Bordelais contre 40 000 seulement pour la Grande Bourgogne, satellites compris). Modeste en surface, immense en prestige, la Bourgogne historique présente le meilleur rapport superficie-renommée de tous les vignobles du monde.

Rien de plus facile pour un étranger qu'apprendre la carte de la France viticole, n'est-ce pas ? En Alsace, il retiendra des noms de cépages, en Champagne, de marques, dans le Bordelais, de châteaux. En Bourgogne, de villages. Quels villages ! Leurs noms ont été élevés, étiquetés, chambrés, dégustés par les siècles. Et pourtant, Meursault, Chassagne-Montrachet, Puligny-Montrachet, Volnay, Pommard, Monthélie, Gevrey-Chambertin, Nuits-Saint-Georges, Vougeot, Vosne Romanée, Chambolle-Musigny, etc., sont de petits bourgs, quelques-uns de moins de 500 habitants. Ils sont beaucoup plus connus sur les cinq continents qu'Achkhabad, Windhoek, Asmara ou Tallinn, pourtant des capitales. Quant à Beaune, c'est Alexandrie !

Ne jamais oublier que la Bourgogne fut un duché qui rivalisait avec le royaume de France, et que les ducs, en particulier Philippe le Bon, créateur de la Toison d'or, toisaient d'un peu haut les rois. Ça s'est mal terminé avec Charles le Téméraire, survolté, assez ouf, et Louis XI. Mais il est resté de cet apogée médiéval comme une arrogante nostalgie dans les envolées des carillons de Dijon (Saint-Bénigne), de Beaune et de Nuits-Saint-Georges, dans les tuiles vernissées des toits de l'Hôtel-Dieu, à Beaune, sur les dernières étiquettes en lettres gothiques et sur les menus en forme de parchemin.

Ne pas oublier non plus que, si le Bordelais fut une colonie anglaise, la Bourgogne fut une puissance coloniale. Par alliance et par héritage, certes, mais il fallait bien maintenir dans l'apanage, fût-ce par la force, la Flandre, la Hollande, le Brabant, le Luxembourg… Si la Belgique est depuis toujours l'un des pays les plus friands de vins de Bourgogne, c'est parce que les ducs, les meilleurs courtiers que le vignoble ait connus, en encouragèrent la production à Beaune et la consommation à Bruges, Louvain, Tournai. Selon l'historien régional Jean-François Bazin, les austères Bourguignons rapportèrent du Nord le goût de la fête et l'art des banquets, lesquels se perpétuent dans les chapitres de la Confrérie des Chevaliers du Tastevin. La Bourgogne exportait en Flandre son vin et en importait un joyeux art de vivre, celui-ci ne pouvant qu'être stimulé par celui-là.

De fait, aujourd'hui comme hier, la Bourgogne a la réputation d'être le plus accueillant et le plus joyeux vignoble français. L'Alsace aussi, mais elle triche avec la bière. Il est resté quelque chose de médiéval, de bachique, de bruyamment festif dans l'image de la Bourgogne et dans la réputation des Bourguignons, ne serait-ce qu'à travers le fameux ban rituel des mains qui s'agitent sur l'air de la-la-la-la-la-la-lalère, puis frappent l'une contre l'autre en cadence. Aucun vignoble n'a produit autant de chansons populaires : *Joyeux Enfants de la Bourgogne* (« je suis fiè-hèr, je suis fiè-hèr… »), *Chevaliers de la Table ronde*, *Sur la route de Dijon*, *Encore un p'tit verre de vin*, *Plantons la vigne* (« la voilà la jolie vigne, vigni, vignon, vignon le vin… »), *Et allons en vendanges*, etc.

La chaleur communicative des banquets n'est pas une formule tombée en désuétude. Ni les gougères (choux au fromage) proposées à l'apéritif (kir) et aux vins d'honneur. Ni les plats traditionnels (œufs en meurette, escargots, potée, pochouse, fondue…). Ni les fromages (chaource, époisses…). Ni la moutarde de Dijon. Et non

plus les auberges roboratives et les grandes tables étoilées. Le coup de fourchette du Bourguignon n'est pas une légende. C'est un costaud, un gourmand, un gai luron, un sensuel, un homme de terroir et de devoir.

Cependant, cette image traditionnelle de la Bourgogne et des Bourguignons est de moins en moins vraie. On la cultive pour le folklore, on la projette les jours de liesse commerciale. Mais je connais vingt Bourguignons, à commencer par Aubert de Villaine, le patron du domaine de la Romanée-Conti, Jean Laplanche, le psychanalyste-viticulteur de Pommard, dont la silhouette, les manières, la conversation sont plus celles de chefs d'entreprise modernes et distingués — bordelais, ai-je failli écrire — que de gaillards rougeauds qui tirent sur leurs bretelles avant d'extraire de leur poche un tastevin entouré d'un chiffon.

Comme dans tous les vignobles français, des jeunes hommes et des jeunes femmes ont pris la responsabilité de domaines, de chais, se sont glissés dans le négoce. Ils ont de l'ambition pour eux-mêmes, donc pour leurs vignes et leurs vins. Renonçant à la facilité des désherbants, ils sont revenus au labour. Convaincus que seule la qualité est garante de leur avenir, ils limitent la production par l'ébourgeonnage ou la vendange en vert. D'autres se lancent dans la viticulture biologique. Ou dans la biodynamie. Depuis une grosse dizaine d'années, la Bourgogne bouge énormément, cherche, tente, ose, change ce qui lui semble caduc ou décevant.

Jusqu'aux Hospices de Beaune, qui viennent de confier la vente aux enchères de leurs vins aux Anglais de Christie's !

Ce vent de réforme souffle sur tous les vignobles français. Concurrence mondiale, crise et survie obligent. La Bourgogne est fortement encouragée dans son *aggiornamento* par un périodique à l'influence grandissante : *Bourgogne Aujourd'hui*. On n'hésite pas à y sermonner les producteurs de meursault, de chablis ou de mâcon quand ils se laissent aller aux gros rendements. Des dégustations à l'aveugle font sortir de l'anonymat des bouteilles, des domaines, des viticulteurs. Les rédacteurs de la revue bichent particulièrement quand ils découvrent des jeunes. Hubert de Montille, l'avocat-vigneron de Volnay, dont la verve caustique a enchanté les spectateurs de *Mondovino*, n'a pas tort de leur faire remarquer que, pour eux, « il est plus intéressant de faire un scoop avec un jeune qui démarre que d'écrire que la Romanée-Conti fait de bons vins ». Ou le domaine de Montille ? Sauf que les nouveaux viticulteurs, ou les anciens qui ont abandonné la complaisance pour la rigueur, ont plus besoin du soutien de la presse que les stars de la Côte.

S'il existe un vin de terroir, d'enracinement, de tripes géologiques, c'est bien celui de Bourgogne. Ici, chaque appellation prestigieuse est strictement délimitée par le cadastre, l'histoire et la réputation. (Encore qu'il y ait eu des accommodements avec le Ciel et avec l'INAO, comme l'écrivait Guy Renvoisé en 1994, pour le corton-charlemagne notamment.) C'est la terre qui a décidé de la hiérarchie des grands et des premiers crus ; et, à l'intérieur de chaque grand et premier cru, la hiérarchie des parcelles qu'on appelle des climats. La Bourgogne historique est un puzzle, une tapisserie pointilliste. Les villages doivent partager leur renommée avec des hameaux, des lieux-dits, des climats aux jolis noms rustiques : les charmes, les rugiens, les blanches fleurs, le clos des chênes et des ormes, les ruchots, les petits vougeots, les poulettes, aux combottes, les perrières, au-dessus des malconsorts, les boucherottes, bousse d'or, les santenots blancs, les santenots dessous, les santenots du milieu, les vergers, etc. Il y en a plusieurs centaines comme cela ! Soit l'on s'émerveille de cette poésie rurale que l'œnologie et le négoce modernes ont su préserver ; soit l'on pense que la brutalité du commerce de demain imposera l'élimination de ces subtilités d'un autre âge. (Mon Dieu, supprimer les climats alors qu'il n'y a déjà plus de saisons !)

Dans un marché vinicole mondial de plus en plus standardisé, il est certain que le terroir bourguignon, si le vigneron s'emploie, pour chaque millésime, à en tirer le meilleur, restera, comme on dit dans les brasseries autour de la Bourse, une valeur refuge.

Les Bordelais ironisent sur le morcellement du vignoble bourguignon, en particulier du clos de vougeot, qui compte 80 propriétaires et 90 parcelles pour 51 hectares : « On ne construit rien de durable sur de telles subtilités*. » Les propriétaires ou locataires de vastes appartements sont toujours étonnés qu'on puisse se contenter d'un studio. Ou plutôt, en l'occurrence, de deux ou trois pièces (228 litres en Bourgogne). Il n'est pas contestable qu'une concentration des vignes du clos de vougeot entre quelques mains garantirait une meilleure lisibilité de l'appellation. Une meilleure qualité aussi, certains tout petits propriétaires pouvant être tentés de pousser la production pour obtenir un peu plus de bouteilles.

---

* Jean-Paul Kauffmann.

Mais enfin cela fonctionne ainsi depuis longtemps. J'envie les chanceux qui ont hérité de quelques dizaines d'ares de clos de vougeot ; et je plains les familles bordelaises qui, devant l'impossibilité de partager un château ou d'en payer les frais de succession, sont obligés de le vendre à une société multinationale.

Le bourgogne exige des licheurs patentés de la force de caractère. Ne pas tout consommer quand, jeune, irrésistiblement sensuel dans ses couleurs, jaune aux reflets verts, ou rouge vermeil ou rubis, fruit défendu, il donne envie de mordre dedans. Par une gestion œnologique de notre gourmandise, nous devons être capables de mettre d'un côté les bouteilles qui auront la vie courte et celles qui nous accompagneront longtemps. Des premières nous obtiendrons une explosion d'arômes, de jardin pour les blancs, de verger pour les rouges ; des secondes nous attendrons des bouquets de fragrances subtiles que le palais et la langue devront découvrir, le nez ne suffisant plus à la tâche.

Un bourgogne jeune a la force d'un aveu ; un bourgogne vieux, la séduction d'une énigme.

Quand je savoure un jeune bourgogne, je lui demande d'excuser mon impatience et je lève mon verre à la santé des vieux.

Quand je déguste un vieux bourgogne, je le félicite de sa patience et je lève mon verre au souvenir des jeunes.

CHARDONNAY, PINOT NOIR

Bukowski (Charles)

Quel téléspectateur n'a pas vu Charles Bukowski quitter, les jambes flageolantes, soutenu par sa femme et son éditeur, le plateau d'« Apostrophes », pendant l'émission du 22 septembre 1978 ? La scène a été si souvent rediffusée dans les rétrospectives du petit écran que chacun est convaincu d'avoir été parmi les Français qui avaient assisté, en direct, à l'interview de l'écrivain américain et au spectacle aviné qui a suivi.

Car, sitôt que j'eus donné la parole aux autres invités, Bukowski empoigna une bouteille de sancerre, puis une autre, qui avaient été placées à sa demande près de son siège, et entreprit de les siffler au goulot. La tête renversée, il ne buvait pas, il engloutissait, il vidait le contenu des bouteilles dans son corps. Spectacle à la fois fascinant et stupéfiant, car le vin ne semblait marquer aucune halte dans sa bouche ni dans sa gorge. Il était comme soumis à la loi de la pesanteur, comme directement aspiré par la descente verticale. Si la caméra n'était pas toujours sur le « vieux dégueulasse » (il s'appelait lui-même ainsi), elle était assez présente pour témoigner de son méthodique et provocateur enivrement.

Comme ses borborygmes et ses vagissements empêchaient les autres de parler, il y eut le fameux « Ta gueule, Bukowski ! » de Cavanna. Quand il avança une main palpeuse vers les cuisses de Catherine Paysan, celle-ci, sidérée, se redressa, tira sur sa jupe et s'écria : « Oh ! ben ça, c'est le pompon ! » Hilarité du public. Bukowski continuait de parler, de boire, d'éructer, de se tortiller sur son siège. Il me revint tout à coup en mémoire qu'aux États-Unis il avait volontairement vomi sur le micro d'une radio. Et s'il faisait de même devant les caméras d'« Apostrophes » ? Quel scandale ! Tandis que je posais des questions aux autres écrivains, je surveillais le lascar, prêt à intervenir au cas où il porterait ses doigts à sa bouche.

C'est le sancerre qui eut finalement raison de Bukowski. En rendant intenable sa position sous la lumière et dans la chaleur des projecteurs. En l'obligeant à se rendre aux toilettes. Je ne l'ai pas chassé ; je ne l'ai pas retenu non plus. Pourquoi l'ai-je salué d'un *« Ciao ! »* alors que *« Bye bye ! »* eût été plus approprié ? Je me souviens d'avoir dit aussi que, tout compte fait, il « ne tenait pas bien la chopine ». Réflexion fausse, car tout démontre dans la vie de ce soûlographe — mort, non pas prématurément, mais dans sa soixante-quatorzième année ! — que, conteur et poète d'un incontestable talent, il fut, comme Blondin, un champion du monde de la compétition alcoolique.

La plupart du temps, il prenait ses « bitures », il se « beurrait » à la bière. Cela l'a parfois envoyé en prison. Il lui est arrivé, alors qu'il n'était plus un postier qui cherchait à se faire éditer mais un écrivain professionnel, d'insulter des centaines de personnes qui faisaient la queue dans une librairie pour obtenir une dédicace. Charles Bukowski était un curieux alambic : il chauffait son désespoir à la bière, mais pour écrire il carburait au vin. « Je bois lentement mon vin tout en tapant à la machine. Ça me prend peut-être deux heures pour boire une bouteille entière. Je continue à faire du bon boulot tant que je n'ai pas dépassé une bouteille et demie. Après ça, je suis comme n'importe quel vieil ivrogne assis au comptoir d'un bar : un vieux con de raseur. »

Il n'indique pas (*lire plus loin l'entrée* « Quel vin ? ») avec quelle appellation il avait ses habitudes. Il ne dit pas non plus quelle « merveilleuse bouteille de vin » lui fut offerte pour ses soixante-dix ans et son anniversaire de mariage. Mais il ajoute dans une lettre à des éditeurs : « Comme Linda ne boit plus de vin je m'en suis bien occupé. J'ai tiré 4 superbes poèmes de cette bouteille. » Ils ne sont pas encore accessibles en français.

Dans sa *Correspondance* il a parlé de lui avec lucidité, même si ricaner, philosopher, mentir, avouer, écrire, boire, baiser étaient autant de façons de tromper sa peur de la vie et de la mort. Son premier éditeur en France et son meilleur connaisseur, Gérard Guégan : « À un journaliste qui lui demandait si "boire" n'était pas une "maladie", Buk répondit que "respirer" était une maladie. »

Il semble que, après son séjour en France, à l'automne 1978, et son passage à « Apostrophes », le bruit se soit répandu aux États-Unis — aller et retour de la rumeur — que *« Buck the puke »* (en français « Bukowski le dégueulis », c'était un très vieux sobriquet) avait vomi pendant l'émission. Car il a écrit ceci à l'un de ses correspondants : « Non, je n'ai pas vomi à la télé nationale en France. Je me suis juste salement soûlé, ai dit deux trois trucs, suis parti brusquement et ai sorti mon couteau devant un garde » (*Correspondance 1958-1994*). Tout est exact, y compris le couteau, ce qui m'a valu de recevoir les plaintes des gardiens lorsque j'ai quitté le studio, longtemps après Bukowski. Lui, la vessie de nouveau accueillante, avait été vite requinqué par l'air du dehors et était reparti aussitôt pour une tournée parisienne des boîtes et des bars de nuit. Moi, préoccupé par les réactions des téléspectateurs (le vin) et des syndicats (le couteau), je suis allé souper à la « Brasserie Lipp ». Sans prendre une « biture ». Ce soir-là, elle eût pourtant été justifiée.

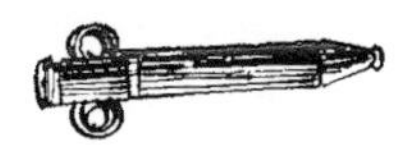

BLONDIN (ANTOINE), IVRESSE, PAF

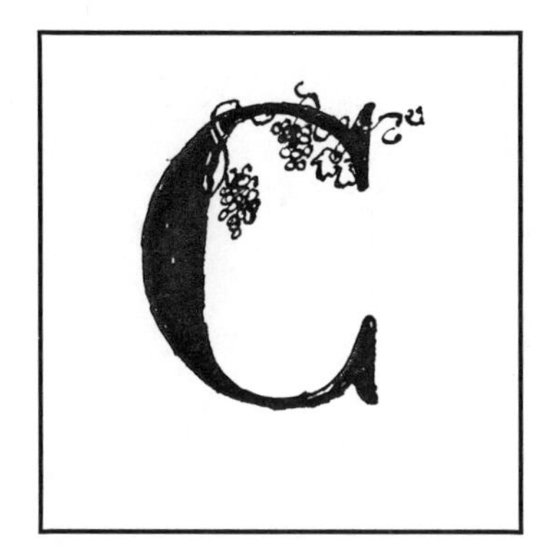

Cadavres exquis

C'est en 1926 que les surréalistes inventèrent un jeu, le cadavre exquis, qui fait du hasard le joueur essentiel. Il s'agit pour plusieurs personnes de composer une phrase, chacune écrivant un mot sur un papier sans connaître les mots des autres. Première phrase ainsi obtenue : « Le — cadavre — exquis — boira — le vin — nouveau. » D'où cet étrange nom de « cadavre exquis » donné ce jour-là au jeu.

La chance était au rendez-vous. Deux des surréalistes ont pensé ensemble, sans se consulter, à l'acte de boire. Tout en restant *stricto sensu* absurde et loufoque, la phrase présente donc une certaine logique. « Le cadavre nouveau boira le vin exquis » n'aurait pas été sans charme non plus, mais rien ne peut égaler la force inventive du cadavre qualifié d'exquis.

Un cadavre n'est pas seulement un corps d'où la vie s'est enfuie. C'est aussi une bouteille vide. Dans ce sens-là, on l'emploie généralement au pluriel : « Après le banquet, les tables étaient jonchées de cadavres. » Cadavre, boire et vin sont trois mots qui appartiennent au vocabulaire de l'œnologie. Peu d'exégètes ont remarqué cette coïncidence… surréaliste. Quelle boisson a donc inspiré André Breton et ses amis ?

Cave

Éloge de la cave. Entrer dans une cave que l'amour du vin a tapissée de bouteilles, c'est pénétrer dans un monde du silence, de l'obscurité, de l'impassibilité. Nous voici au royaume des allongées, des pétrifiées, et, pour peu que nous ayons récemment honoré nos morts, il nous semble qu'en passant du caveau à la cave nous continuons d'explorer les excavations du Grand Secret.

Pourtant, de la fillette au jéroboam, la vie est bien là, rouge ou blanche, nouvelle ou ancienne, humble ou éclatante. Ce n'est pas parce que, au contraire de la nôtre, cette société vieillit sans esbroufe et sans tapage, sans rire ni plainte, dans une paix un peu humide (il faut fuir les personnes et les caves trop sèches), qu'il n'y a pas entre ces quatre murs de l'énergie, de l'opiniâtreté, de l'orgueil, de l'allégresse, de la concentration, de la rumination, de la philosophie.

Les familles réunies ici portent toutes des appellations, des noms. Toutes différentes, elles ont du corps et de l'étoffe, des robes et des couleurs, des structures et des textures, du tanin, du velours, des arômes, du nerf, du nez, et même, dit-on parfois, de la cuisse. Ça vit sous verre, mais ça vit. Dans un calme souterrain et souverain, mais intensément. Tout à l'intérieur, dans l'intime, dans le caché du dedans, sans jamais aucune manifestation d'humeur. Les vins qui tournent à l'aigre sont victimes de maladies psychosomatiques. S'ils sont de bonne naissance, les visite-t-on souvent et sait-on les flatter du regard et même leur parler, les accidents de santé sont rares.

Le peuple de la cave distingue très bien l'existence ordinaire, le train-train, des fêtes, des anniversaires, des jours carillonnés et des nuits de liesse. Ce n'est pas aux vieux millésimes qu'on apprend les us et coutumes de la maison. Quand on tape dans leurs rangs, ils savent pourquoi. Ils pourraient tout raconter, du dîner fortuit à la bamboche, du festin de noces aux repas de baptême, de la réunion de copains au souper intime. La mémoire des grands bordeaux et des grands bourgognes est phénoménale. Ils se sont faits narrateurs de la geste du maître de maison. Ils transmettent leur savoir aux nouveaux millésimes qui, eux aussi, à l'écoute de ce qui se passe au-dessus d'eux, témoins de tant de va-et-vient, bientôt associés aux naissances et aux décès, prolongent et enrichissent le roman du lieu.

La mémoire de la cave a toujours été sous-estimée par rapport à celle, tant exploitée dans les romans, du grenier.

La grande supériorité de la cave sur le grenier, c'est qu'en plus du passé qu'ils détiennent l'une et l'autre, la cave a de l'avenir.

Fin d'année à la cave. Quoique protégé de la neige et du brouillard, le peuple de la cave n'est jamais surpris par Noël et le jour de l'An. Deux ou trois degrés en plus, et c'est l'été ; deux ou trois degrés en moins, et c'est l'hiver. Mais ce n'est pas sur une température peu fluctuante qu'il fonde son expérience du calendrier. Né du rythme des saisons, le vin en a gardé le souvenir. Il connaît les aléas du temps, les balancements de l'histoire. Ayant des repères chronologiques, il se prépare, chaque fin d'année, à fêter l'avènement du même Petit Jésus que l'hiver précédent, et du nouveau millésime. Il sait qu'il sera copieusement associé à ces deux fêtes. C'est son rôle. C'est son destin.

Il n'est pas rare que des bouteilles fassent tapisserie pendant plus de vingt ou trente ans pour enfin triompher sur scène, dans l'éclat du cristal, sous les lumières d'une soirée exceptionnelle et sous les regards des spectateurs-acteurs déjà enivrés par leurs noms. Il en est du vin dans la bouche comme du taureau dans l'arène : il meurt de son apothéose.

Même les bouteilles de courte vie, donc de brève mémoire, comme les beaujolais, les bourgueils, les gaillacs, les muscadets, se rendent compte que la fin de l'année n'est pas une période ordinaire. Trop de visites à la cave, trop d'agitation. D'habitude sûr de ses choix, le maître hésite. Il n'y a que les champagnes sur lesquels il fonce et fait son prélèvement. Ailleurs, il saisit des bouteilles avec précaution, avec délicatesse, les examine, les repose. Sont-elles déçues ? Il va d'un domaine à un château, d'un cru à un climat. Plus sa promenade est longue, plus il se montre perplexe. Pourtant, son visage passe sans cesse de l'intérêt au bonheur, de la surprise à l'émerveillement. Puis, il renonce. Il éteint et ferme la porte.

Il revient quelques heures plus tard. Ou le lendemain. Mais, cette fois, résolu. Avec des menus en tête, des plats pour lesquels, après réflexion, il a prévu des accords qu'il espère parfaits, pour le moins excitants. Ça y est, les élues sont debout. Il les contemple avec gourmandise et fierté. Il les emporte. Déjà, il les devine et les respire. Les fêtes ont commencé.

La cave, elle, comme un coffre, s'est refermée sur sa fortune en liquide. Mais elle, elle vit, elle respire, elle médite. Demain commence une autre année.

Du bon et du mauvais usage de la cave. « Les bons vins et les complots s'ourdissent en profondeur », écrit joliment Pierre Veilletet dans sa célébration de la cave. Il est vrai que, parfois, elle abrite et cache le pire de l'homme : des viols, des « tournantes », des crimes, des corps. Après la libération de Lyon, ma mère et mon grand-père — mon père était prisonnier en Allemagne — ont découvert avec horreur dans la cave de l'épicerie familiale, fermée depuis quatre ans, des crochets aux murs tachés de sang, des fouets, des tenailles et d'autres instruments avec lesquels des résistants, jetés par la trappe, avaient été torturés.

Mais, aujourd'hui, je préfère penser aux caves profondément enfouies, dans lesquelles les populations bombardées trouvaient refuge et salut. Caves à double

fond, aux murs en trompe l'œil où se cachaient pendant quelque temps des Juifs, des aviateurs anglais, des résistants. Caves par le soupirail desquelles on surveillait le va-et-vient des périls. Caves où on débouchait des bouteilles « de la réserve » pour se donner du courage.

Une cave sans vin, qui fait office de grenier, où on resserre des vélos rouillés, des machines à laver hors d'usage, des réfrigérateurs éventrés, des valises fermées par des ficelles, des restes de tapisseries et de peintures, des jouets cassés, tous les déchets de vies elles-mêmes calcinées, est un spectacle navrant, insupportable. Ces caves-là font peur. La mort y suinte. Débarrassez-les de ce bric-à-brac obsolète, de leur désordre funèbre, rendez-les à leur fonction, rangez-y du vin, et les caves redeviendront des lieux d'accueil aux alléchantes promesses.

La cave se rebiffe. Entendons-nous bien : plus votre cave se rapprochera de la cave idéale, mieux vos vins se porteront. Si la vôtre est profonde, orientée au nord, de température constante hiver comme été (de 9 à 12°), d'une humidité invariable, ni chiche ni excessive, protégée de toute odeur et de toute vibration, à l'abri de la lumière, vos bouteilles se féliciteront de leur chance d'être chez vous domiciliées.

Mais, si votre cave n'est pas parfaite, ce n'est pas un malheur. À entendre certains Jean-Sébastien Bach du sous-sol, les vins sont si susceptibles et fragiles qu'après quarante-huit heures passées dans un hangar ou une cage d'escalier, non seulement ils se sentent déshonorés, mais ils ont tourné de l'œil. Encore deux ou trois jours de ces mauvaises manières et, dénaturés, ils seront bons à jeter au vinaigre.

Les vins sont beaucoup plus costauds que l'on ne croit. Ils ne résisteront évidemment pas, à la longue, au voisinage d'un radiateur de chauffage central, aux effluves de la cuve à mazout, de fromages fermentés et de légumes pourris, ou encore aux trépidations du métro. Mais, hors ces agressions caractérisées, le vin s'accommode plutôt bien de conditions de vie qui exigent de lui de la santé et du caractère. Il existe un terrorisme de la cave qui rend honteux le propriétaire d'un caveau trop sec orienté au sud-ouest, et fier comme Dionysos l'utilisateur d'un cul-de-basse-fosse humide tourné vers le septentrion. À son aise dans la seconde demeure, le vin ne sera pas en péril dans la première.

Reste que si, en ville, on peut s'offrir une armoire à vins climatisée, et si on a la place pour la loger, c'est le moyen idéal de conserver les bouteilles à la température idoine, tout en les ayant à portée de main, donc des lèvres.

CAVISTE, SOMMELIERS

Caviste

Autrefois, les grands restaurants distinguaient bien le métier de caviste de celui de sommelier. C'est de ce caviste que quelques croquis sont proposés ci-après.

Le caviste est le spéléologue du vin.

Caviste et pochetron, il descend les bouteilles deux fois.

Le caviste sait bien qu'il finira comme ses bouteilles : sous terre, étiqueté, nommé, millésimé. Mais, sauf improbable résurrection, lui ne remontera pas.

Très respectueux de l'étiquette, les cavistes sont des personnages de Saint-Simon.

Cavistes, œnologues, sommeliers, viticulteurs, etc., devraient emporter dans la tombe un tire-bouchon. On ne sait jamais.

À ma connaissance, même dans les caves du Vatican, aucun caviste ne s'est jamais indigné que, comme au final du french cancan, toutes les bouteilles lui montrent leur cul.

Certains cavistes sentent le bouchon.

Un bon caviste ne remonte jamais par l'ascenseur une grande bouteille d'un très ancien millésime. Il craint la vitesse, le vertige, le brutal changement d'altitude, qui pourraient être fatals à la délicate complexion de la vieille star.

Ce que les sommeliers disent aux clients, les cavistes le murmurent aux bouteilles.

La plupart des cavistes élèvent mieux leurs vins que leurs enfants.

Dans les grands restaurants, les cavistes étaient très malheureux de devoir laisser ouvrir par les sommeliers les bouteilles sur lesquelles ils avaient veillé pendant de nombreuses années. On dit que c'est par économie que les cavistes font maintenant office de sommeliers, ou les sommeliers de cavistes, alors que c'est, à l'évidence, par bonté.

Les cavistes sont les vrais châtelains des crus classés de bordeaux.

CAVE, SOMMELIERS

Champagne

Pour apprécier le mieux possible les arômes subtils du champagne, il faut être à jeun, ou avoir pour le moins le palais dégagé, tapissé de neuf. C'est pourquoi, délaissé au dessert, il s'est imposé à l'apéritif. Sans peser, sans encombrer, dans la légèreté de ses bulles, il réveille le nez et la bouche. Sa fraîche, piquante et lente intromission procure un vif plaisir qui en appelle d'autres et qu'il prépare. Cela ne signifie pas qu'il faille être hostile à d'autres apéritifs, comme le vin blanc, le porto, les vermouths, les vins doux naturels, les cocktails, etc. — à chacun la liberté de lancer son repas —, mais le bon champagne m'a toujours paru être le meilleur ouvreur de la descente.

Je me souviens de ma stupéfaction et de mon indignation — silencieuses, mais ressenties profondément — lorsqu'un jour, à l'apéritif, alors que j'avais tiré du seau où il rafraîchissait un magnum de Dom Pérignon 1973, j'entendis un invité me dire qu'un peu de whisky lui serait plus agréable. C'était bien son droit. N'empêche que — du whisky ! ah, le barbare ! le goujat ! le jean-foutre ! — j'eus l'impression d'être trahi. C'était ridicule, mais je ne pouvais pas ne pas lui en vouloir de préférer un breuvage industriel étranger au fin du fin de notre champagne. Un mur culturel nous a séparés pendant quelques instants.

Un repas tout au champagne ? Ce n'est évidemment pas désagréable, mais j'aime trop les vins blancs et rouges pour me priver, s'ils ont été bien choisis, de leur adéquation plus marquée avec les plats, d'une présence en bouche plus autoritaire que celle du champagne, surtout lorsque ce que l'on mange développe de puissantes saveurs.

En revanche, retrouver au dessert de vieux, et même de très vieux champagnes est d'autant plus excitant que cette opportunité est rare. À Reims, Gérard Boyer avait l'art des *happy ends*. Des bulles de trois, quatre ou cinq décennies sur des douceurs qui sortent des mains du pâtissier ? « Ô ma lèvre-hirondelle ! » (Aragon). À une simple et délicieuse tarte aux abricots ou aux pêches, un vieux champagne ajoute des notes de fruits confits qui ne se laissent pas oublier.

Bulles gagnantes. Le soir de son baptême religieux, au cours d'une sorte de parodie laïque, la fille d'Emma Bovary a reçu sur la tête du champagne d'un verre renversé. Dans les *Illusions perdues*, Lucien de Rubempré a été baptisé journaliste, par son rédacteur en chef, d'un peu de vin de Champagne répandu sur ses cheveux blonds. Vin magique, boisson bénéfique, porte-bonheur, le champagne accompagne les étapes importantes et les principaux événements de la vie. La styliste Agnès b. a déposé une goutte de champagne sur les lèvres de ses cinq enfants encore nourrissons. Rite d'initiation aux plaisirs de l'existence, gage donné à la chance. Dans son roman *Femmes*, Philippe Sollers raconte que Kate, la féministe, a célébré au champagne, hors de la présence des hommes, l'arrivée des règles de sa fille. On n'imagine pas sans champagne un mariage, un Pacs, une naissance, une promotion, un anniversaire, des retrouvailles, un départ à la retraite.

Tu as réussi au bac ? Champagne ! Tu as enfin ton permis de conduire ? Champagne ! Tu as vingt ans ? Champagne ! Vous allez baiser ? Champagne ! Vous baisez ? Champagne ! Vous avez baisé ? Champagne ! (enfin, pas toujours). Tu as décroché un CDI ? Champagne ! Tu as ta nouvelle voiture ? Champagne ! Vous êtes enceinte ? Champagne ! (enfin, pas toujours). L'enfant est né ? Champagne !

Fierté et bonheur.

Parce qu'il pétille, parce qu'il mousse, parce qu'il est gai, le vin de Champagne est de tradition associé aux réussites et aux succès, aux victoires et aux exploits. Les coureurs automobiles et à moto, qui s'en aspergent sur les podiums, ainsi que les joueurs de football et de rugby dans les vestiaires, en donnent une image plus tapageuse que gourmande. C'est quand même excellent, paraît-il, pour la réputation du champagne, ainsi uni à la liesse de la jeunesse et à la gloire des champions. Depuis longtemps, on sacrifie des bouteilles sur la coque des nouveaux navires. Quand les paquebots passaient la Ligne, le champagne coulait à flots. Premiers à avoir atteint le sommet de l'Annapurna, Herzog et Lachenal ouvrirent l'unique bouteille de champagne qui les attendait au camp n° 1. Qui de Costes et Bellonte a dit qu'il regrettait de ne pas avoir emporté de champagne lors de leur traversée victorieuse sans escale de l'Atlantique, en avion, le 2 septembre 1930 ? Et comme nous aurions aimé que le champagne existât lors du couronnement, à Reims, de Charles VII, pour que Jeanne d'Arc eût l'honneur d'ouvrir en même temps les royales libations et la première bouteille. Un comtes de champagne (de Taittinger) ?

Bulles littéraires. Il semble que la Veuve Clicquot soit le champagne le plus souvent cité dans les romans français et étrangers. Dom Pérignon, Mumm, Pommery et Bollinger ont aussi la faveur des écrivains. Si, dans les premiers films de James Bond, Sean Connery marquait sa préférence pour le Dom Pérignon, c'était en raison d'un accord commercial passé entre les producteurs (cinéma et champagne). Dans le premier roman de Ian Fleming, *Casino royal*, James Bond fait un autre choix :

« Le doigt posé sur la page, Bond s'adressa au sommelier :

— Le Taittinger 45 ?

— C'est un grand vin, monsieur, dit le sommelier. Mais, si monsieur permet (et il pointa avec son crayon), le blanc de blanc brut 1943, dans la même marque, est incomparable. »

Plus loin, l'agent 007 commande des œufs au bacon et une bouteille de Veuve Clicquot.

Quant aux espions britanniques de John Le Carré, ils fêtent au Krug la réussite de leurs missions.

Roger Nimier n'avait que vingt-sept ans lorsqu'il proposa dans une lettre à Jacques Chardonne son classement des champagnes. Il buvait pas mal, mais on n'imagine pas qu'il bût assez pour établir un palmarès sincère et équitable. Bernard Frank, qui tenait chronique en ce temps-là au défunt *Matin de Paris*, jugea les avis de Roger Nimier sur les marques de champagne « plus drôles que sérieux ». Reproduisons-les quand même, à titre de curiosité.

« Le Mumm Cordon rouge est le plus sec de tous les champagnes ; un peu amer parfois. À une longueur : le Ruinart millésimé (par snobisme) et le Pol Roger (millésimé) pour son joli nom. Sorti des millésimes ces deux marques ne valent rien du tout. À deux longueurs : Veuve Clicquot, Krug, Roederer et Bollinger. Au huitième rang (encore très honorable) : Salon, Lanson. Dixième position : Heidsieck Dry-Monopole (éliminer les autres Heidsieck), Perrier-Jouët (champagne de table plutôt), un Moët millésimé, à l'extrême rigueur. Écarter les Pommery trop commercialisés. En revanche, boire du Taittinger, qui mérite certainement la dixième place, lui aussi. Le Castellane que sert Air France est acceptable. Le Mercier est déjà dangereux. Le Georges Iroy est immonde ; c'est le Paul Vialar de la Champagne. »

Après avoir exécuté le palmarès des champagnes établi par Roger Nimier, Bernard Frank livre le sien en trois lignes : « Le Mumm est très convenable, c'est une affaire entendue. Mais, comme tout un chacun, il n'y a que Krug et Bollinger qui m'aillent. » Puis, il conclut d'une rafale de mitraillette dans les caves d'Épernay : « Je n'ai fait qu'assez peu de cas de cette boisson gazeuse. Il faut toujours en avoir une bouteille dans son frigidaire comme on a de l'Alka-Seltzer ou de l'Upsa dans son armoire à pharmacie. » Les pharmaciens amateurs de champagne ont dû eux aussi se récrier…

Arrivant inopinément chez des amis ou des relations de travail, je préfère me voir offrir de l'eau, un jus de fruits, ou même un Coca-Cola, c'est dire ! plutôt qu'un malheureux champagne qui pèle de froid depuis des lustres, debout dans la porte du réfrigérateur. De même, les donneurs de cocktails ou les organisateurs de buffets, qui cèdent à la mode du champagne obligatoire et qui n'ont pas les moyens, le désir ou la compétence d'en offrir un correct, devraient limiter leur offre à des jus de fruits, à des boissons gazeuses et à des alcools plus modestes.

La banalisation du champagne, sa consommation routinière, comme s'il n'était qu'une boisson parmi d'autres, proposée comme les autres, bue comme les autres dans le tapage de gigantesques buffets, ne sont-elles pas à la longue préjudiciables à son image d'excellence et d'exception ?

Victime probablement d'un préjugé culturel, je n'aime pas boire du champagne à l'occasion de n'importe quoi. D'autant que les probabilités sont minces, quand cinq cents personnes sont rassemblées, qu'on leur serve du Krug Grande Cuvée, un Salon, un Bollinger Tradition, un Cristal Roederer, un Deutz, un Pol Roger (cuvée Winston Churchill), un Ruinart rosé, une Demoiselle millésimée ou la cuvée Grand Siècle de Laurent Perrier.

On peut se régaler aussi de bruts de marques peu connues, à deux conditions : être certain du suivi de la qualité et laisser les bouteilles vieillir en cave pour qu'elles perdent leur acidité initiale. Le consommateur doit faire ce que, le plus souvent, faute de trésorerie ou de place, le producteur ne fait pas. Ainsi ai-je toujours apprécié la meilleure cuvée d'Hervieux-Dumez, dont les bouteilles prenaient le chemin de ma cave d'où d'autres montaient après trois ou quatre années d'ardente méditation.

Éternelle question à propos du champagne : faut-il toujours préférer les cuvées millésimées aux cuvées traditionnelles ?

Celles-ci, résultat de l'assemblage de plusieurs années, parfois six ou sept, et de plusieurs cépages (chardonnay, pinot noir, pinot meunier), ont l'avantage de proposer un produit sensiblement toujours le même, au goût maison, même si celui-ci évolue très lentement au fil des décennies. Tout l'art du chef de cave, face à une nouvelle récolte, est de la juger en fonction des saveurs des cuvées anciennes qu'il a à sa disposition pour obtenir par mélange de l'une et des autres le champagne que les clients aiment retrouver toujours identique. L'assemblage, c'est l'uniformité, c'est la constance, c'est la fidélité, c'est l'abonnement.

Au contraire, les cuvées millésimées, produites seulement les grandes années, à plus forte raison si elles sont issues à 100 % du chardonnay, donnent des bouteilles spécifiques, monogamiques, originales. Elles apportent de l'inédit. Elles jouent la surprise. Au fond, elles s'apparentent plus à un cru millésimé de vin qu'à un champagne traditionnel. Et, comme elles sont plus chères que les bouteilles de bruts amalgamés — ne serait-ce que parce qu'on les oblige à vieillir plus longtemps dans les 200 kilomètres de caves et de galeries creusées dans le sol crayeux de la Champagne —, elles s'offrent plus radicalement que leurs rivales à l'appréciation du consommateur. C'est sur les millésimées que s'expriment les opinions les plus tranchées, les plus divergentes. Mais c'est parmi elles qu'on fait les plus belles rencontres et les plus heureuses découvertes.

Enfin, on assiste depuis quelque temps à une éclosion de champagnes de terroir, de vignerons, qui, sur le modèle bourguignon, sont l'expression d'un cépage, d'un cru, d'un homme. Les bouteilles sont forcément en petit nombre et les prix s'envolent. Ce champagne individuel, parcellaire, n'est pas près de détrôner les assemblages des grandes maisons, mais, du côté d'Épernay, il ajoute de la diversité et, controversé, de… l'effervescence.

Les Champenois ont réussi depuis longtemps une habile campagne de marketing. Des bulles ils ont fait un produit de consommation populaire tout en les maintenant dans la haute sphère du luxe. Pour une grosse part, le champagne s'est démocratisé, et pour l'autre part il est resté inaccessible. Il pétille modeste chez Shopi ; il se pousse du col à la Grande Épicerie. Mais c'est toujours du champagne. La différence entre les petits et les grands bordeaux n'est-elle pas encore plus importante ? Certes, mais seul le champagne — grâce à la magie du mot qui le désigne — donne au bas de gamme l'apparence de l'excellence et confère du lustre à un simple verre en famille ou entre amis.

Pour ajouter du luxe au luxe et renchérir sur la concurrence, les grandes maisons d'Épernay et de Reims font appel à des artistes, des stylistes, des designers. Ils sont les auteurs de somptueux habillages de bouteilles, de coffrets chicos, de flûtes arachnéennes, de seaux qui en mettent plein la vue. On n'hésite pas à faire appel au talent et à la renommée de Jean-Paul Gaultier (Piper-Heidsieck), Jean-Charles de Castelbajac et Inès de la Fressange (Pommery), Robert Mata (Taittinger), Claessens (Lanson), etc.

Les grandes marques se prévalent à la fois de leur modernité et de leur ancienneté. Ruinart se flatte d'être « la plus ancienne maison de champagne depuis 1729 », battant d'un muselet* sur la ligne de départ Moët et Chandon (1743). Mais Gosset imprime sur son étiquette « Aÿ-1584 » et précise dans sa publicité qu'il est « complice de toutes vos célébrations, à travers le monde, depuis 1584 »…

On affiche son ancienneté pour montrer qu'on sait y faire depuis longtemps, que la maison est éternelle et que le consommateur peut avoir confiance. On ne touche pas à la forme des bouteilles si elle est entrée dans la mémoire collective. Et, si cette forme est classique, on ne change rien à sa décoration et à son étiquette lorsqu'elles sont indémodables, comme la célèbre bouteille aux anémones créée par Gallé, dans les années 1900, pour Perrier-Jouët.

Écume pétillante. Oscar Wilde prétendait que chez les gens mariés le champagne est rarement de qualité.

---

* Muselet : « armature de fil de fer qui maintient le bouchon des bouteilles de champagne, de cidre et de mousseux » (*Le Petit Larousse*).

J'ai plutôt observé le contraire. Peut-être a-t-il confondu avec le champagne la conversation de moins en moins pétillante du mari embourgeoisé ? Qui des deux vieillit le plus vite ? Avec l'âge, l'homme porte de plus en plus d'attention à la qualité du champagne, comme à toute sa cave.

La marquise de Pompadour avait raison d'affirmer que le champagne « est le seul vin qui laisse une femme belle après boire ». En effet, un excès raisonnable de bulles lui donne une légèreté, une aimable liberté, quelque chose de vif, parfois d'effronté dans le regard, que lui accorde moins volontiers la même quantité de vin blanc ou rouge, lequel paraît peser davantage sur ses paupières et sur sa conversation.

« De la beauté des femmes avant, pendant et après le champagne » me paraît être un sujet à débattre, flûtes en main. Quand on boit du champagne, on n'est pas enclin à traiter de matières graves, ni d'affaires ni de politique. On est plutôt poussé vers la frivolité, une philosophie souriante, la bagatelle. On choisit des thèmes de même nature que le champagne : la légèreté, l'effervescence. L'esprit mousse et pétille. Les mots sont des bulles, la conversation s'envole. Moments exquis. Le champagne n'est pas fait pour les scrogneugneux.

Glouglou

D'une lettre de Pasteur — oui, le grand, le très sérieux Louis Pasteur : « … Je vais mieux. Hier, j'ai pu sortir pour aller à l'Académie de médecine. À la fin de septembre, j'ai été pris, à Arbois, d'un dérangement intestinal tellement violent qu'on eût dit le choléra. Pendant plusieurs jours, mon estomac ne pouvait recevoir une goutte d'eau. Le champagne refroidi par des morceaux de glace a été le vrai remède… » (*Cinq siècles sur papier*, autographes et manuscrits de la collection Pedro Corrêa do Lago.)

DOM PÉRIGNON, KRUG, VEUVE CLICQUOT

Chaptalisation

Les viticulteurs de l'Antiquité avaient déjà compris que du sucre pouvait rendre un vin moins rêche. Parmi les nombreuses substances qu'ils ajoutaient dans les jarres et les cratères, figuraient le miel et l'hydromel. C'est le chimiste Jean-Antoine Chaptal (1756-1832) qui, d'un néologisme tiré de son nom, passe pour être l'inventeur du sucrage des moûts, alors qu'il en a été surtout le théoricien et le vulgarisateur.

Au mot « chaptalisation » les fondamentalistes du vin voient… rouge. Le saccharose, introduit dans le premier jus de raisin issu d'une vendange pas assez mûre, c'est, non pas le Petit Jésus en culotte de velours, mais le diable ! Arrière, Satan ! Arrière, Chaptal !

Qui ne désirerait que tous les vins de tous les millésimes soient tels que la nature les a faits ? Mais certaines années sont chiches en soleil. Les raisins des vignobles à climat septentrional ou montagnard manquent de sucre. Ils donneront des vins transparents, raides comme des coups de trique. Jadis, on les sifflait sans faire trop de grimaces. Des buveurs très vieux, par nostalgie, ou très jeunes, par écologie, aimeraient qu'on en revînt à 8, 9 ou 10° bruts de décoffrage. Il est peu probable qu'un large public les suivrait. Le goût a changé et un vin pâlot, manquant de corps, paraîtrait à beaucoup raté ou insignifiant, probablement imbuvable.

De toute façon, pour les vignobles qui en ont besoin, la législation autorise le sucrage des moûts. Dans des proportions strictes et suivant des modalités précises. Quand la chaptalisation est honnête et réussie, elle confère au vin un surcroît d'alcool, de texture, de rondeur et même d'arômes, le saccharose obligeant les levures, qui sont paresseuses quand le froid est précoce, à travailler davantage.

Ce qui est scandaleux et condamnable, c'est, dans quelque vignoble et dans quelque année que ce soit, la surchaptalisation. En l'occurrence, le viticulteur n'y va pas avec le dos de la louche : il rajoute tellement de sucre que son vin passe de 9 ou 10 à 12, 13 ou 14°, le rendant plus épais que charpenté, aussi lourd sur l'estomac que sur la langue, agressif à l'occiput. « Un apport excessif de sucre sur une vendange déficiente, écrit Guy Renvoisé, n'a pas plus de chance de réussir que si l'on voulait donner des muscles à un squelette du Muséum d'histoire naturelle. »

Dans cette course au degré, naturel ou artificiel, la responsabilité de beaucoup de négociants est engagée. Ils paient souvent plus cher au viticulteur la puissance alcoolique que la finesse ou la complexité. De même les épiceries ou les supérettes affichent, pour les vins de table, des prix qui répandent auprès d'un public populaire l'idée fausse que plus un vin titre, meilleur il est.

Glouglou

De Jacques Perret, le savoureux romancier de *Bande à part*, du *Caporal épinglé*, de *Belle Lurette* : « Quand on voit un Parisien entrer dans une boutique et demander du 11° parce que c'est meilleur que le 10° et qu'il n'a pas les moyens de se payer du 12°, on pense aux grands-pères qui pouvaient choisir entre un suresnes, un nanterre, un clos-des-gobelins et vingt crus banlieusards qui ne faisaient guère plus de 7 ou 8°, mais qui avaient le sentiment délicat et l'esprit de famille » (*Chroniques*). Ce texte est extrait d'une chronique probablement écrite dans les années 1950. Le Jacques Perret ironique et tendre — il fut l'un de mes invités pour la deuxième émission d'« Apostrophes » — fustige avec raison les « sanglants picrates » qui ont chassé « de vertueux ou pimpants vins de pays ». Mais les crus banlieusards de 7 ou 8° des grands-pères, sacrebleu ! c'était du ginguet — mot parisien pour désigner un vin très vert —, du ginglard, du reginglard !

Paris et Île-de-France (vins de)

Chardonnay

Les cépages sont taquins. Le gamay, cépage du Beaujolais, serait né en Bourgogne, à Saint-Aubin, au hameau de Gamay, et le chardonnay, cépage des blancs de Bourgogne, aurait pris son essor d'un village du Mâconnais, appelé Chardonnay. L'un ayant émigré au Sud, l'autre étant monté au Nord, ils ont dû se croiser à Tournus, à la table de l'immémorial chef Jean Ducloux.

Comme le ballon de football, le chardonnay a conquis le monde. Qui doute qu'il se soit très bien installé en Californie, en Espagne, en Afrique du Sud, au Chili, en Australie ? Facile à vivre, de commerce agréable (et fructueux), il a élu domicile en Grèce, en Russie, au Maroc, au Canada, jusqu'au Japon et en Chine ! En France, alors que jusqu'au milieu du XXe siècle la Champagne et la Bourgogne en avaient l'exclusivité, il s'est faufilé partout, même en Languedoc où, enfin, le gel ne lui fait plus peur.

Car le chardonnay, vaillant à plonger ses racines dans la craie de la Côte des Blancs, en Champagne, dans le calcaire de Chablis et dans les sols pierreux de Montrachet, a froid au pied. Il est là dans des régions septentrionales où, l'hiver, ça pince. Mais c'est justement la sévérité du climat, sa patience à mûrir, qui lui confèrent son aromatique et élégante rigueur.

Chablis. C'est au nord de la Bourgogne que le chardonnay est confronté aux hivers les plus rudes. Aux traditionnels mais limités feux allumés dans des « brûlots », les Chablaisiens — échaudés par le gel mortifère des années 1957 et 1961 — ont installé dans les vignes de leurs grands et premiers crus un réseau de « chaufferettes » alimenté au fuel. Ou bien ils aspergent d'eau les ceps : par un curieux paradoxe, le bourgeon enrobé de glace résiste à des températures très basses. Certains vignerons tendent des bâches au-dessus des vignes auxquelles ils tiennent le plus. À l'image de Guy Roux, l'emblématique entraîneur de l'équipe de football d'Auxerre, les Chablaisiens sont inventifs, tenaces, rusés. Un peu trop quand ils ont cédé eux aussi au « mal français » : l'extension déraisonnable du vignoble.

Cela n'entame évidemment pas la qualité et la réputation des vins produits là où les moines bénédictins avaient judicieusement planté leurs vignes : sur les coteaux autour de Chablis, de part et d'autre de la rivière Serein. Pour accompagner les huîtres, la florale minéralité du chablis est épatante. Le même cru ne sera pas moins apprécié avec le poisson et les fromages qui suivront.

Meursault (*voir* : Meursault (Paulée de)).

Chassagne-Montrachet, *Puligny-Montrachet, Aloxe-Corton*. Ces trois villages produisent, avec Meursault, les meilleurs vins blancs secs du monde. Tout simplement. Même les Bordelais le disent ! Cette première place occupée depuis des lustres n'est pas attribuée pour l'éternité. Rappelons cette évidence : la France n'a pas l'exclusivité des très bons terroirs ni des meilleurs techniciens de la vigne. C'est pourquoi le chardonnay de la Côte de Beaune ne peut s'abandonner à aucune arrogante désinvolture sans courir le risque d'encourager et de valoriser les ambitieux chardonnays étrangers.

Le montrachet — on dit chevalier-montrachet, bâtard-montrachet, mais *le* montrachet, ce « le » lui étant lié comme une particule —, le montrachet, donc, comme on dit « le roi » (quel couple avec *la* romanée-conti !), est considéré comme le meilleur vin blanc sec de Bourgogne, en conséquence du monde. Difficile de vérifier chaque année : 8 hectares seulement. Très rare, le montracher, très cher, le montchetrare !

Les autres montrachets, premiers et grands crus, tous précédés au moins d'un nom : chevalier, bâtard, criots, bienvenues — le plus théâtral : bienvenues-bâtard-montrachet ! —, ne courent pas non plus les supérettes. Ni le corton-charlemagne, les petites épiceries de quartier. Si les puligny-montrachet villages et autres « villages », moins huppés et moins coûteux, sont forcément moins puissants, aromatiques et fins que les précédents, plus accessibles ils procurent cependant des plaisirs très chrétiens.

Enfin, sur la Côte chalonnaise, le chardonnay s'exprime avec délicatesse dans les vins de Montagny, de Mercurey et de Rully, principalement.

Mâconnais. Si l'on apprécie les chardonnays aux parfums de noisette, de miel ou de pain grillé, c'est ici qu'on fait, rapport qualité-prix, les meilleures emplettes. Du haut de la roche de Solutré, François Mitterrand jetait un regard présidentiel sur les vignes du seigneur régional, le pouilly-fuissé. Une quarantaine de villages peuvent accoler leur nom au mâcon. Enfin, Saint-Vérand a donné son nom au joli saint-véran (sans le *d* final du village pour subtilement démontrer, paraît-il, que l'appellation appartient aussi aux villages voisins de Saint-Vérand).

Chasse-spleen

Avant même de le goûter pour la première fois, le château chasse-spleen m'avait conquis. À cause de son merveilleux nom. Élégant, byronien, baudelairien, franco-anglais, optimiste. C'est en 1863, après une division, qu'a été baptisée ainsi une partie du domaine Gressin Grand Poujeaux. À qui en revient le mérite ? À Lord Byron qui, vers 1820, passant dans la région et ayant apprécié le vin, aurait affirmé qu'il chassait le spleen, ce dont se serait souvenu le propriétaire ? Ou, plus probablement, au peintre Odilon Redon, voisin de la propriété, qui a illustré *Les Fleurs du mal* — édition jamais publiée, mais les propriétaires du château en possèdent les planches — et qui aurait suggéré ce nom magique ?

Encore fallait-il que ce vin de Moulis-en-Médoc fût à la hauteur. Il l'est. Déjà cru bourgeois exceptionnel dans la classification de 1932, il l'est resté dans celle de 2003. Ses derniers millésimes ont rarement repoussé aussi loin les idées noires.

Durant la Première Guerre mondiale, le domaine appartenait à des Allemands, la famille Segnitz. Le défunt négociant Hugues Lawton racontait que, sitôt la guerre déclarée, la population de Moulis avait pillé le château de l'ennemi, heureusement reparti pour Brême. En 1920, nouveau propriétaire du domaine, M. Lahary avait découvert dans les stocks de chasse-spleen des bouteilles de 1911 dont les bouchons étaient estampés de la croix de fer ! Il avait confié à Hugues Lawton qu'il regrettait de ne pas les avoir gardées pour les vendre chez Christie's.

Glouglou

Je suis devenu écolo,
renonçant à tirer sur l'eau
canards sauvages et sarcelles,
à plomber dans l'air bartavelles,
bécasses, perdreaux, ortolans.
Qu'ils nichent dans les portulans !
Maintenant je lis Platon, Pline,
Kant, Montaigne, et je chasse-spleen.

 BOURGEOIS

Châteauneuf-du-pape

Il allait de soi que dans une famille chrétienne on ne débouchait une bouteille de châteauneuf-du-pape que le dimanche. Ainsi passait-on en quelques heures du curé qui prêchait la tempérance, ou du missionnaire qui avait partagé la faim et la soif de peuplades que Dieu et ses prêtres martyrs avaient autrefois détournées de l'anthropophagie, au pape rouge à déguster avec le gigot dominical. Costaud le saint-père, de la concentration, épicé, poivré. Très aromatique quand le pape est jeune ; bouqueté cuir et tabac avec le grand âge. Il y avait toujours quelqu'un pour dire : avec un lièvre, il serait encore meilleur ! J'en avais conclu que les papes d'Avignon chassaient dans les vignes.

Le châteauneuf-du-pape a longtemps vécu dans l'humilité. Comme ses voisins laïcs, le gigondas et le vacqueyras, il portait secours aux bourgognes les années où ceux-ci manquaient d'alcool et de couleur. Mais la charité chrétienne commença de décliner à la fin du XIXe siècle et les vignerons, regroupés dans un syndicat, décidèrent d'œuvrer désormais pour leur paroisse. Réussite complète qui restitua à l'appellation la gloire qui était la sienne du temps de la papauté avignonnaise. Ce sont même les règles édictées par les viticulteurs castel-papaux qui inspirèrent la législation nationale sur les appellations contrôlées.

Comme il n'y a qu'un Dieu, qu'une foi et qu'un pape, le châteauneuf devrait être logiquement un monocépage. Or il est l'une des AOC qui comptent beaucoup de cépages : treize ! Huit pour les rouges, cinq pour les blancs. Le grenache est le cardinal des rouges. À sa suite : la syrah, le mourvèdre et le cinsault. Le counoise, le vaccarèse, le muscardin et le terret noir ne sont que des enfants de chœur.

Même statut pour le picpoul et le picardan chez les blancs où la roussane, le bourboulenc et la clairette unissent leurs arômes floraux pour composer le vin de messe de l'église de Châteauneuf-du-Pape.

Glouglou

Créateur du vignoble de Châteauneuf-du-Pape, sa résidence estivale, Clément V, premier pape d'Avignon, avait d'abord été archevêque de Bordeaux. Viticulteur rentré, il s'installa sur les terres situées au sud de la ville, à côté de Haut-Brion, et y fonda un domaine viticole considéré aujourd'hui comme l'un des meilleurs pessac-léognan : le château pape-clément. Seules la jalousie et la concurrence des vins italiens peuvent expliquer que Clément V n'ait pas été canonisé... Ni Jean XXII, son successeur, qui chanta la gloire de Dieu et des vins de Châteauneuf.

MESSE (VIN DE)

Chauvet (Jules)

Nous passons à côté de personnes remarquables. Un jour, nous constatons notre étourderie, notre erreur, mais c'est trop tard. Ainsi ai-je raté les écrivains Romain Gary, Georges Perros, Fernand Braudel, etc. Aucun rapport avec les précédents, car c'était un savant, un négociant et un vinificateur : Jules Chauvet, de La Chapelle-de-Guinchay (Rhône). Je l'ai deux ou trois fois aperçu dans des assemblées, en particulier, si ma mémoire est bonne, parmi les nombreux invités d'Henri et de Rémi Krug pour un déjeuner sublime, à Mionnay (Ain). Alain Chapel en était le héros (on fêtait ses quarante ans) et, bien sûr, le cuisinier.

Pour Alain Chapel, Jules Chauvet était un homme rarissime qu'il admirait pour au moins trois raisons : son insurpassable talent de dégustateur, qui stupéfia même l'œnologue bordelais Émile Peynaud ; ses travaux scientifiques (sur la chaptalisation, la macération carbonique, la fermentation aromatique, la fermentation malolactique, etc.), qu'il remettait sans cesse sur le chantier ; enfin, son art de la vinification — de la prestidigitation, selon Alain Chapel —, qui lui permettait d'élaborer naturellement des beaujolais légers et aromatiques.

Un jour, Alain Chapel me téléphona pour me dire que Jules Chauvet viendrait déjeuner chez lui et qu'il était d'accord pour que je me joigne à eux deux. Rendez-vous fut pris. Malheureusement, à cause d'une émission d'« Apostrophes » que je fus contraint d'enregistrer — alors qu'elle était toujours en direct —, je dus me décommander. Ils sont morts l'un et l'autre. J'ai raté Jules Chauvet.

À travers ce que m'en disait le légendaire chef de Mionnay et ce qui ressort de la lecture d'un livre d'entretiens (*Le Vin en question*), Jules Chauvet était un janséniste animé par le doute et la recherche de la perfection. On l'avait surnommé : « la science et la conscience ». Il a déclaré : « Je crois que plus j'étudie le vin, plus je vois que c'est compliqué, plus je vois que je suis loin de comprendre. » Excès de modestie ? Plus il avançait en âge, plus ses communications scientifiques rencontraient de lecteurs professionnels, plus il recommandait aux vignerons et aux vinificateurs de s'écarter le moins possible de la nature. Il a été le premier, sinon l'un des premiers, à annoncer la saturation des sols par les produits chimiques, leur pollution, leur dégénérescence, la nécessité de revenir au labourage traditionnel des vignes qui, seul, assure la ventilation des terrains. Ses disciples sont de plus en plus nombreux dans tous les vignobles, en particulier ceux qui refusent de recourir au collage et à la filtration. Mais il faut être sûr de son travail, de sa science et de son art. Sinon, gare aux accidents et déconvenues. Tout le monde devrait aspirer à être Jules Chauvet. Tout le monde ne peut pas l'être.

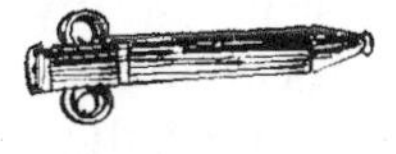

BEAUJOLAIS 2, BEAUJOLAIS 3

Classement de 1855

On imagine que lorsque Mirabeau, Sieyès et d'autres membres de l'Assemblée nationale constituante rédigèrent la Déclaration des droits de l'homme et du citoyen, ils avaient la conviction de donner naissance à un texte fondamental qui leur survivrait. De même, les juristes napoléoniens qui écrivirent le Code civil étaient-ils convaincus de l'importance et de la pérennité de leur entreprise. Rien de tel avec les courtiers girondins, rédacteurs d'un document célébrissime dont on a fêté le cent cinquantième anniversaire : le *Classement de 1855 des vins de Bordeaux*. Ils firent un travail de commande, presque de routine, dont ils ne pouvaient prévoir qu'on s'y référerait aussi longtemps, l'avenir continuant de lui être grand ouvert.

Curieusement, c'est un peu aux Champenois et aux Bourguignons que les Bordelais doivent la fortune de leur Classement. Leurs confrères des vignobles continentaux leur envoyèrent une lettre pour leur proposer de s'associer à eux dans la présentation des vins français à l'Exposition universelle de Paris, décrétée par le nouvel empereur, Napoléon III. Les propriétaires girondins n'y avaient pas songé. On en délibéra, on tergiversa, jusqu'à ce que les membres les plus avisés de la Chambre de commerce fissent remarquer qu'il ne serait guère judicieux de laisser les vins champenois et bourguignons occuper seuls le chai de l'Exposition. Donc, on irait, mais pas n'importe qui et pas n'importe comment. Il fallait sélectionner les meilleurs. L'impartialité et l'efficacité bordelaises firent alors merveille.

Puisque les courtiers avaient l'habitude depuis longtemps, depuis la fin du XVIIIe siècle, d'établir des classifications des vins blancs et rouges de la Gironde, on aurait recours à leurs compétences. Sur quoi établissaient-ils leur hiérarchie ? Sur le marché ! Le marché avait toujours raison puisqu'il était fondé sur la demande, laquelle dépendait essentiellement de la qualité. Ce n'était pas le goût des courtiers qui décidait, c'était le goût des consommateurs. Le Classement de 1855 est une réussite très ancienne de l'économie libérale.

Conscients de l'importance des enjeux, mais rompus depuis longtemps à dresser des palmarès, les courtiers girondins n'ont pas fait le travail par-dessus la jambe. Ils ont retenu une soixantaine de crus de rouges à partir des prix enregistrés sur le marché depuis une quarantaine d'années et les ont classés, selon leurs usages, en cinq catégories. Ainsi récompensaient-ils la qualité et la réussite commerciale sur une longue période. Ils ne doutaient pas qu'il faudrait revoir cette hiérarchie dans les années suivantes. C'était le Classement de l'Exposition universelle de 1855, voilà tout. Ce document était un bilan provisoire. Personne n'imaginait que ce serait aussi un acte de naissance. Un texte fondateur. D'ailleurs, s'il était apparu d'emblée comme la table des lois du Médoc, il aurait désespéré tous les propriétaires qui en étaient absents, qui eussent brigué d'en être et qui se seraient coalisés pour le contester et l'abattre. Le Classement de 1855 — il y aura par la suite d'autres classifications que l'Histoire ne retiendra pas — doit sa force et sa pérennité à ce qu'il était juste, mais aussi à sa nature provisoire qui lui assurait la paix. Seuls le château cantemerle fut rapidement ajouté aux cinquièmes crus et le château mouton-rothschild, plus de cent ans après, passa du deuxième au premier rang. Deux codicilles en un siècle et demi, c'est bien peu pour une matière aussi inconstante que le vin et pour une chose aussi constante que la volonté de reconnaissance toujours plus grande des propriétaires.

Même s'ils sont passés par des hauts et des bas, les 60 crus classés sont restés fidèles, depuis cent cinquante ans, à une certaine exigence, sans laquelle ils auraient discrédité le Classement. Pourtant, presque tous les vignobles n'ont plus les mêmes frontières ; l'encépagement a évolué ; beaucoup de familles de propriétaires ont changé ou ont vendu à des sociétés ; le marché a rectifié la hiérarchie des prix, certains quatrièmes crus, par exemple, ayant la valeur de seconds, qui sont maintenant plutôt des troisièmes ; des crus bourgeois sont dignes d'être anoblis. Mais on ne touchera pas à l'édifice. Le Classement est classé ! Et l'on a raison de le maintenir tel quel parce que, même si beaucoup d'experts le jugent un peu distendu par rapport à la réalité, l'amender déclencherait une guerre des châteaux dont le Moyen Âge n'eut pas l'équivalent…

« Refaire le Classement de 1855, constate Jean-Paul Kauffmann, partisan du *statu quo*, est un jeu de société qui se pratique depuis cent cinquante ans. La critique de ce texte fondateur est le sport favori des journalistes du vin, des sommeliers, des experts. Au lieu de l'affaiblir, la controverse rend encore plus solide, plus stable, plus vivante cette organisation. Exaspérants à la fin ces assauts qui ne profitent qu'à l'attaqué ! »

Dans un texte admirable publié d'abord dans *L'Amateur de bordeaux*, puis repris dans *Le Bordeaux retrouvé*, un livre hors commerce — pour ne pas céder à un système où « le malheur doit être immédiatement rentabilisé » —, Jean-Paul Kauffmann raconte combien l'évocation du vin l'a aidé à ne pas flancher pendant ses trois années de geôle au Liban. Il entretenait sa mémoire en se récitant le Classement de 1855 et en l'inscrivant sur les feuilles d'infâmes cigarettes. À chaque transfert, il perdait ou on lui confisquait ses bouts de papier. Il recommençait. « À la fin de l'année 1986, je calais sur certains quatrièmes crus, oubliant presque toujours pouget et marquis-de-terme, châteaux pourtant très estimables. Mais seule ma mémoire est ici en cause. Quelques semaines plus tard, je ne parvenais plus à réciter entièrement les cinquièmes. Entre-temps, on m'avait enlevé mon crayon. Ne plus connaître par cœur le fameux Classement m'attristait : étais-je devenu un homme sans civilisation, devenais-je un barbare ? »

À la légitimité du commerce, de l'histoire et du goût, Jean-Paul Kauffmann a apporté au Classement de 1855 une plus-value humaniste. N'y touchons pas.

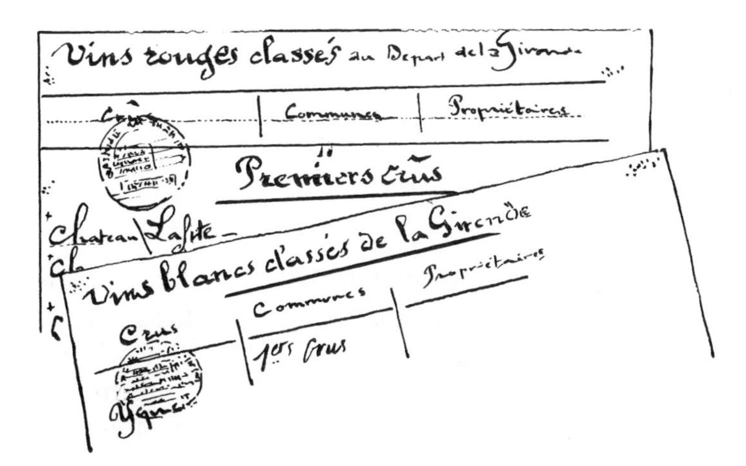

Glouglou

Plus que tout autre vignoble, le Bordelais a eu et a toujours la passion du classement des vins. L'Américain Dewey Markham, Jr., précieux historien de *1855*, a eu la bonne idée de publier toutes les classifications qui ont précédé la hiérarchie qui fait autorité. On remarque que, *dès 1786*, donc avant la Révolution, margaux, lafitte (qui comptait alors deux *t* et n'était pas encore rothschild) et latour sont classés premiers du Médoc, et que pontac-haut-brion, qui deviendra haut-brion, unique représentant des graves, est adopté et classé au même rang en raison de sa cote dans la *high society* de Londres. Que ce soit sous la monarchie, la Révolution, l'Empire ou la République, l'élite rouge des bordeaux n'a pas varié. Les régimes passent, les premiers crus demeurent. Imperturbable fidélité des Français quand ils estiment qu'il y a évidence et que l'on ne peut jouer avec.

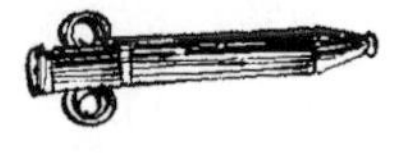

BORDELAIS, MÉDOC, PONTAC (JEAN DE), ROTHSCHILD (PHILIPPE DE), YQUEM

Complexité

« Complexité » est aujourd'hui l'un des mots du vocabulaire de la dégustation les plus souvent employés. Sa fortune est récente. Dans son ouvrage *Le Goût du vin* (1980), Émile Peynaud le cite en passant. Il ne le range pas parmi les nombreux mots auxquels il se réfère constamment et dont il explique le sens aux œnophiles. Pierre-Marie Doutrelant ne le retient pas dans son glossaire (*Les Bons Vins et les autres*, 1976). Je ne le trouve pas sous la plume de Raymond Dumay. Mais, dans les ouvrages sur la dégustation parus depuis dix ans, il est utilisé d'abondance, et plus encore dans les comptes rendus organoleptiques des sommeliers et des journalistes.

La complexité d'un vin est d'acception… complexe. Ce qui ne signifie pas que ce mot n'est pas utile. Au fond, il y a deux sortes de vins : les jeunes, les gouleyants, les fruités, dont on respire et savoure les arômes ; et les moins jeunes, souvent passés au début par le chêne, qui développent au fil du temps des bouquets changeants. Les premiers sont de bons garçons qu'on devine aisément ; les seconds ont une personnalité riche, fantasque, secrète, donc complexe. L'adjectif « complexe », écrit Michel Dovaz, « qualifie un vin dévoilant des caractères aromatiques multiples. Un grand vin est nécessairement complexe ».

Le dégustateur moderne écrit ou prononce le mot « complexité » aussitôt que ses yeux, son nez et sa bouche sont confrontés à un vin qui en impose, qui présente du relief et de la pénombre, qui a des arrières, des prolongements, des caches. Eh bien, maintenant, il va falloir dire de quoi est faite cette complexité ! Car la nommer, c'est constater qu'elle existe, mais ce n'est pas encore l'analyser, en identifier toutes les composantes, en éclaircir tous les mystères. La complexité de la dégustation — et son plaisir — commence dès lors qu'on l'a qualifiée de complexe.

Glouglou

Mais vous pouvez vous contenter de dire, le visage radieux, que ce vin est hyper bon, et basta !

Condrieu

Longtemps, le condrieu a eu la réputation de ne pas voyager. Ou si mal qu'il en était vite dénaturé. Il y a cinquante ans, on disait qu'il ne pouvait guère pousser au-delà de Lyon. À Tournus, il se troublait. À Chalon-sur-Saône, il tournait de l'œil. À Dijon, il était mourant. À Avallon, on ne l'avalait pas, car il était mort. Sauf exception, Paris était pour lui inaccessible. Imagine-t-on la détresse d'un artiste qu'un sort injuste empêche de s'afficher dans la capitale ?

On a du mal à croire que le condrieu est devenu le plus recherché et le plus prospère des vins blancs issus du viognier. Car, vers 1965, il a failli disparaître. Il n'en restait plus qu'une dizaine d'hectares. Sur des terrasses aux pentes impitoyables il est difficile de cultiver la vigne, surtout quand elle ne paye le viticulteur que d'un joli point de vue sur le Rhône. Le viognier était considéré comme un cépage de troisième ordre, alors qu'on apprécie aujourd'hui, surtout sur le granit et le schiste friables de l'aire d'appellation du condrieu (110 hectares), ses arômes de violette, d'abricot et de pêche. Enfin, il ne voyageait pas.

Il a appris. Grâce à un vigneron opiniâtre et inspiré, Georges Vernay. Grâce à une vinification moderne. Tout en exaltant ses parfums, elle lui procure l'acidité qui lui manquait et l'équilibre sans lequel il n'est pas recommandé de courir le monde.

Glouglou

Plus rare et évidemment beaucoup plus coûteux que le condrieu, son voisin, situé à l'intérieur de ses terres, et frère en viognier : le château-grillet (moins de 4 hectares). C'est son sol et son sous-sol qui en font un blanc exceptionnel, de garde de surcroît. N'en ayant bu que deux fois, il y a longtemps, je suis bien incapable d'expliquer pourquoi il est considéré par les spécialistes comme supérieur au meilleur des condrieux*. Ce trésor appartient, depuis 1820, à la même famille, les Neyret-Gachet. Une famille, elle aussi, de garde.

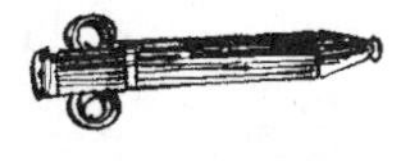

CHÂTEAUNEUF-DU-PAPE, CÔTES ET COTEAUX, HERMITAGE

Côtes et coteaux

La côte désigne une pente, plus ou moins raide, d'une montagne ou d'une colline, alors que le coteau nomme la colline tout entière, généralement peu élevée et arrondie. En toute logique, l'accent circonflexe, avec ses deux versants, eût mieux convenu au coteau qu'à la côte.

---

* Maintenant, je sais. Jean-Claude Simoën, directeur de la collection du Dictionnaire amoureux, ayant commandé une bouteille de château-grillet 2002 (étiquette reproduite ci-dessus) pour ouvrir le déjeuner au cours duquel je lui ai remis le manuscrit de ce livre et Alain Bouldouyre ses dessins.

Le vignoble français est une litanie de côtes et de coteaux, sans qu'une distinction précise les distingue et les classe. En gros, quand ça grimpe fort, c'est une côte ; quand ça grimpe mollement, c'est un coteau. Mais la radicalité de la côte — plus verticale face au soleil, plus exigeante pour le cep et pour le vigneron, donc plus méritoire — l'a emporté sur la douceur du coteau. Autorité et prestige de la côte ou des côtes. Aussi, même quand la pente reste dans l'ensemble bienveillante, on préfère se dire de la côte. Il y a heureusement des vignobles modestes, d'humeur tempérée : les coteaux du Tricastin, de l'Aubance, du Layon, du Languedoc, du Lyonnais, du cap Corse, de l'Ardèche, de l'Auxois… C'est surtout sur les bords de la Loire qu'on ne se pousse pas du col : on y aime les coteaux, qui donnent une image exacte de la douce France.

C'est dans la vallée du Rhône que ça grimpe le plus, en particulier sur une côte brûlée de soleil, cuite, qui a été joliment nommée Côte-Rôtie (avec deux chapeaux pour rappeler aux vignerons qu'il vaut mieux en mettre un).

La déclivité y est comparable aux pentes abruptes de la vallée de la Moselle. Des terrasses bornées par des murs de pierres sèches, des vignes en plateaux, en strates, en lanières, s'élèvent de plus en plus haut au-dessus de la rive droite du Rhône, dans une sorte d'aplomb, de défi à l'équilibre des ceps comme des hommes. Les vignerons d'Ampuis et des alentours (comme ceux de Condrieu) ne sont pas des ruraux qui se plaisent dans la facilité. Mais la syrah les dédommage largement de leur peine par sa splendeur et son prix. Préférez-vous la Côte Brune ou la Côte Blonde ? Que vous soyez *turque*, *landonne* (Côte

Brune) ou *mouline* (Côte Blonde), toutes bouteilles exceptionnelles, vous êtes soit un ami intime de leur propriétaire-récoltant, Marcel Guigal, soit un Américain, et dans les deux cas vous accédez à la faveur d'en obtenir quelques flacons par une entame aussi abrupte et vertigineuse de votre carte de crédit que la Côte-Rôtie elle-même.

Descendre le Rhône, c'est réciter des noms d'appellations célèbres : hermitage, crozes-hermitage, saint-joseph, cornas, saint-péray. Mais c'est aussi, de Vienne à Avignon, voyager dans les côtes-du-rhône (et les côtes-du-rhône-villages), immense vignoble qui s'étend parfois loin du fleuve, sur des terrains aussi pentus que des terrains de football ! Ce sont quand même des « côtes », ces sympathiques et très inégales « petites côtes » que demande le populaire accoudé au bar.

Côtes bourguignonnes. En Bourgogne, la Côte désigne un ensemble de coteaux, de flancs de collines qui se succèdent dans la longueur sur le département de… la Côte-d'Or. Au nord, la Côte de Nuits ; au sud, la Côte de Beaune. Il n'y a que la Côte d'Azur et la côte de bœuf pour les devancer en notoriété universelle. Les vignes des plateaux qui dominent l'une et l'autre Côtes bénéficient des appellations hautes-côtes-de-nuits et hautes-côtes-de-beaune.

Un peu plus au sud, dans le département de Saône-et-Loire, troisième et dernière Côte de Bourgogne : la Côte chalonnaise. Moins abritée du vent que ses deux sœurs, pas plus pentue, sa position est moins favorable, mais c'est à Mercurey, Rully, Montagny, Givry, Bouzeron qu'on fait les meilleures affaires, rapport qualité-prix.

Autres Côtes. Par ordre de notoriété en France (classement personnel tout à fait contestable) :

Côtes de Provence
Côtes du Roussillon
Côtes de Castillon
Côtes de Bourg
Côtes du Jura
Côte de Brouilly
Côtes du Luberon
Côtes de Bergerac
Côtes du Ventoux
Côtes de Duras
Côtes de Blaye
Côtes du Buzet
Côtes de Bordeaux-Saint-Macaire
Côtes du Forez
Côtes du Vivarais
Côtes roannaises
Côtes de Toul
Côtes de Francs
Côtes de Gascogne

Et puis les Côtes de Saint-Mont, les Côtes du Brulhois, les Côtes du Marmandais, les Côtes de Canon-Fronsac, les Côtes de la Malepère, etc.

Naguère, on disait d'un vin de coupage que c'était une côte ou un coteau-de-bercy !

Quelques variantes. Les Costières de Nîmes qui ont remplacé les Costières du Gard… Château cos d'estournel (saint-estèphe, deuxième cru du Médoc) : *cos* est la prononciation médocaine de *caux*, mot gascon qui désigne une colline de cailloux… Le cot ou côt : cépage rouge du Val de Loire qui s'appelle malbec en Gironde, auxerrois dans le Quercy après avoir transité par l'Yonne… Balzac l'écrit *co*, tout simplement, et le met en italique : « Manger dans les vignes les gros *co* de Touraine paraissait chose si délicieuse… » (*Le Lys dans la vallée.*)

CONDRIEU

Courier (Paul-Louis)

Y a-t-il un autre écrivain au monde qui, sur la page de garde de ses livres, ait fait suivre son nom de la mention « vigneron » ? Parfois il précise : « vigneron de la Chavonnière ». Il signe l'un de ses pamphlets : « P.-L. Courier, vigneron, membre de la Légion d'honneur, ci-devant canonnier à cheval. » Car il fut officier des armées de Napoléon, quoiqu'il préférât de beaucoup se colleter avec la traduction des textes grecs les plus difficiles que charger les ennemis de l'Empereur.

Mais, plume à la main, il était brave. Rentré chez lui, en Touraine, il écrivit contre la monarchie restaurée, contre la Cour, contre l'esprit courtisan, contre les préfets, contre les fonctionnaires de justice, contre le clergé requinqué par le retour des Bourbons. Tous ses libelles sont des chefs-d'œuvre de férocité, de drôlerie et de style. Cela lui valut de séjourner en prison, puis, cent cinquante ans après, d'entrer dans la « Pléiade ».

Son domaine, situé près de Tours, sur la rive gauche du Cher, était composé de vignes, de terres et de forêts. Il confiait les gros travaux à des ouvriers, mais c'était un authentique homme de la campagne, un vrai *gentleman-farmer* (le mot date de son époque) qui savait manier les outils et s'y employait volontiers. Il n'exagère pas quand il écrit : « Paul-Louis Courier, vigneron de la Chavonnière, bûcheron de la forêt de Larçay, laboureur de la Filonnière, de la Houssière et autres lieux. » À ses yeux, cependant, rien n'égale le prestige du vigneron. Il ne lui déplairait pas, dit-il, qu'on l'appelât Paul-Louis Vigneron.

La Chavonnière, son vignoble, n'était pas immense : une dizaine d'arpents sur les hauts de la commune de Véretz, ce qui fait entre 3 et 5 hectares. Il accuse les négociants de Paris de faire de son vin rouge de Touraine du vin de Bourgogne. Il y a bien pis : toutes les taxes qu'il faut payer quand le vin arrive dans la capitale : « droit d'entrée, droit de remuage, droit de patente, droit de police, droit direct, droits indirects, droits réunis plusieurs ensemble, droit de mutation ». Il a calculé qu'un arpent laisse au vigneron cent cinquante francs par an et « treize cents francs aux fainéants de la Cour ».

Paul-Louis Courier a une connaissance technique approfondie des travaux de la vigne, en quoi il ressemble à Montesquieu. Par exemple, dans sa *Gazette du village* (1823), il raconte en détail quel terreau — le mot « compost » était encore rare — il a confectionné pour amender sa vigne et comment il l'a enfoui entre les rangs de ceps.

Il note : « Nous voilà saufs de Saint-Anicet, temps critique pour nos bourgeons. Si la vigne peut passer fleur et ne point couler, on ne saura où mettre le vin cette année. Jamais tant de lame ne s'est vue au cep, ni si bien préparée. » Le 17 avril, nuit et jour de la Saint-Anicet, devait être redouté par les vignerons tourangeaux. L'est-il toujours ? La *lame* désignait jadis en Touraine la grappe de raisin qui commence à se former, son ébauche. Le gel est impitoyable pour les lames.

Paul-Louis Courier n'avait pas le vin joyeux. L'ancien canonnier à cheval était taciturne, d'un abord plutôt raide, pas du tout porté au compromis ou à l'oubli, dur en affaires. Il sera assassiné par son garde-chasse. Son caractère lui aliéna la sympathie des vignerons tourangeaux, alors que ses écrits auraient dû le rendre populaire dans toute l'Indre-et-Loire. Ainsi, sa caustique *Pétition pour des villageois que l'on empêche de danser* (1822). Ces villageois sont ceux d'Azai — aujourd'hui Azay-sur-Cher —, distant d'une demi-lieue de Véretz. Alors qu'ici un vieux curé débonnaire, passé par la Révolution et l'Empire, ne trouve rien à redire aux fêtes dominicales de la jeunesse, là-bas un prêtre « à peine sorti du séminaire, conscrit de l'Église militante », a fait interdire par le préfet la danse sur la place du village. Déjà des jeunes gens ont été réprimandés pour avoir chanté et ri en buvant du vin de Touraine. Alors, Paul-Louis Courier ironise, se moque, proteste, attaque. La satire est impitoyable. Ce scrogneugneu, cet helléniste, ce vigneron était un libéral qui défendit avec panache et mordant le droit du peuple à aimer la vie.

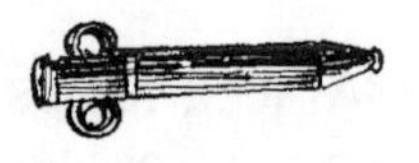

LOIRE (VAL DE), MONTESQUIEU

Dégustation

La dégustation, c'est comme le football : tout le monde peut y jouer. Les Français n'en ont pas le monopole, ni les professionnels du vin, ni les clubs d'amateurs réunis pour des grands-messes de dégustation verticale (millésimes d'un même vin) ou horizontale (vins de la même année), ou même vertico-horizontale. Du « Goûtez-moi cette petite côte, vous m'en direz des nouvelles », du patron de café, au recueillement qui précède le versement dans les verres de quelques privilégiés d'un vin rare d'une année légendaire, la dégustation se prête à des variantes infinies. Sauf qu'il s'agit chaque fois de goûter un vin pour le juger. De le questionner par les yeux, par le nez et par la bouche pour le considérer, l'évaluer, le jauger, le coter et, surtout, pour en parler.

« Sur la langue, le vin parle », écrivait le Bourguignon Pierre Poupon. Il lui arrive même, parfois, d'être très bavard. Il énumère ses arômes comme un général de Napoléon ses batailles. De ses bouquets, il fait de la poésie ; de ses velours, taffetas et satins, des robes ; de son âge, une geste ou une philosophie. Les vins français dans la bouche des Français sont incontestablement les plus causants du monde. Même après avoir été bus, ils continuent de jacasser. Ou de souffler au dégustateur une trouvaille comme celle-ci : « J'en connais de meilleurs qui ne valent pas celui-là !»

Dans les dégustations pléthoriques, il est conseillé de cracher. C'est dans cet exercice difficile qu'on distingue les professionnels, dont le jet est droit, long et vigoureux, des amateurs qui, la tête au-dessus du réceptacle, laissent tomber d'inesthétiques crachouillis vineux sur leur chemise et leurs souliers.

« Expectorer ou périr ! » lança Peter Mayle à son ami Michael Sadler après une soirée bien arrosée à Beaune, avant les deux dernières journées des Trois Glorieuses qui s'annonçaient encore plus intenses en travaux de dégustation que la première. Ils arpentèrent les rues de la ville à la recherche d'un crachoir bourguignon. Peut-être imaginaient-ils qu'il en existait différents modèles labellisés par la Confrérie des Chevaliers du Tastevin et qu'ils pourraient en acheter un chacun, qu'ils attacheraient à leur ceinture comme un porte-bébé ? Ils étaient même prêts à investir beaucoup d'argent dans un seau élégant, gravé aux armes de Beaune. Déçus mais courageux, ils constatèrent qu'en Bourgogne, comme dans les autres vignobles, tout est fait pour boire et non pour recracher.

Si, autrefois, le théâtre avait ses trois coups, la dégustation en a quatre : le coup de main, le coup d'œil, le coup de nez et le coup de langue. Le pied du verre étant tenu entre le pouce et l'index, c'est par une habile rotation du poignet, un mouvement circulaire de la main, que le vin est agité pour en stimuler les ardeurs et les arômes. Entre deux tsunamis — déshonoré est le maladroit dont l'agitation brouillonne provoque le passage de quelques gouttes par-dessus bord ! —, le verre est penché ou levé dans la lumière, pour que l'œil en distingue les couleurs, et porté au nez afin d'en respirer les parfums et le bouquet (« Odeurs, furets de la mémoire », Daniel Boulanger). Puis, après moult observations, réflexions et palabres, le vin est, enfin, introduit dans la bouche. Il devient autant l'otage du palais que son envahisseur. Le voici de nouveau remué, ballotté, aspiré, refoulé par les mouvements des joues et de la langue, le voilà noyant les dents, couvrant les papilles, dévoilant sa nature, livrant son intimité, avouant ses qualités et ses défauts, révélant son âme, avant sa descente *urbi* ou *orbi*.

Déguster, c'est deux fois jouir. Jouir d'avoir à sa disposition les moyens d'explorer un vin ; jouir des vertus de ce vin. Rarement solitaire chez les amateurs, la dégustation est un plaisir partagé. Toute la science, tous les travaux, tous les soins, toutes les fatigues, préparent et annoncent l'heure de la dégustation, sommet épiphanique de la rencontre de l'homme et du vin.

Allez donc savoir pourquoi il y a tout de suite moins de plaisir lorsque la dégustation s'appelle *examen organoleptique* !

~~Glouglou~~

On regrette que ce beau verbe, *déguster*, synonyme de savourer, veuille aussi dire : prendre des coups, encaisser des malheurs. « Qu'est-ce qu'il a dégusté ! » signifie : « Qu'est-ce qu'il a enduré ! » Les verbes *trinquer* et *vendanger* (*voir ces entrées*) sont aussi les victimes de navrants glissements de sens.

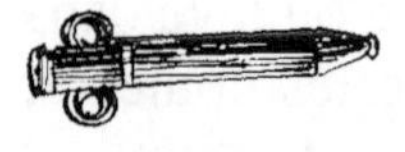

ARÔMES, DÉGUSTATION À L'AVEUGLE, SOMMELIERS

Dégustation à l'aveugle

Quand est retirée la « chaussette » sous laquelle la bouteille cache son identité, les dégustateurs poussent souvent des « oh ! » de stupéfaction et des « ah ! » de déception. Les petits cris de fierté sont toujours très minoritaires. On a coutume de dire que la dégustation à l'aveugle est une école de modestie. Pis que cela : une séance d'humiliation.

On rangera à part, bien sûr, des experts — tels les sommeliers qui concourent pour le championnat du monde de leur profession — dont la mémoire des innombrables vins qu'ils ont goûtés de multiples fois est sidérante. Comment font-ils, Seigneur, pour distinguer un merlot du Chili d'un merlot de Grèce, d'Afrique du Sud, des États-Unis ou d'Australie ? Pour un Alain Senderens, un Jean-Claude Vrinat, pour un Jean Troisgros qui, chaque année, gagnait le concours à l'aveugle des côtes-de-nuits chez Mme Bise-Leroy, copropriétaire du domaine de la Romanée-Conti, combien d'autres chefs, excellents dégustateurs dans la clarté, sont perdus au bal masqué des bouteilles ? On a même vu des propriétaires et des viticulteurs ne pas reconnaître leur vin !

Il y a des surdoués, des phénomènes, on en est bien d'accord, dont les nez sont des radars et les bouches des tableaux de bord d'Airbus. On en rencontre aussi chez les amateurs. Ils ont investi beaucoup de temps et d'argent dans la connaissance et la mémorisation des vins. Par exemple, le Comité de dégustation du Club des Cent est composé de quelques buveurs qui, s'ils n'étaient médecins, industriels ou banquiers, pourraient se reconvertir *illico* dans la sommellerie ou le négoce.

Mais la grande majorité des amoureux du vin, s'ils sont à peu près capables d'expliquer ce qu'ils ressentent, d'analyser ce qu'ils dégustent, ne sont pas des Pif de La Mirandole aptes à mettre sans se tromper des noms et des millésimes sur des vins-mystères. Il arrive qu'on ait un peu de chance, qu'on tombe sur une bouteille dont on avait récemment bu la pareille ou la cousine, ou sur un terroir qui produit des vins auxquels nos papilles se sont souvent frottées, que par comparaison entre plusieurs appellations on en distingue quelques-unes avec un peu plus de certitude. Le pire, c'est le vin unique, la bouteille solitaire que, sans préparation, sans crier gare, et donc sans comparaison possible, on vous somme d'identifier. Toujours refuser ce genre d'acrobatie, sauf si l'on a du génie dans le tarin.

Un soir, à « Apostrophes », j'ai commis une mauvaise action à l'égard d'Émile Peynaud, le grand œnologue bordelais qui venait de publier son livre majeur, *Le Goût du vin*. Pour mettre un peu de piquant dans l'émission, j'avais proposé à mes invités de deviner l'identité d'un vin caché. Loin de moi l'intention de nuire à Émile Peynaud, de le ridiculiser en choisissant une appellation rarissime, exotique ou loufoque. J'avais tiré de ma cave un haut-brion 70. J'imaginais qu'il n'aurait aucune difficulté à reconnaître l'illustrissime premier cru des graves. Mais c'était oublier l'émotion, proche de la panique, qui s'empare d'un homme qui prend conscience tout à coup qu'il ne doit pas, qu'il ne peut pas se tromper, au risque de perdre son crédit. La pression du direct, cette multitude de regards qui attendent la réponse du maître en espérant cruellement qu'il va s'égarer, la chaleur des projecteurs, l'inconfort du plateau… Émile Peynaud goûta le vin, le jugea mauvais, avec un goût de bois, le décréta petit… Étonnement de Christine de Rivoyre et de ses deux sœurs landaises, qui avancèrent timidement qu'il était délicieux et que c'était, à leur humble avis, un haut-brion.

Rentré dans le Bordelais, Émile Peynaud eut longtemps à souffrir de cette mésaventure — on racontait qu'il faisait des détours pour éviter le château Haut-Brion. Prise pour qu'il brillât à bon compte, mon initiative, par méconnaissance des risques liés au trac, avait tourné à sa confusion. La mienne, d'une autre nature, n'était pas moins grande.

La dégustation à l'aveugle est utile lorsqu'elle est collective et qu'elle a pour but soit de délivrer un label de commercialisation à des vins déclarés conformes à leur appellation ; soit d'accorder une estampille de qualité à des vins qui, dans les mêmes appellations, ont été jugés supérieurs à d'autres (ainsi, chaque année, le tastevinage des vins de Bourgogne, au printemps pour les rouges, à l'automne pour les blancs, par un jury de dégustateurs sélectionnés par la Confrérie des Chevaliers du Tastevin) ; soit d'attribuer des médailles, des coupes, des trophées, des diplômes à des vins en compétition (ainsi l'annuelle Foire des vins de Mâcon — 2 000 dégustateurs pour 10 000 échantillons ! — récompense-t-elle à foison des producteurs de tous les vignobles français).

Elle sert aussi, la dégustation à l'aveugle, à informer et à guider le consommateur dans ses achats à travers une sélection qui peut être généraliste et considérable (32 000 vins dégustés pour 10 000 retenus, annonçait *Le Guide Hachette des vins 2005*), tournante et pointue (ainsi les suppléments consacrés au vin par les hebdomadaires, à chaque rentrée de septembre, depuis que *Le Point* et Jacques Dupont en ont lancé la mode en 1999), très ciblée (par exemple, le « guide d'achat » publié dans chaque numéro de *Bourgogne Aujourd'hui*, les jurys réunissant des négociants, des œnologues, des vignerons, des sommeliers, des journalistes spécialisés, etc., et des amateurs).

Quand elles ont lieu par petites tables, les dégustations à l'aveugle sont très amusantes, surtout si, après chaque vin, on doit le commenter et le noter sur une austère feuille de rapport. Sur quatre, cinq ou six testeurs, comme chez les hippopotames ou les dindons, il y a toujours un dominant. Pas forcément un mâle. C'est un(e) professionnel(le) ou un buveur rougi sous le harnois dont les compagnons de table guettent les mimiques, surveillent les onomatopées, s'en remettent aux mots qu'il lâche d'autant plus volontiers qu'il en sait l'influence. S'il renifle, goûte et crache plusieurs fois, s'il hésite, la table hésite et repique du nez. C'est plutôt bon signe pour le vin. S'il se contente d'un seul et bref examen, suivi aussitôt d'un jugement écrit d'une traite, la table est décontenancée : elle parie pour une exécution. Mais comment la justifier ? Le vocabulaire œnologique est d'une telle richesse que seuls les locuteurs qui l'utilisent fréquemment sont capables, très vite, par oral ou par écrit, d'employer les mots ou expressions qui traduisent le mieux leurs impressions. Comme dans d'autres domaines de la culture, des sciences et des techniques, il y a les initiés, les prêtres, les gourous, et puis les braves catéchumènes qui s'essaient toute leur vie au jargon de la transcendance. Je suis de ceux-ci, même si pour quelques appellations que je pratique depuis le biberon je fais entendre ma différence. Mais toujours avec la prudence de celui qui n'oublie jamais que le vin apparemment le plus familier peut cacher un importun ou un traître ; ou qu'un vin qui paraît venir de très loin n'est peut-être qu'un voisin avec un faux nez. Sans oublier qu'on est plus ou moins en forme pour déguster, qu'on doit s'y préparer mentalement, physiquement, par des dégustations à blanc, « pour mettre l'appareil en marche », disait Jules Chauvet. Une dégustation impromptue est neuf fois sur dix un piège, car la crainte d'y tomber pervertit l'analyse et le jugement.

Il m'a toujours paru que la longueur en bouche — que les experts mesurent en caudalies — est un rien plus flatteuse après que le vin a été bu plutôt que recraché. Comme s'il désirait récompenser le dégustateur de l'avoir soustrait à l'indignité de l'expulsion. Quand c'est du bon, j'oublie, je l'avoue, la présence de l'infâme seau. Je ne sais plus qui a dit : « Quand c'est du bon, je crache en dedans. »

Glouglou

« On connaît l'histoire de deux tonneliers-gourmets appelés à donner leur avis sur un vin de propriétaire. Le premier dit, après avoir dégusté : "Ce vin est bon mais il sent le cuir."

Le second goûta à son tour et reprit : "Je ne partage pas l'avis de mon collègue. Ce vin est bon mais il sent le fer."

Grand étonnement du propriétaire qui jurait que son vin n'avait jamais été en contact ni avec du cuir ni avec du fer.

Pourtant, quand on eut vidé la futaille, on trouva, tout au fond, une petite clé à laquelle était noué un bout de cuir et qui était tombée par mégarde dans le fût. Et ainsi fut démontrée la science subtile de deux dégustateurs » (d'André Theuriet, cité par René Mazenot. *Le Tastevin à travers les âges*).

ARÔMES, DÉGUSTATION, SOMMELIERS

Les Dieux et le vin

Les dieux ont soif. Seigneur, qu'est-ce qu'ils ont pu picoler, tous les dieux mésopotamiens, égyptiens, grecs, romains ! Pas sûr qu'ils aient tout bu, tant le vin qui leur était offert a coulé à flots. Ils s'étaient longtemps contentés d'hydromel. Mais, dès que la culture de la vigne a été assez répandue et qu'ils ont jugé le vin digne de leurs célestes gosiers, ils ont fait savoir qu'il était le seul breuvage qu'ils accepteraient désormais avec bienveillance. Comment le vin n'aurait-il pas été à l'honneur sur la table des dieux alors qu'il l'était sur la table des hommes ?

La table des dieux est une métaphore. Il s'agit plutôt, du Proche-Orient antique au monde gréco-romano-celte, de creuser dans le sol des trous, des fosses, des rigoles, des puits étanches où le vin est versé au cours d'une cérémonie de libation (ce n'est pas dans ces circonstances qu'est née la notion de vins de terroir…). Les dieux, comme on sait, étant souvent tête en l'air, il était possible qu'ils vinssent déguster sans coupe, ni gobelet, ni tastevin. L'intendance liturgique avait prévu à leur usage exclusif de somptueux services à boire qui, beaucoup plus tard, quand ils ont été mis au jour, ont enivré de joie les archéo-œnologues.

À Rome, en dehors de Bacchus, le professionnel du vin, c'est vers le nez de Jupiter, le patron des dieux, que montaient le plus d'arômes et de bouquets. Je n'ai découvert nulle part si, à une hiérarchie de l'Olympe, correspondait une hiérarchie des crus offerts.

Rome fêtait chaque année les Bacchanales, les Saturnales, les Méditrinales en l'honneur de la déesse Méditrina (elle acceptait, jeunes ou vieux, tous les vins, les premiers pour prévenir les maladies, les seconds pour les chasser), les Rubigales (Rubigo et Rubiga étaient des dieux très en forme le 25 avril de chaque année, car ils empêchaient les vignes de geler). Enfin, après avoir consulté les dieux, c'étaient les prêtres qui fixaient la date du début des vendanges et la date où les Romains étaient autorisés à boire le vin nouveau (j'ai failli écrire : le beaujolais nouveau).

Les héros ont la pépie. Les dieux n'ont cependant pas le monopole des libations. Dans l'Antiquité, quand les hommes meurent, s'ils ont été puissants ou valeureux, ils doivent être soustraits au régime sec. Souverains, princes, ministres, généraux, administrateurs, etc., reçoivent, au cours de leurs obsèques, des pots de vin sacrés qu'ils emporteront dans l'au-delà. Les héros sont particulièrement abreuvés. Un système de canalisation permet de continuer, longtemps après leur disparition, de leur donner à boire du vin, et du bon ! Qui oserait refiler une piquette à un héros défunt et garder pour soi le nectar ?

Extraordinaire preuve du caractère sacré, liturgique et propitiatoire du vin, dès la plus haute Antiquité, dans tout le Bassin méditerranéen : les 700 jarres, représentant quelque 4 500 litres, retrouvées dans la sépulture du roi Scorpion, à Abydos, en Haute-Égypte (3150 avant J.-C.). Or, la vigne étant encore peu développée dans le delta du Nil, cette masse de vin avait été importée de Palestine (selon l'archéologue Guillaume Colet).

Le pharaon avait-il pressenti que le voyage vers Osiris serait long et qu'il aurait besoin de beaucoup de bon vin pour se donner des forces, du courage et, tant qu'à faire, du plaisir ?

La Terre promise. Quoique, de la Genèse aux Évangiles, le vin coule d'abondance dans la Bible — en particulier dans le Cantique des cantiques —, nous ne sommes pas de ceux qui aimeraient qu'une note en conseillât la lecture avec modération. Tantôt coupable de rendre les hommes ivres, tantôt promesse de sagesse, de richesse, de félicité, le vin est un composant intrinsèque de la condition humaine. Il égare les hommes ou il les maintient dans le droit sillon. Il les amollit ou il les fortifie. Il les perd ou il les sauve. Dieu a mis le vin à la disposition des hommes pour que, libres de leur choix, ils en usent pour le pire ou pour le meilleur.

S'est-on bien rendu compte de la nature métaphysique, de la primauté historiciste du vin dans la Genèse ? Après la dure épreuve du Déluge, Noé et sa famille, confinés sur l'Arche depuis un an, un mois et dix-sept jours, en ont assez d'attendre, de tourner en rond, de s'engueuler, de puer l'écurie, l'étable, la porcherie, le zoo. Ils ont besoin d'être réconfortés.

Stimulés aussi. Récompensés sûrement. Dieu leur envoie un arc-en-ciel. Très joli, charmant, poétique. Merci. Il peut faire mieux, quand même ! Quoique la terre ne soit pas encore très sèche, Dieu donne à Noé la vigne. Dieu n'a pas donné à Noé le houblon, l'orge, le seigle, le riz, l'agave, ou toute autre plante dont le six fois centenaire aurait pu tirer de l'alcool. La vigne fut son divin cadeau. Ainsi le Créateur manifestait-il la prééminence du vin sur tous les alcools à venir. Ainsi faisait-il entrer (441 fois évoqués !) la vigne et le vin dans la Bible et dans la partie sacrée de la mémoire des hommes.

C'est l'une des raisons pour lesquelles il n'est pas acceptable que le vin soit traité par les hygiénistes sans égard particulier, comme s'il n'était qu'un alcool parmi tant d'autres.

Découvrant le vin, il est normal que Noé en fût la première victime. Il y en aura d'autres. L'ivresse fait honte, alors qu'un amour juste et naturel du vin rend fort et joyeux. L'ivrognerie est réprouvée, surtout chez les rois. Les « rédacteurs » du Livre des Prophètes admettent que le vin puisse consoler « ceux qui sont dans l'amertume du cœur ». L'Ancien Testament est le premier traité moral sur le vin.

De sa lecture viticole, le plus spectaculaire est probablement ceci : la Terre promise est comparée à une vigne qui, un jour, donnera ses fruits et son vin au peuple de Dieu. Les Hébreux sont dans l'espérance d'une transplantation de ceps d'Égypte dans la terre d'Israël. C'est ce qu'a représenté Nicolas Poussin dans son tableau *L'Automne ou la Grappe de la Terre promise* (musée du Louvre). Deux hommes traversent une vallée, l'un derrière l'autre, les deux extrémités d'une perche reposant sur une de leurs épaules. Au centre de ce support, une gigantesque grappe de raisin rouge. Elle symbolise la promesse de la liberté, de la prospérité et de la paix.

« Car ceci est mon sang ». C'est dans les Évangiles que le vin est devenu la boisson mystique par excellence. Non que l'assimilation du sang et du jus de la vigne soit une nouveauté. La comparaison tombe sous le sens. Il n'avait pas échappé à Osiris qu'il y avait là matière à impressionner ses adorateurs.

Mais Jésus s'identifie carrément à la vigne. « Je suis le vrai cep et mon Père est le vigneron (...). Je suis le cep et vous êtes les sarments (...). Si quelqu'un ne demeure pas en moi, on le jette dehors, comme le sarment, et il sèche ; puis on ramasse ces sarments, on les jette au feu et ils brûlent » (saint Jean, chapitre XV). Sur vingt-quatre paraboles des Évangiles, quatre ont pour sujet la vigne et le vin, sans compter le fameux miracle des noces de Cana. Tout au long de sa vie publique, Jésus se réfère au vin et il en boit. Il n'est donc pas sacrilège que des châteaux bordelais portent le nom de l'évangile, de l'angélus, et qu'un vin de Campanie s'appelle lacryma-christi.

Il y avait bien de la vigne, en ce temps-là, en Palestine, mais elle n'était pas la culture dominante. La constance de Jésus à l'évoquer en est d'autant plus impressionnante. On perçoit bien ce qu'elle apporte à la symbolique chrétienne et comment l'herméneutique évangélique l'a interprétée : chaque homme est un cep dont les racines doivent, en dépit d'un sol rocailleux, hostile, s'enfoncer profondément, avec courage, avec persévérance, pour trouver l'eau et les substances qui nourrissent le corps. Sans cet effort, sans cette exigeante recherche, il n'y aura pas de raisins, ou bien peu, ou chétifs, et le vin ne réjouira pas le cœur de l'homme. Bienheureux les sols pauvres : ils donnent les grands vins !

Avant sa mise à mort, lors du dernier repas pris avec les apôtres, Jésus fait du pain et du vin l'aliment et la boisson les plus importants et les plus populaires du monde occidental. Deux millénaires après, ils le sont toujours. Il y a aussi l'eau. Elle baptise, elle lave, elle purifie, elle étanche la soif. Mais elle n'est pas dans la transcendance. Elle n'incarne pas le corps solide ou liquide du Christ. Elle ne participe pas du mystère et du sacrement. Ou, accessoirement, à travers quelques gouttes ajoutées au calice. Le pain et le vin sont, après Jésus, les deux invités les plus importants de la Cène. Très vite, tous trois ne font plus qu'un.

Selon Matthieu et Marc, le pain a été consacré avant le vin, selon Luc, le vin avant le pain. (Jean est muet là-dessus.) Luc avait-il pris l'habitude de commencer ses repas en buvant ? C'est Matthieu qui raconte le mieux : « Pendant le repas, Jésus prit le pain, et, après avoir prononcé la bénédiction, il le rompit, et le donna à ses disciples en disant : "Prenez, mangez, ceci est mon corps." Puis, il prit une coupe, et, ayant rendu grâces, il la leur donna en disant : "Buvez-en tous ; car ceci est mon sang, le sang de l'alliance, qui sera répandu pour beaucoup de gens, en vue du pardon des péchés. Je vous dis que désormais je ne boirai plus de ce fruit de la vigne, jusqu'au jour où j'en boirai du nouveau avec vous dans le royaume de mon Père » (Édition d'Olivier Clément, « Folio »).

La dernière phrase mériterait quelques explications des exégètes des Évangiles ou des cavistes du Vatican. Jésus annonce qu'il ne boira plus de vin jusqu'au jour où ses disciples et lui seront réunis au royaume céleste. Ils le sont depuis près de deux mille ans. Mais on ne les imagine pas festoyant, trinquant lors de leurs retrouvailles comme les anciens élèves d'un bahut. Ce n'est pas le genre. Faut-il alors comprendre qu'après le Jugement dernier Dieu offrira à Jésus et à tous les élus une tournée générale ?

Glouglou

Y a-t-il des vignes dans l'au-delà ? L'islam promet des vins dont les musulmans de devoir sont privés sur terre.

Mais le paradis chrétien ? Un vigneron de Vézelay, à moins qu'il ne soit de Saint-Nicolas-de-Bourgueil, taraudé par la question, s'en ouvre à son curé. « Je ne sais pas, lui répond-il, je vais me renseigner. »

Quelques jours après, il se rend dans la cave de son paroissien, se fait offrir un verre, et lui annonce qu'il a la réponse. Elle se présente sous la forme d'une bonne et d'une mauvaise nouvelles.

— La bonne nouvelle, dit le curé, c'est que les terres du Paradis sont couvertes de vignobles extraordinaires. Des Médocs à perte de vue, des Alsaces vastes comme dix Allemagnes, des Bourgognes sans frontières, des Touraines sur 5 000 kilomètres de Loire… Pas de gel, pas de grêle. Rien que des grands millésimes. Le Paradis, quoi !

— Et la mauvaise nouvelle ? demande, inquiet, le viticulteur.

— Vous taillez les vignes dès demain matin.

BACCHUS, EAU, MESSE (VIN DE), SAINT-VINCENT

Dom Pérignon

Le Dom Pérignon est particulièrement indiqué comme champagne de Noël et des fêtes carillonnées. Ainsi ajoute-t-on la douceur du péché à l'excellence du vin, la sanctification à la dégustation. On est absous de boire en même temps qu'on boit.

Pour avoir inventé la méthode champenoise et apporté sur notre terre de douleurs un plaisir exquis, dom Pérignon devrait être depuis longtemps canonisé. Alors que se succèdent les charrettes de procès en béatification, le sien n'est même pas envisagé. Rome distingue les chrétiens qui ont souffert ou qui ont soulagé des souffrances, et jamais les chrétiens qui ont rendu la vie plus agréable. Dom Pérignon a ajouté du bonheur et, rien que pour cela, il mériterait d'être, sinon un saint, du moins un bienheureux.

Si l'Église décidait d'honorer les ecclésiastiques qui ont fait du champagne un don de Dieu (et une tentation du diable), outre les bénédictins de l'abbaye d'Hautvillers de laquelle le cellérier dom Pérignon relevait et où dom Ruinart s'illustra également, il y aurait les moines de Saint-Basle et de Saint-Thierry. Et puis l'abbé Godinot, auteur de *Manière de cultiver la vigne et de faire le vin en Champagne*. Et dom Oudard, autre bénédictin dont la réputation de caviste était considérable à la fin du XVIIe siècle et au début du suivant. Et beaucoup d'autres moines-viticulteurs-maîtres de chais-négociants, tant l'histoire de la Champagne et du champagne est liée à celle de la chrétienté.

Il est contesté que dom Pérignon soit l'inventeur des bulles. Ses partisans se fondent sur un passage d'une lettre (1821) de dom Grossard, procureur de l'abbaye d'Hautvillers : « C'est dom Pérignon qui a trouvé le secret de faire du vin blanc mousseux, car, avant lui, on ne savait faire que du vin paillé ou gris. » Ses détracteurs avancent des documents selon lesquels du vin de Champagne pétillait avant la première vendange de dom Pérignon.

Mais la majorité des historiens s'accordent pour affirmer que c'est lui qui eut l'idée révolutionnaire de mélanger les crus, ouvrant au champagne une palette infinie de goûts subtils. S'il n'est probablement pas non plus l'introducteur du bouchon de liège, il inventa plusieurs procédés pour augmenter la qualité du vin mousseux, notamment dans les opérations de collage ainsi que de bouchage des bouteilles. Voilà qui suffit à lui mériter reconnaissance et vie éternelles.

Considéré parmi les grandes cuvées de champagne comme l'une des meilleures, doté d'une bouteille dont l'admirable esthétique l'a à la fois singularisé et popularisé, orné depuis des lustres d'une étiquette indémodable, le Dom Pérignon est présent aussi bien dans les romans policiers et d'espionnage que dans la littérature traditionnelle. Chaque fois, il est associé — mais n'en est-il pas de même pour tout champagne, fût-il médiocre ? — à la célébration d'un coup d'éclat, d'un succès, d'un bonheur inespéré.

Le Dom Pérignon est lié chez Jérôme Garcin à un très beau souvenir de jeunesse (*Théâtre intime*). En vacances à Rome, dans une abbaye bénédictine située sur l'Aventin, il était devenu assez familier des lieux et des moines pour être invité par ceux-ci à partager les bouteilles qu'ils sortaient de leurs placards. Son copain Vincent et lui avaient affublé leurs hôtes de surnoms : dom Brandy, dom Chianti, dom Martini. Il faisait chaud et on ne pouvait pas boire que de l'eau.

Seul le prieur ne touchait pas à l'alcool. Ils osèrent, le jour de leur départ, lui en demander la raison. Il leur répondit qu'il aimait plus le vin que les autres moines du couvent, mais qu'ayant goûté, il y a un demi-siècle, à « un nectar que rien n'égale », depuis les autres alcools le laissaient indifférent. Jérôme Garcin raconte : « Il avait treize ans, dans un petit village de Bourgogne, quand son grand-père à l'agonie, un éleveur de pur-sang terrassé par une maladie incurable, avait en même temps demandé l'extrême-onction et prié que l'on ouvrît pour l'occasion une bouteille de Dom Pérignon. Ce jour-là, le garçon hébété avait découvert à la fois la douleur de la séparation et le bonheur de la dégustation. Il en avait tiré une morale — la mort n'est pas triste — et un arôme confus mais persistant d'épices rares, de miel liquide, de noisette fraîche, d'agrumes confits et de tabac anglais. »

Ensuite, entré dans les ordres, il avait choisi les bénédictins par admiration pour dom Pérignon. Il gardait une bouteille du millésime 1964 qu'il contemplait souvent mais qu'il s'était juré de n'ouvrir qu'à sa dernière heure.

En 1987, alors que Zino Davidoff avait encore ses entrées à Cuba et en rapportait les meilleurs havanes, un accord avait été conclu entre le marchand de cigares de Genève et Moët et Chandon pour donner le nom de Dom Pérignon à un exceptionnel grand panatella. Le lancement eut lieu au cours d'un déjeuner à l'abbaye d'Hautvillers — facile d'imaginer ce que les invités ont bu et fumé —, Pierre Perret et moi étant les parrains du nouveau-né. J'y allai d'une « Ode à dom Pérignon » que voici :

Afin de publier au Vatican des bulles
Dom Pérignon voulut un jour devenir pape.
Grâce au diable ou à Dieu, sa vocation dérape...
Le moine à Épernay, à Reims, coince la bulle...

Il la coince si bien sous un bouchon ad hoc
Que, donnant un rival à Bourgogne et Médoc,
Il invente le vin pétillant qui fait boum !
Magnificat anima mea Dominum...

Reste ce mystère : pourquoi dom Pérignon
Ayant du champagne coiffé la sainte tiare
Accepte-t-il en plus d'administrer son nom
— Spiritus ubi vult spirat — à un cigare ?

Présent pour le dessert comme à l'apéritif
Élu de la table le souverain pontife,
Le moine proclame sa joie, sa renommée
Au-dessus des caves par un vol de fumée...

Afin que le moine d'Hautvillers me pardonne ce double attentat contre lui et la poésie — n'empêche, ce fut une journée aussi joyeuse que goûteuse —, je prie le Ciel d'intercéder auprès du Vatican afin que le saint homme qui se fit bouteille et cigare accède à la dignité des calendriers des Postes.

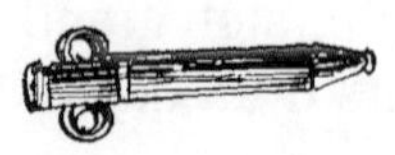

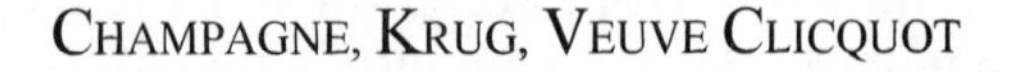
CHAMPAGNE, KRUG, VEUVE CLICQUOT

Don Juan

Dom Juan prie Sganarelle, affamé, de souper avec lui, quand on frappe à la porte. Entre la statue du Commandeur. Dom Juan est un homme courageux. Il ne se démonte pas. Il demande qu'on donne du vin à l'effrayant importun et se propose même de boire à sa santé.

Molière ne dit pas, hélas ! de quel vin il s'agit.

Mais, puisqu'il a placé sa pièce *Dom Juan ou le Festin de pierre* en Sicile — pourquoi la Sicile ? —, on peut imaginer que dom Juan s'est fait servir un marsala, un val di lupo blanc ou un faro rouge.

Lorenzo Da Ponte, librettiste du *Don Giovanni* de Mozart, au contraire de Molière donne le nom du vin que Leporello verse à son maître : un marzemino. Don Giovanni chante, alors que sa fin approche : « Vive les femmes ! Vive le bon vin ! Soutien et Gloire de l'humanité ! » Il est très gai. Il prend le temps de savourer ce qu'il boit puisqu'il s'exclame : « Excellent, ce marzemino ! »

Voici qui est étrange. Mozart et Da Ponte précisent que « l'action se déroule dans une ville d'Espagne » et il n'existe pas de vin espagnol du nom de marzemino. Da Ponte est italien et il a choisi pour don Giovanni un vin des vignobles de Bassano, de son temps très réputé, qui s'appelle réellement marzemino et qu'il connaît bien pour en avoir été le familier et le consommateur pendant sa jeunesse.

J'espérais trouver dans les *Mémoires* du plus célèbre librettiste d'opéras la justification de son choix. Mais, chaque fois qu'il fait couler du vin, il n'en précise pas la couleur, encore moins l'appellation. Même quand le vin est associé à la conquête d'une femme, il reste dans le vague. Lui et elle se boivent des yeux, c'est tout.

Joseph Delteil fait de son don Juan un saint (*Saint Don Juan*). Avant d'accéder à la félicité suprême, il est décrit comme « un mâle qui fait merveilleusement l'amour ». Il adore aussi le vin. Juste avant que la statue du Commandeur fasse son entrée, deux femmes, « de leurs doigts trempés dans le vin, peinturluraient la nappe, y inscrivant des sentences peu catholiques, des figures lascives, des obscénités ». Ce Commandeur-là accepte un verre et boit « à la santé du Ciel ». Et, comme la conversation et la soirée se prolongent, il demande qu'on remplisse de nouveau son verre. Il boit « gaillardement » et s'essuie la barbe avec sa manche.

Joseph Delteil donne-t-il le nom du vin que savourent avec autant de plaisir la statue du Commandeur et don Juan ? Oui, le vin d'Alicante, deux fois cité dans le texte. Ce n'est pas le meilleur d'Espagne, loin de là, alors qu'on est à Séville, que don Juan est un Sévillan de naissance, et que les grands xérès d'Andalousie sont à sa porte. Pourquoi n'avoir pas élu pour le plus grand séducteur un séduisant amontillado ? Il y a aussi, chéri des Andalous, le malaga. Pourquoi, diable, sinon le diable, justement, Joseph Delteil est-il allé s'approvisionner à Alicante ? Peut-être parce qu'à son oreille de conteur lyrique le nom d'Alicante, très beau en effet, sonnait mieux que celui de xérès ?

Mais que nous dit le créateur de don Juan, Tirso de Molina (encore qu'il n'existe à ce jour aucune preuve que c'est bien lui qui a écrit *Don Juan ou le Baiseur de Séville*) ? Il a situé l'essentiel de la pièce à Séville, mais pour ce qui est des vins il nous laisse sur notre soif. Gassenne, le crédule père de la jolie Aminte que don Juan va séduire la nuit de ses noces, promet pour le repas « des Guadalquivirs de vins choisis dans les meilleurs crus », mais sans autre précision. Gassenne est un paysan et les vins qu'il propose sont donc ceux de l'Andalousie.

Enfin, au repas du Commandeur, Catalinon, valet de don Juan, demande à leur sinistre hôte : « Quel vin buvez-vous donc chez vous ? » Le Commandeur lui répond : « Bois-le pour en savoir le goût. » Ce que fait aussitôt Catalinon qui s'écrie : « Ciel ! C'est du vinaigre assaisonné de fiel ! » À quoi le Commandeur répond : « C'est là le vin qui sort de nos régions. » Que faut-il comprendre ? Que ce prétendu vin est en effet une horrible mixture de l'enfer, assimilée par le Commandeur avec mépris et ironie aux crus du pays ? Ou qu'il s'agit de l'un d'eux, un xérès ou un malaga, mais que le valet de don Juan, terrifié et qui n'est plus lui-même, juge d'un goût abominable ?

On retiendra que, dans toutes les versions du drame, un vin est servi au repas final de don Juan. C'est le dernier verre d'un condamné à mort. L'ultime plaisir que le destin lui offre avant d'être broyé par la main de glace et de feu du Commandeur, représentant de Dieu.

Hamlet, quel vin ?

Dubœuf (Georges)

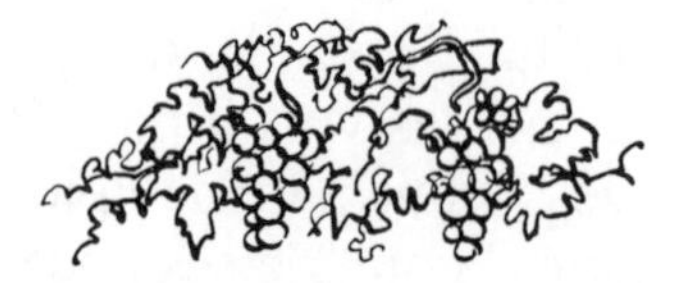

Son nez n'a apparemment rien d'exceptionnel. Il est grand, mais pas trop, en harmonie avec son visage fin, triangulaire. On cherche un détail, un truc, une bizarrerie, qu'on ne voit pas sur les autres pifs et qui serait la marque d'un nez rare, d'un surdoué de l'odorat, d'un élu de la narine. Mais non, rien, aucun signe ne distingue le nez fabuleux de Georges Dubœuf de nos pauvres nez, de nos nez faiblards, de nos nezophites, de nos nezcessiteux, de nos congestionnez.

Avec le nez de tout le monde, Georges Dubœuf n'aurait jamais connu une telle réussite. Son frère, Roger, a ainsi décrit l'appendice et son associée, la bouche : « Son nez abrite une formidable machinerie à dépiauter les arômes, prolongé d'un bec, ceinture noire, tapissé d'une batterie de papilles gustatives sidérantes de vélocité. »

Ainsi naturellement armé, le p'tit gars du Mâconnais, né dans le pouilly-fuissé, sauta sur sa bicyclette, des échantillons sur le porte-bagages, pour vendre le vin de son frère — son aîné de onze ans — et le sien, puisque c'était lui qui le mettait en bouteilles. D'abord embouteilleur, puis courtier, enfin négociant, conseillé et encouragé par Jules Chauvet, figure légendaire du Beaujolais, et par deux grands chefs, Paul Blanc et Paul Bocuse, Georges Dubœuf, établi à Romanèche-Thorins depuis 1962, est devenu en quelques années, et l'est resté, l'homme le plus important, le plus représentatif du Beaujolais. Le plus universellement connu aussi, car il n'est pas rare de trouver ses bouteilles dans les rayons des épiceries ou des supermarchés du Texas ou de Finlande, de Bangkok ou de Nairobi.

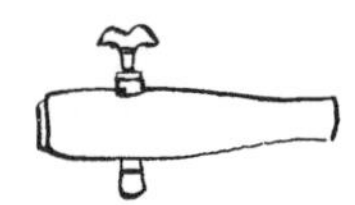

Il doit sa réussite à son nez et à sa bouche, déjà cités ; à la sympathie qu'il suscite d'emblée chez son interlocuteur et, quand celui-ci est un vigneron, à son art de lui parler, cordial, mais franc et juste, professionnel, sans esbroufe ni fausse fraternité du terroir ; à sa fidélité à honorer les viticulteurs, en même temps que leurs vins médaillés, par un festin servi au son des limonaires de Paul Bocuse ; à son goût hardi et sûr qui lui a permis de révolutionner les étiquettes (gaieté odorante de ses fleurs, violette pour le chiroubles, coquelicot pour le beaujolais-villages, chèvrefeuille pour le pouilly-fuissé, etc.) ; à ses dons, on s'en doute, d'acheteur et de vendeur ; à une stratégie précoce et novatrice de patron qui s'occupe lui-même de la publicité et des relations avec la presse , enfin, à la qualité de ses blancs mâconnais et de ses rouges beaujolais, des illustrissimes pouilly-fuissé et moulin-à-vent aux simples beaujolais, d'appétence inégale, bien sûr, selon les récoltes.

Ce sont là, dira-t-on avec raison, vertus d'un bon négociant, et l'on ne voit pas pourquoi il faudrait plus faire l'éloge de celui-ci que d'autres tout aussi méritants. C'est que Georges Dubœuf, qui n'a que son certificat d'études, s'est investi, lui et son argent, dans la pédagogie de la vigne et du vin. Le musée qu'il a installé, en 1993, dans la gare de Romanèche-Thorins — on prend son billet pour un voyage dans l'histoire et l'univers du vin — est une réussite. D'abord, parce que tout y est beau, présenté avec un instinct très sûr de l'esthétique des formes et de la lumière. Ensuite, parce que de la géologie à l'ampélographie, du grand pressoir du XVIIIe aux sulfateuses à dos, des automates qui miment les travaux des quatre saisons à l'une des plus complètes collections d'affiches sur le monde de la viticulture, « Le Hameau du vin » est une initiation sans équivalent, d'une haute tenue, à l'art de faire et d'aimer les vins.

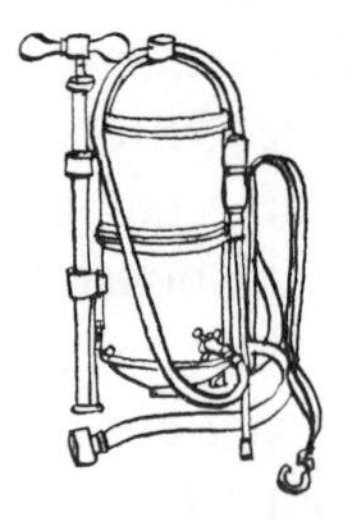

Georges Dubœuf est un homme intègre, plus discret sur ce qu'il pense que sur ce qu'il boit ou se contente de goûter. Il est aussi secret qu'une bouteille de la réserve. C'est pourquoi j'explique la création de son musée, dont l'ambition et le cahier des charges sont ceux d'un musée public, par le désir, certes, d'attirer des visiteurs-acheteurs à Romanèche, mais aussi par un souci d'équilibre, presque d'hygiène mentale : installer du solide, du durable, dans son monde de bouteilles en transit, d'appellations et de crus consommés dare-dare, et de millésimes pochettes-surprises.

Mon frère étant hors concours, Georges Dubœuf est l'un des deux hommes du vin que j'admire le plus. L'autre est le viticulteur bourguignon Henri Jayer. C'est justement Dubœuf qui me l'a fait connaître.

JAYER (HENRI)

Dulac (Julien)

Je l'appelais, nous l'appelions « tonton Julien ». Il était de notre famille, nous étions de la sienne. Mon grand-père maternel l'avait engagé pour s'occuper de ses 5 hectares de beaujolais-villages, pendant que lui faisait à la fois de la banque et du social (Claude Dumas a été l'un des fondateurs du Crédit agricole du Rhône, de réputation laïc et à gauche, alors que le Crédit agricole du Sud-Est était classé catho et à droite). Julien Dulac, lui, n'avait qu'une religion, un seul parti, un unique engagement : le vin, et du bon, sacrebleu !

Né à Beaujeu en 1893, il avait survécu à la Première Guerre mondiale, mais il n'en parlait jamais. Peut-être était-ce en souvenir de ces années où l'on se battait ensemble et mourait seul, qu'il ironisait en patois sur les petits bobos des citadins à la campagne : coupures, brûlures, pinçures, gelures, foulures… À ceux qui s'entaillaient la main au greffoir pendant les séances collectives de greffage, il recommandait de quitter la table sans dire un mot pour ne pas que, de surprise, les autres se blessent par un faux mouvement de l'outil tranchant.

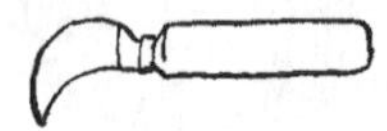

Les yeux clairs, la moustache rousse, décolorée par la fumée des cigarettes qu'il roulait lui-même et qu'il allumait avec un briquet lance-flammes, les cheveux rouquins sous une casquette qu'il soulevait souvent pour se gratter la tête, surtout s'il était perplexe ou ennuyé, les reins tenus par une ceinture de flanelle, Julien Dulac était un vigneron réfléchi, méthodique, lent, secret, méticuleux. Excellent vinificateur — même si, les dernières années, il faisait des vins un peu trop durs (son palais s'était-il cuirassé avec l'âge ?) —, il aimait servir, pendant les parties de belote des soirées d'hiver, un blanc et doucereux « vin de grisemotte », fait avec les raisins oubliés pendant la première vendange ou laissés sur le cep pour qu'ils achèvent de mûrir.

Comme la plupart des vignerons de l'époque, il obtenait quelques maigres revenus supplémentaires du lait de deux vaches — que j'emmenai souvent paître dans les prés au bord de la rivière des Sansons —, de la compagnie de poules et de lapins, de la récolte d'arbres fruitiers et d'un jardin dont il rapportait des brouettes débordantes de salades, de poireaux et de cardons. Ce sont ces trésors de la polyculture — l'homme ne vit pas seulement de vin — qui nourrirent, entre autres, ma mère et ses deux enfants pendant la Deuxième Guerre mondiale.

Somme toute, Julien Dulac était un paysan à l'ancienne, sauf que, acquis à l'idée de progrès, il fut l'un des premiers viticulteurs à abandonner la sulfateuse à dos pour la première enjambeuse tirée par un cheval, la force de celui-ci actionnant une rampe qui arrosait les rangées de ceps d'une bouillie cousine de la bordelaise.

Comme toutes les femmes du vignoble, son épouse, Marguerite Dulac (« tatan Marguerite » pour mon frère, ma sœur et moi ; nous étions souvent fourrés chez elle, attablés devant des gaufres, des matefaims, des patates au lait qui avaient attaché dans un grand faitout et que nous dévorions avec du fromage blanc), participait aux travaux de la vigne. Son pouvoir culminait à la période des vendanges. Elle régnait alors sur les fourneaux, les tables à rallonge, les paniers du casse-croûte et les granges transformées en dortoirs.

Pendant la guerre, là où les hommes manquaient, les Dulac donnaient des coups de main. Ils s'arrangeaient toujours pour trouver du temps pour les autres au moment de la taille, du labourage, du sulfatage, des vendanges. Dans notre village, ils n'ont pas été les seuls à participer à ce qu'on peut appeler « l'entraide du sol ». Ils en furent, avec discrétion, parmi les bras les plus actifs.

Il aurait été injuste que Julien Dulac fût absent d'un livre sur l'amour du vin alors que c'est dans ses vignes (même si elles appartenaient à ma mère, c'était pour moi les siennes, l'implacable logique du capitalisme ne m'étant pas encore apparue), souvent à ses côtés ou en compagnie de son ouvrier, Fernand Lavenir — qui n'en eut, hélas ! pas beaucoup —, que je devins l'ami des ceps et l'adorateur du raisin. C'est encore dans son cuvage et dans sa cave que je pris goût au vin et que le vin prit du goût pour moi. Son tastevin et sa pipette, quand ce n'était pas un tuyau de caoutchouc au bout duquel il aspirait pour faire monter du tonneau le précieux liquide, furent les instruments d'une initiation dont je fus pendant longtemps le spectateur ébaubi avant d'en devenir l'attentif adepte, amusé de faire bouger et claquer ma langue comme les grands (les adolescents élevés dans le vignoble sont plus habiles aux premiers baisers sur la bouche que les ados des blés, des pâturages et des villes).

Avec une manière de distanciation persifleuse que quelques mots de patois rendaient comique, Julien Dulac fut à son corps défendant un pédagogue efficace. Sur mon frère son influence fut si grande qu'il lui donna l'envie de lui succéder.

Une fois, une seule fois, je l'ai vu pleurer. J'en fus bouleversé parce que, pour moi, enfant, il était inimaginable que cet homme noueux, impavide comme un vieux cep né d'un sol caillouteux, pût avoir une faiblesse. Nous étions sous un auvent qui séparait la chambre du commis de l'entrée de la cave. Le ciel noir faisait un boucan du diable. Soudain, des milliers et des milliers de grêlons rebondirent sur le sol. Pendant les minutes qui suivirent, combien de ces perfides petits cailloux blancs tombèrent sur le vignoble alentour ? À quelques semaines des vendanges, la récolte était hachée menu. Tonton Julien s'essuya les yeux avec son grand mouchoir à carreaux, puis il me fit promettre de ne dire à personne que je l'avais vu pleurer.

Quand je créai au *Figaro* la rubrique de la critique des restaurants, je choisis pour pseudonyme le nom de Dulac.

Glouglou

À travers Julien Dulac — mais aussi Henri Jayer et Jean-Charles Pivot — j'adresse un salut reconnaissant à tous les vignerons, célèbres ou inconnus, de château renommé ou de cave coopérative, de magnums ou de bibs (*bag-in-box*), de carte trois étoiles ou de tableau noir de troquet. Quelle que soit la qualité de leur vin, j'admire leur fierté à s'en dire l'auteur. On a vu des écrivains renier leurs œuvres ; jamais des vignerons renier leurs vins.

JAYER (HENRI), PIVOT (JEAN-CHARLES), QUINCIÉ-EN-BEAUJOLAIS

Eau

En 1981, je fus invité par Maurice Denuzière à Meursault où il allait recevoir le prix de la Paulée. Je descendis en voiture avec son éditeur, Jean-Claude Lattès, valeureux propriétaire de 20 hectares de côtes du Luberon, aujourd'hui un ami de plus de quarante ans.

À l'entrée de Meursault, un gendarme me fit signe d'arrêter ma SM. Inquiet — quelle faute de conduite avais-je donc commise ? —, je la rangeai le long du trottoir et baissai la vitre.

— Bonjour, monsieur, me dit le pandore, l'air sévère. Vous ne pouvez pas aller plus loin comme ça…

— Comment, comme ça ?

— Vous avez vu ce qu'il y a sur la plage arrière de votre voiture ?

Je me retournai.

— Une bouteille d'eau minérale !

— L'eau est interdite à Meursault pendant la

Paulée, déclara le gendarme, mi-sérieux mi-amusé. Attendez-moi quelques instants…

Il revint avec une bouteille de vin. Il la mit à la place de la bouteille d'eau qu'il confisqua…

Par les temps qui courent, on n'imagine plus un gendarme oser une telle plaisanterie, un tel geste, même en Bourgogne. La vue d'une bouteille d'eau dans une voiture peut, au contraire, valoir au conducteur les félicitations de la gendarmerie et une décoration sur-le-champ dans l'Ordre national du Mérite.

Pendant des siècles, il était convenu que tout buveur d'eau n'aimait pas le vin et que tout buveur de vin détestait l'eau. Ce sectarisme idiot, cet intégrisme essentiellement bachique, a produit une consternante littérature dans laquelle l'eau est moquée et méprisée. Les plaisanteries sur l'eau qui noie, qui rouille, qui amollit, sont aussi nombreuses que les vers de cabaret sur l'homme sauvé de l'eau par le di-vin.

Pour mémoire, quand même, cette *Imprecation d'un buveur* :

Maudit porteur d'eau, viens-tu livrer la guerre
Au Dieu charmant qui remplit mon tonneau ?
Retire-toi, maraud ! n'approche pas... tout beau...
À l'aspect d'un seau, je fuirais au bout de la terre.
Si tu veux que de toi je devienne content,
N'apporte de l'eau seulement
Qu'autant qu'il en faut pour rincer mon verre.

(Le Vieux Bacchus)

Au moins deux raisons à cette « aquaphobie » ou « hydrophobie » (Diderot emploie le mot « hydrophobe » dans *Jacques le Fataliste*) : pendant longtemps, l'eau, même celle puisée à la source ou au puits, n'avait pas bonne réputation auprès des médecins. J'entends encore ma mère me gronder parce que je buvais de l'eau entre les repas. Sa filiation beaujolaise n'en faisait pas une ennemie héréditaire de l'eau ; elle était simplement convaincue que celle-ci était plus nuisible que bénéfique à la santé de ses enfants. (Après avoir passé au fil de son épée un quarteron d'Anglais, le Grand Ferré mourut pour avoir bu, encore en sueur, de l'eau trop fraîche. Cet Obélix médiéval était quelquefois appelé à la rescousse par ma mère pour me mettre en garde contre les bagarres, la transpiration ou l'eau.)

L'autre raison pour laquelle les buveurs de vin haïssaient le « château-la-pompe » ou le « jus de parapluie », c'était qu'alors il n'était pas rare qu'il fût versé dans des verres contenant de vrais châteaux. Couper le vin quand il était excellent relevait en effet, sinon de la criminalité, au moins de la délinquance. Mais quand c'était de la piquette, quel mal y avait-il à ajouter de l'eau pour édulcorer la potion ?

Aujourd'hui, minérale, plate ou gazeuse, en bouteille, l'eau jouit d'une réputation que la plupart des produits que l'on mange ou que l'on boit pourraient lui envier. De suspecte et facultative elle est devenue vertueuse et obligatoire. Les « hydrophiles » triomphent partout, y compris dans les restaurants, surtout à midi, où les eaux minérales détrônent le vin. Le dimanche de Vinexpo 2003, par une chaleur accablante, sur les dizaines de tables où déjeunaient les officiels, les exposants, les acheteurs, les visiteurs, etc., j'ai compté en tout et pour tout deux bouteilles de vin dans des seaux à glace. Partout triomphait la Badoit !

Il est maintenant admis que les verres à eau n'existent pas que pour ajouter de l'éclat à la table. À condition de ne pas les boire dans le même verre, eau et vin peuvent cohabiter au cours du même repas. Les professionnels du vin et ses plus fins dégustateurs peuvent être aussi de diététiques buveurs d'eau. Comme les chiens et les chats qui, autrefois, ne se pifaient pas et qui sont de plus en plus nombreux à vivre ensemble ou à se supporter, l'eau et le vin se sont réconciliés dans l'estime et l'estomac du consommateur.

Cette ascension sociale de l'eau, souvent au détriment du vin, est assez paradoxale puisque celui-ci n'a jamais été aussi bon et celle-là, à l'état naturel, aussi détestable. Jean-Claude Carrière : « Au contraire de l'eau, qui a perdu pureté et fraîcheur, le vin a pris du caractère, du goût, de la diversité, de la gloire » (*Le Vin bourru).* Mais vinrent les eaux minérales, le diététiquement correct, la tyrannie du ventre plat, la peur de la balance et du gendarme, et, avec ou sans bulles, l'eau étendit son empire. Comme il y a des drogués du vin, de la bière, du Coca-Cola, il existe aujourd'hui, accros aux « stupévians », des drogués de l'eau. Était-ce en pensant à eux, avec un siècle d'avance, qu'Alphonse Allais a dit : « Si j'étais riche, je pisserais tout le temps » ?

Les géographes et les économistes pensent que, dans quelques années, l'eau va manquer sur la terre. Elle deviendra un produit de plus en plus rare et coûteux. Faudra-t-il dessaler les mers ? En attendant ces temps qui nous paraissent quand même assez lointains, il y a surproduction de vin dans le monde. On en met de plus en plus sur le marché et on en boit de moins en moins. L'eau est une valeur en hausse tandis que le vin est une valeur en baisse. L'eau tient sa revanche sur le vin. Dans les noces de Cana version 2086, Jésus changera le vin en eau.

Glouglou

Longtemps, les fruits au vin, autant les poires que les fraises et les pêches, furent déconseillés par la Faculté. La Princesse Palatine note : « M. Fagon, le médecin du Roi, trouve qu'avec les fruits il vaut mieux boire de l'eau que du vin, car l'eau ne fait pas fermenter le fruit dans l'estomac. » Mais, quelques mois après, foin de diététique, elle compose ainsi son souper : « … les cuisses d'une jeune caille, le quart d'une laitue et cinq petites pêches avec du vin de Bacharah et du sucre. »

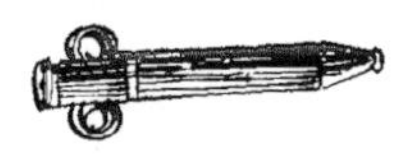

HADDOCK (CAPITAINE), MEURSAULT (PAULÉE DE), ROBESPIERRE

Éloges du vin

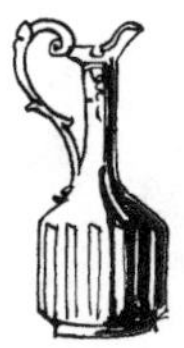

De Jim Harrison

« L'acte physique élémentaire consistant à ouvrir une bouteille de vin a apporté davantage de bonheur à l'humanité que tous les gouvernements de l'histoire de la planète. »

(Aventures d'un gourmand vagabond)

De Paul Cézanne

« Un certain ennui m'accompagne partout et par moments seulement j'oublie mon chagrin : c'est lorsque j'ai bu un coup. Aussi, j'aimais le vin, je l'aime plus encore. »

(Dans une lettre à Émile Zola)

De Charles Baudelaire

« Le vin est semblable à l'homme : on ne saura jamais jusqu'à quel point on peut l'estimer et le mépriser, l'aimer et le haïr, ni de combien d'actions sublimes ou de forfaits monstrueux il est capable. Ne soyons donc pas plus cruels envers lui qu'envers nous-mêmes et traitons-le comme notre égal. »

(Les Paradis artificiels)

De Rabelais

« Nous maintenons ici que non pas rire, mais boire est le propre de l'homme, je ne dis pas boire simplement et absolument, car aussi bien les bêtes boivent, je dis boire du vin bon et frais. »

(Pantagruel)

De Pierre Veilletet

« Tant qu'il est possible d'entrer dans un café inconnu, d'y boire un verre de vin de provenance mystérieuse qui, au lieu de laisser un remords sur l'estomac, vous remet le jugement d'aplomb, il ne faut pas désespérer de l'homme. »

(Le Vin, leçon de choses)

De Louis Orizet

« Tout ce que l'homme a de bon, il le transmet au vin : courage, gaieté, foi, persévérance, amour, optimisme.

Tout ce que la nature a de beau, elle le communique au vin : chaleur, force, lumière, couleur, mystère. »

(À travers le cristal)

De Robert Giraud

« Comment s'appelle ton vin ?

— Y s'appelle pas, y s'siffle. »

(Les Lumières du zinc)

De Bossuet

« Le vin a le pouvoir d'emplir l'âme de toute la vérité, de tout savoir et philosophie. »

(Citation placée en épigraphe de la carte des vins du « Restaurant des députés » de la Communauté européenne à Bruxelles)

De Robert Sabatier

« Il faut s'efforcer d'être jeune comme un beaujolais et de vieillir comme un bourgogne. »

(Le Livre de la déraison souriante)

De Varron, *alias* Marcus Terentius Varro, encyclopédiste romain, fondateur à Rome des bibliothèques publiques

« Rien de plus agréable à boire que le vin : il a été créé pour guérir le chagrin, il est la source délicieuse de la bonne humeur, il assure la cohésion des banquets. »

(Satires Ménippées)

De Marcel Jullian

« L'amitié, le froid, la nuit, la fatigue, le café arrosé, le sandwich-cornichon et le beaujolpif forment sans nul doute une manière de civilisation. »

(Délit de vagabondage)

De Paul Claudel

« Le vin est un professeur de goût, et en nous formant à la pratique de l'attention intérieure, il est le libérateur de l'esprit et l'illumination de l'intelligence. »

D'Alain Schifres

« Nous avons la chance de vivre à une époque où, selon les meilleures études, le vin prévient toutes sortes de maladies. J'en bois un verre pour le cœur. Un deuxième contre le cancer. Le troisième à ma santé préservée. Les autres pour en jouir. »

(Dictionnaire amoureux des menus plaisirs)

De Gérard Depardieu

« Il n'y a plus que le vin pour me faire bander ! »

(L'Express, 26 janvier 2004)

De Roland Barthes

« Le vin est senti par la nation française comme un bien qui lui est propre, au même titre que ses trois cent soixante espèces de fromage et sa culture. C'est une boisson-totem, correspondant au lait de la vache hollandaise ou au thé absorbé cérémonieusement par la famille royale anglaise. »

(Cité par la revue 3 étoiles, *janvier 2005)*

De Bernard Frank

« Malraux pensait qu'un jeune homme accompli devait pouvoir lire Platon dans le texte et sauter en parachute. Je me permettrai d'ajouter : savoir distinguer un château lafite d'un chambertin clos-de-bèze. »

(Vingt ans avant)

« L'amour me tint longtemps enchaîné dans ses rets ;
Mon maître maintenant c'est la Dive Bouteille ;
Et c'est le verre en main, sous cette verte treille,
Que j'attendrai du sort les suprêmes arrêts. »

*(Composé par un descendant du maréchal Bessières qui, après trente ans passés dans un bureau, s'était retiré dans une maison près d'Agen ; ce quatrain était gravé sur le fronton de sa porte (*Le Scapin, *novembre 1886).)*

Étiquette

Il existe une étiquette, un cérémonial pour présenter et servir les vins au cours d'un repas princier, aristocratique ou chichiteux. Les échansons — très joli mot — avaient rang d'officier de maison. Ils avaient appris l'art et la manière de verser dans les verres des convives le nectar de leurs maîtres. Ils ne le faisaient pas à table, mais sur le dressoir, sur la desserte de la salle du festin, au début et à la fin du repas le plus souvent.

Les sommeliers sont des échansons républicains. Moins responsables de l'étiquette que soucieux des étiquettes, les vraies, les indispensables, collées sur les bouteilles, plus, pour certaines, des collerettes et des contre-étiquettes remplies soit de renseignements sur le vin et sur le domaine, soit d'un bla-bla où le négociant, trop souvent, chante les louanges de sa piquette. Des papiers d'identité, en somme. Des cartes de visite réglementées. Où il est obligatoire de fournir des informations sur le vin, son appellation, son taux d'alcool, le nom et l'adresse du producteur, etc. Sur une bouteille pleine, une étiquette est prometteuse comme un visa ; sur une bouteille vide, pathétique comme une inscription commémorative.

L'étiquette témoigne du goût artistique du propriétaire ou du négociant. C'est sur elle que l'homme et son vin, fixés au verre, sont le plus étroitement unis, solidaires depuis l'achat de la bouteille jusqu'à l'ingestion de la dernière goutte. J'ai appris à aimer les bordeaux à travers leurs étiquettes. En ce temps-là, les bourgognes et les beaujolais s'affichaient très souvent en lettres gothiques. C'était lourd et prétentieux.

Par comparaison, les bordelaises étaient toutes d'élégance. Non seulement par sa forme allongée la bouteille de bordeaux met mieux en valeur l'étiquette que sa cousine bourguignonne, plus trapue, mais la plupart des châtelains de la Gironde ont de toute éternité accordé à l'esthétique de leurs étiquettes, donc à la séduction de l'acheteur, un soin qu'on rencontrait moins fréquemment chez les propriétaires de la Côte-d'Or. À Bordeaux, l'obligation de plaire aux Anglais devait aussi se lire sur les bouteilles. Du Bordelais Pierre Veilletet : « L'étiquette, pour un vin, c'est l'obligation de passer l'écrit avant d'être reçu à l'oral. »

Un vin peut-il cacher sa médiocrité derrière une splendide étiquette ? Oui, comme nous savons dissimuler la noirceur de notre âme derrière des vêtements chic. Ces impostures, il me semble, sont plus rares chez les bouteilles que chez les hommes. Il y a souvent adéquation entre le style du vin et le style de son étiquette. La franche vulgarité des étiquettes des vins dits « de table » est aussi manifeste que la distinction des étiquettes des grands crus. Le graphiste et le maquettiste — mots qui n'existaient pas aux époques lointaines où ont été conçues les étiquettes des grandes marques de champagne, des crus prestigieux de bordeaux et de bourgogne — semblent avoir été inspirés, en bien ou en mal, par ce qu'ils ont bu.

L'élégante simplicité graphique de l'étiquette de château d'yquem est insurpassable (d'autant que les Lur Saluces ont obtenu, en 1975, le privilège d'évacuer sur une bande placée sous l'étiquette les mentions légales obligatoires). Depuis 1945, mouton rothschild fait appel, pour chaque millésime, à un artiste renommé. Ainsi naquirent des chefs-d'œuvre.

L'étiquette la plus recherchée des collectionneurs, celle de 1924, signée Carlu, est astucieuse mais trop chargée. Par la sobriété de leur dessin et de leur graphisme, ses devancières étaient admirables.

Mon ami Maurice Chapelan affirmait que les grands écrivains et les grands artistes « vont de la distorsion à la rectitude et de l'ornement à la nudité ». Les étiquettes des vins de Bordeaux n'ont pas toutes suivi ce chemin-là, si j'en juge par les anciennes et magnifiques étiquettes des châteaux léoville, pichon-longueville, lafite, brane-cantenac, palmer, léoville-poyferré, de la collection de Philippe Parès, étiquettes de négociants, il est vrai, qui précédèrent de beaucoup la contraignante législation sur les mentions à y faire figurer.

Les actuelles étiquettes des châteaux haut-brion, ausone, lafite-rothschild, margaux ne sont pas mal, sans plus. Celle de pétrus, plutôt tarte (ce que je viens d'écrire va paraître aussi énorme et impardonnable que si je prétendais que Racine a raté *Britannicus*). Mais toutes sont des monuments historiques. Comme les façades classées, on ne doit pas y toucher.

Même si les autres vignobles français ont considérablement amélioré, depuis trente ans, l'esthétique de leurs étiquettes, quand ils n'ont pas, comme les Italiens, les plus inventifs, innové en bousculant les traditions, Bordelais et Champenois restent les meilleurs dans ce domaine.

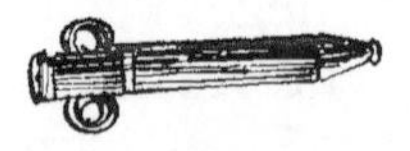

ROTHSCHILD (PHILIPPE DE)

Feuille

Qu'elle soit de vigne ou de papier, la feuille est une promesse. Pour l'une la promesse du raisin et du vin, pour l'autre la promesse des mots et du texte. Toutes les deux requièrent de l'homme beaucoup de travail. Toutes les deux annoncent des plaisirs : boire et lire. De la feuille de vigne naissent les caves et les œnothèques ; de la feuille de papier, les librairies et les bibliothèques. Elles sont réunies dans les livres de cave. Ou dans les ouvrages sur la vigne et sur le vin. Pour ce livre-ci, combien aurai-je noirci de feuilles ? Une amie qui dirigeait une imprimerie à Belleville-sur-Saône, et dont la maison de Juliénas est cernée par les vignes, m'avait demandé un nom pour une jeune chienne labrador. Je n'ai pas hésité : Feuille.

Il existe un format de papier (50 × 64 cm) appelé « raisin » parce que les papetiers qui le créèrent avaient reproduit une grappe dans son filigrane. N'est-ce pas sur celui-ci que je devrais écrire afin de travailler réellement sur le motif ?

On ne fait pas toujours bon usage des feuilles de papier. Feuilles de chou, feuilles de propagande, feuilles de haine, torche-culs... En Italie, après le concile de Trente, les feuilles de vigne furent chargées d'une vilaine besogne : recouvrir sur les tableaux et sur les statues le sexe des femmes et des hommes. Combien d'Adam et d'Ève, alors, avec une feuille de delizia di vaprio, de lambrusco grasparossa ou de chingo bianco collée par un coup de vent miraculeux sur leurs zizis premiers ? On avait surnommé ces peintres retoucheurs des « braguetteurs ». La feuille de vigne est restée longtemps le symbole de la pudibonderie, de l'hypocrisie, de la censure, alors qu'elle protège le raisin et prélude aux vendanges et aux joies, quelquefois paillardes, qui en découlent.

Un tableau de Francis Picabia, accroché à la Tate Gallery de Londres, a pour titre *La Feuille de vigne*. Comme une ombre chinoise, un homme nu, uniformément en noir, a le pied droit appuyé sur une sorte de mappemonde, elle aussi opaque. L'entrejambe est caché par une feuille de vigne gigantesque. Le braguetteur dadaïste Picabia ironise et s'amuse.

Gaillac et Cahors

Le vignoble de Gaillac se flatte d'être l'un des plus anciens vignobles de France. Cela est attesté par les archéo-œnologues. Et peut-être est-ce là, à proximité de la forêt de Grésigne, pourvoyeuse de duelles de tonneaux, qu'on a pour la première fois compris le bénéfice que tirait le vin d'une cohabitation raisonnée avec le bois. Et c'est encore à Gaillac qu'a été lancée l'idée très romanesque que le vin se bonifie en vieillissant.

Les vins de Gaillac et de Cahors étaient si prisés, leur concurrence si redoutée, que les Bordelais, à force de privilèges accordés par les rois d'Angleterre puis de France, ne leur autorisaient l'accès à la mer que pendant un temps très court et sous certaines conditions. Les vignerons et les marchands protestaient, tempêtaient, publiaient des remontrances, des libelles, des suppliques, déclaraient que les vignerons et les marchands de Bordeaux voulaient leur mort.

Cela dura cinq siècles ! Enfin, en 1776, Turgot abolit les privilèges.

Mais, en 1803, les Bordelais demandèrent la restitution de ce qu'ils considéraient comme leur droit. Fureur justifiée du parlement de Cahors. La requête fut repoussée. « L'argument employé par les vignerons de Bordeaux, écrit Raymond Dumay, mérite d'être rappelé : ils réclamaient pour leurs vins des protections particulières parce que celui de Cahors était trop favorisé… par le beau temps ! Il y avait trop de brouillard sur la Garonne. Cet humour, que nous louons chez les Anglais, les Bordelais ne l'ont-ils pas inventé ? »

On retrouve l'éclat, la vigueur du tempérament quercynois dans le cahors, de riches tanins lui assurant une longue vie d'explorateur parfumé aux épices. Clément Marot, né au bord du Lot, a chanté le cahors. Mais les gaillacs, avec leurs vieux cépages : l'ondenc, le mauzac, le len de l'el (loin de l'œil), le duras, auxquels se sont ajoutés les modernes merlot, sauvignon, cabernet franc, et les voisins, la négrette et la muscadelle, ne sont-ils pas plus inattendus, plus fous, plus poétiques ?

Gaulois

Bien que quelques-uns aient eu la possibilité auparavant de boire grec, c'est le vin que les Gaulois ont le plus apprécié de leurs envahisseurs romains. Ils se sont très vite fait une réputation de gros buveurs. Les guerriers en lampaient de grandes quantités pour se donner force et courage, et il n'était pas rare qu'ils combattissent ivres. Leur réputation de barbares venait notamment de leur refus de la tempérance et de leur goût pour le vin pur. Grecs et Romains buvaient du vin coupé d'eau froide ou chaude. Ainsi pouvaient-ils en absorber tout au long des banquets sans tomber rapidement dans l'ivresse. Mais les Celtes refusèrent ces manières de table un peu chochottes. Leur parut bien meilleur le vin sans eau, tel sorti de l'amphore, tel versé dans la coupe ou le gobelet. En préférant des vins francs, honnêtes, aux mélanges, nos ancêtres les Gaulois ont fait avancer le goût et l'exigence du goût. Rétrospectivement, qui sont les barbares ?

La balance des paiements de la Gaule accusait un déficit considérable, en raison notamment de l'importation massive des vins grecs et surtout italiens. Pourquoi n'en produirions-nous pas nous-mêmes ? se demandèrent des économistes avisés, qu'on n'appelait pas encore des fonctionnaires du Plan. À partir de Massalia (Marseille), la vigne s'était depuis longtemps installée dans la Narbonnaise. Elle ne demandait qu'à s'étendre, à pousser vers le nord et l'ouest. Elle remonta la vallée du Rhône, s'établit dans le Dauphiné, en Auvergne, en Bourgogne, le long des rives de la Loire en amont d'Orléans, enfin à Paris, jusqu'à Épernay, jusqu'en Normandie, tandis que, *via* Gaillac, elle envahit l'Aquitaine et d'autres terres atlantiques. La progression fut lente, par à-coups, mais irrésistible. Lugdunum (Lyon) devint un grand port fluvial par lequel transitaient l'importation et l'exportation des vins. Les docks assurèrent à Massalia une partie de sa prospérité. Les fabriques d'amphores se multiplièrent. Ce sont elles, parfois intactes ou presque, leurs débris amoncelés dans des fosses, qui racontent aux archéo-œnologues l'histoire de la vigne et du vin.

Le vin des Allobroges, issu de vignes éparpillées de Vienne au Dauphiné et à la Savoie, conquit Rome. Les techniques de viticulture et de vinification progressèrent sans cesse. On produisit de plus en plus sur des surfaces de plus en plus vastes et septentrionales. Le tonneau et la cuve en bois triomphèrent des amphores. La Gaule était devenue un grand pays de vin.

Qu'arriva-t-il dans l'Antiquité tardive (IIIe et IVe siècles après J.-C.) ?

Il arriva ce que nous connaissons bien : la surproduction ! La crise ! En particulier dans la Narbonnaise (aujourd'hui le Languedoc). Mévente. Effondrement des cours. Arrachage des vignes. Reconversion en terres à céréales. Recours à l'aide de la tutelle : des viticulteurs bourguignons demandèrent des allégements d'impôts pour arracher de vieilles vignes et en planter de nouvelles !

La subvention est une plante grimpante d'origine celte qui s'est très bien acclimatée sur tout le territoire français et qui a prospéré dans toute l'Europe.

Glouglou

« Glouglou » est une onomatopée censée reproduire le bruit d'un liquide qui coule franchement d'un récipient dans un autre. « Il (Gaudissart) sourit à la servante, la prend ou par la taille ou par les sentiments ; imite à table le glouglou d'une bouteille en se donnant des chiquenaudes sur une joue tendue… » (Balzac, *L'Illustre Gaudissart*).

Pendant que l'impétrant boit le vin contenu dans l'énorme tastevin que lui a tendu le Grand Connétable ou le Grand Échanson de la confrérie bachique, le public psalmodie des « … glou, et glou, et glou ! » pour l'encourager. À la fin, il retourne le tastevin pour montrer à la foule qu'il a bu jusqu'à la dernière goutte et qu'il a donc bien mérité d'être « des nô-ôtres, il a bu son verre comme nous au-ôtres… » (refrain populaire).

Glouglou n'indique donc pas qu'on est en train de goûter, de savourer. On est plutôt dans le gros débit. C'est rarement ma manière. Mais glouglou est une onomatopée de soif et de copains, joyeuse, conviviale, que j'ai choisie de préférence aux académiques *post-scriptum* ou *nota bene* pour prolonger et clore les entrées de ce *Dictionnaire amoureux*.

Glouglou

Qu'ils sont doux,
Bouteille jolie,
Qu'ils sont doux
Vos petits glouglous ;
Mais mon sort ferait bien des jaloux,
Si vous étiez toujours remplie.
Ah ! bouteille, ma mie,
Pourquoi vous videz-vous ?

(Chanson de Sganarelle,
Molière, *Le Médecin malgré lui*)

Gnafron

Il n'est pas vrai que Gnafron est à Guignol ce que le capitaine Haddock est à Tintin. Car celui-ci ne se laisse jamais entraîner à boire par son ami alcoolo, alors que Guignol n'hésite pas à trinquer avec son camarade Gnafron, dont le *ronfle* (nez) est la preuve écarlate de son penchant pour la *chopinaison*.

Créés au début du XIXe siècle par le marionnettiste Laurent Mourguet, Guignol, Gnafron et leurs comparses incarnent l'esprit populaire et libertaire lyonnais. Le bon sens et l'insolence des canuts. Ils rossent le gendarme parce qu'il fait des misères aux petites gens de la Croix-Rousse. C'est surtout Guignol qui tape. Quoiqu'il ait l'accent traînant des gones, il a la repartie prompte, ironique, parfois assassine. C'est un ouvrier tisseur qui donne du fil à retordre à tous les puissants et qui sait faire rire les enfants en les associant à ses malices et à ses tours.

Je lui préférais Gnafron, peut-être parce que son langage est moins châtié que celui de Guignol et qu'il n'hésite pas à dire des *gognandises* (plaisanteries faciles, un peu lestes ; ma mère qualifiait de *grands gognants* — adolescents dégingandés, maladroits, sots — des garçons qu'elle n'appréciait pas beaucoup). Il est probable que l'amour immodéré de Gnafron pour le beaujolais lui ajoutait, à mes yeux, du prestige. Épouse de Guignol, la Madelon, la plus mauvaise langue de la Croix-Rousse, déteste Gnafron parce qu'il boit *à regonfle* (en abondance) et qu'il exerce une mauvaise influence sur son mari. « Nom d'une cenpote ! » est le juron favori de Gnafron (la *cenpote*, contraction de cent-pots, désignait un fût de

105 litres). Gnafron exerce le métier de cordonnier. C'est un *regrolleur*, celui qui répare les *grolles*, les vieux souliers des pauvres. On dit aussi, dans le parler lyonnais, un *gnafre*, un *gniaf*, d'où est issu le nom du sympathique soiffard.

Beaujeu, capitale historique du Beaujolais, ne pouvait faire moins que d'élever une statue à Gnafron. La première a été inaugurée au cours du week-end du 14 juillet 1931. Il est représenté en train de fouler le raisin en haut d'une cuve. On rappela à cette occasion que Guignol, ayant suggéré à Gnafron d'abandonner le ressemelage pour le tastevinage, autrement dit de devenir marchand de vin, s'attira les protestations de son camarade. « Marchand de vin ? Jamais ! Est-ce que ça se vend, le vin ? Si j'en avais, est-ce que je le vendrais ? — Qu'en ferais-tu donc ? lui demanda Guignol. — Je le boirais, répliqua Gnafron. Le vin, ça se boit, ça se donne aux amis, mais le vendre, abomination ! »

HADDOCK (CAPITAINE)

Goût de bouchon

Au restaurant, on renvoie la bouteille. Chez des amis, on signale discrètement la mauvaise surprise. Chez soi, on a pris soin de tester le vin et de le retirer du service s'il révèle un « goût de bouchon ».

L'abominable, le détestable, l'impitoyable goût de bouchon. Ou plutôt les goûts de bouchon. Ils diffèrent selon la nature du liège, l'ancienneté du mal, la nature des vins, l'évolution du cancer à l'air libre. Il arrive qu'une odeur — « liégeuse », dit l'expert du goût Jacques Puisais —, perceptible sitôt la bouteille débouchée, disparaisse dans les minutes qui suivent. Mais le miracle n'a pas toujours lieu. Alors, comment ne pas désobliger son hôte dont le nez est moins pointu et la fierté assez chatouilleuse ?

Entre le code de politesse et le vin bouchonné, il faut parfois choisir le premier, ce qui implique de boire (un peu) du second. Ainsi cette mésaventure avec l'ex-chancelier Helmut Kohl. J'avais invité son épouse, Hannelore Kohl, à une émission sur « la cuisine des amateurs », au Salon international du Livre gourmand de Périgueux. Sa présence, en direct, était justifiée par la publication en France de son ouvrage *Un voyage gourmand à travers l'Allemagne*. Mince, menue, elle était moins représentative de la gourmandise que le massif chancelier. Auquel je demandai une interview. Accordée. Voyage à Bonn avec une équipe de France 2. Fort sympathique, truculent, Helmut Kohl prit le temps d'évoquer devant la caméra la cuisine et les vins allemands. Il les préférait à la bière. Puis il invita toute l'équipe à boire un riesling dans son bureau.

Le maître d'hôtel versa d'abord du vin dans le verre du chancelier, qui le goûta, puis fit un signe de la tête pour donner son aval à une tournée générale. Or, le riesling n'était pas qu'un peu bouchonné. Il l'était — je me rappelle avoir par-devers moi employé une expression inappropriée, mais forte — jusqu'à l'os ! Si l'on m'avait donné le vin à goûter, je n'aurais pas hésité à dire, avec diplomatie, qu'il était l'innocente victime du pentachlorophénol ou d'autres cochonneries qui se moquent des frontières. Mais comment annoncer que le riesling était imbuvable sans déjuger, sans embarrasser, sans humilier Helmut Kohl ?

Si l'on part de l'hypothèse qu'il était impossible qu'il ne décelât point le goût de bouchon, les explications de son attitude sont peu nombreuses. Ayant une première fois goûté trop rapidement, il ne découvrit la peste qu'après que ses invités eurent commencé à boire, et jugea-t-il alors qu'il était trop tard pour qu'il fît marche arrière ? Savait-il qu'il n'y avait pas d'autre bouteille de vin dans le réfrigérateur de son immense bureau ? À moins qu'il n'ait compté sur notre absence de goût ou notre manque de courage ?

La France pouvait-elle, après la dépêche d'Ems, risquer une autre guerre avec l'Allemagne à cause du bouchon de Bonn ?

Grêle

Tout à coup, on voit arriver par l'ouest des nuages gris et noirs. Poussés par un vent de plus en plus violent, ils ont tôt fait d'occuper le ciel, comme par hasard, à l'aplomb de nos têtes. Ils y restent. Éclairs, coups de tonnerre… Espérons que ce ne sera que de la pluie. Un grand silence. Qui retient son souffle ? Le ciel ou la terre ? Les démons ou les hommes ? Pourquoi les oiseaux se sont-ils planqués ? Pourquoi ce froid brutal ? Le bruit des premières gouttes sur les toits. De grosses gouttes, parce que ça claque. Des billes toutes blanches rebondissent sur la terre. Il y a très peu d'eau. Surtout des grêlons. Ils tombent maintenant par milliers. Quel tintouin ! Le sol en est très vite recouvert. Demain, on lira dans *Le Progrès* : des morceaux de glace gros comme des œufs de pigeon, comme des balles de ping-pong. Combien faut-il de minutes pour saccager tout un cep, une vigne entière, tout un village, une partie du vignoble ?

Les anciens racontaient les grêles du siècle comme les médecins coloniaux les épidémies. En juillet 1931, le ciel avait tapé très fort : le bois avait été attaqué, entamé, corrompu, certains viticulteurs avaient dû arracher.

Comment lutter contre les noirs desseins du ciel, contre les caprices assassins de la météorologie ?

Pendant des siècles, moines et curés ont sonné les cloches à toute volée. C'était un tintamarre de plus. A-t-on vu même un petit nuage s'effrayer d'un bourdon ?

Dès le XVIIIe siècle, on tirait au canon sur les envahisseurs. Le Mâconnais était réputé pour sa puissance de feu. Mais les nuages de grêle ne déviaient pas de leur route. À la méchanceté ils ajoutaient l'arrogance.

Dans les années 1950, les principales montagnes du Beaujolais étaient équipées de canons paragrêle. Pendant la guerre, le train blindé des Allemands tirait de la plaine sur les maquisards qui tenaient les bois. C'était maintenant des crêtes que partaient fusées et obus en direction du ciel. Les fusées faisaient barrage. Chargés de poudre d'iodure d'argent, les obus étaient censés transformer en eau les cumulo-nimbus de glace et de mort. Encore fallait-il viser juste et qu'il n'y en eût pas trop. Les artilleurs étaient accusés de moins dissoudre les méchants nuages que de les pousser sur les voisins. Et, comme cela coûtait cher, on désarma les montagnes.

Pour adopter une autre technique : l'épandage de l'iodure d'argent, au cœur même des cumulo-nimbus, par de petits avions casse-cou. Plus le pot-au-noir était traversé d'éclairs, plus l'orage était grandiose, plus nous admirions le courage des pilotes. Dans des zincs vifs et agressifs comme des frelons, ils défiaient physiquement le ciel en pétard. Nous applaudissions le spectacle.

Résultats et coûts de nouveau contestés. Les premières assurances contre la grêle étaient très alléchantes. Enfin, l'augmentation des rendements permettait, permet toujours aux malchanceux dont les vignes avaient grêlé d'acheter de la vendange en excédent chez des propriétaires que les orages avaient épargnés. Les avions sont allés voler ailleurs. Il n'y a plus nulle part en France de protection technique contre la grêle.

DULAC (JULIEN)

La Guerre et le vin

Après Waterloo, les Allemands prirent l'habitude de vider nos caves. Surtout en Champagne. Comme nous, ils aiment bien faire sauter les bouchons pour arroser leurs victoires. Soit ils trinquaient sur place, soit ils emportaient chez eux des milliers de bouteilles d'autant plus appréciées, la paix revenue, que c'était du butin de guerre. En 1814 et 1815, ce sont 600 000 bouteilles de Moët et Chandon qui partirent de l'autre côté du Rhin et jusqu'à Moscou, les Russes, eux aussi, étant vainqueurs et amateurs de bulles.

Pendant la Deuxième Guerre mondiale, de toutes les régions viticoles la Champagne fut la plus pillée. Toutes les caves des grandes marques furent visitées. Au cas improbable où l'une ne l'aurait pas été, elle ne saurait cependant tirer gloire de cet oubli ou de ce dédain. Ministre des Affaires étrangères de Hitler, Joachim von Ribbentrop appréciait d'autant plus le champagne français qu'il avait épousé la fille du propriétaire du fameux — comprenez : célèbre — vin mousseux allemand Henkell.

Hormis Hitler — buveur médiocre —, la plupart des dignitaires du Reich étaient des collectionneurs de vins et de solides buveurs. Le gros maréchal Goering était plutôt bordeaux, avec une préférence marquée pour le lafite dont nous n'occulterons pas, comme le fit le gouvernement de Pétain, le second nom, Rothschild. Goebbels, la grande gueule, était plutôt bourgogne, essentiellement côtes-de-nuits, avec des inclinations pour le corton-charlemagne, le chambertin et, bien sûr, les grands crus de Vosne-Romanée. Combien de belles bouteilles ces deux monstres se sont-ils appropriées et ont-ils bues ?

Insupportable est l'idée que des tyrans, des criminels puissent s'enfiler de splendides bouteilles et, pis, en retirer le même plaisir que de fins buveurs et d'honnêtes hommes. Les chefs-d'œuvre de la littérature, de la peinture, de la musique ne sont pas diminués d'avoir été lus, vus ou entendus par des bandits. Que ceux-ci aient bu des carbonnieux 1928, des chambertin 1913, des richebourg 1929, des latour 1928, des yquem 1913, des Bollinger 1911, n'enlève rien non plus à la sublime qualité de ces vins, sauf que des centaines, des milliers de bouteilles manquent à ce qu'on pourrait appeler, semblable au Trésor, la Cave de l'humanité, et qu'elles ont été ouvertes par ou pour ces salopards. Il y a bien eu captation, dégustation et déglutition d'un bien culturel national par des consommateurs indignes. On garde toujours l'espoir de mettre la main sur des tableaux volés par l'envahisseur, mais pour le vin, à plus forte raison s'il a été bu, macache* !

Par Bacchus, quel travail s'il fallait recenser toutes les cachettes dans lesquelles, lors de la dernière guerre, des propriétaires-viticulteurs, des châtelains, des restaurateurs, des particuliers ont soustrait leurs meilleurs crus à la soif des ennemis ! Chacun avait choisi, avec le plus de discrétion possible, le refuge le plus sûr : bouts de cave adroitement murés, trous dans le sous-sol, passages condamnés, puits

* À quelques exceptions : sergent dans la 2e DB du général Leclerc, Bernard de Nonancourt, président du Conseil de surveillance du groupe Laurent Perrier, a eu le privilège d'entrer le premier dans la fabuleuse cave d'Adolf Hitler, à Berchtesgaden, et d'en diriger l'enlèvement et le rapatriement des bouteilles (selon Don et Petie Kladstrup, *La Guerre et le Vin*).

désaffectés. Bouteilles enterrées dans le parc ou le potager, enfouies sous la paille, le foin, le bois de chauffage, mises en sécurité dans des grottes dont l'entrée était cachée par des buissons... À chacun son astuce, la meilleure étant quand même, si on avait la chance de posséder plusieurs caves ou une enfilade, de condamner la plus lointaine. C'est ainsi qu'André Terrail, propriétaire de « La Tour d'Argent », sauva des milliers de bouteilles, uniques ou rarissimes, de porto, de cognac, d'armagnac, de bordeaux, etc., par un mur habilement maçonné, alors que les Allemands déferlaient déjà sur Paris.

On n'est pas fier de remarquer qu'il y eut beaucoup plus de dénonciation de Juifs, de communistes, de résistants, que de caves.

Glouglous

Autrefois, il n'était pas rare d'entendre, au café ou au restaurant, des consommateurs s'exclamer, en levant leurs verres de vin : « Autant de pris à l'ennemi ! » Ou : « Encore un qu'ils n'auront pas ! » Ainsi faisaient-ils patriotiquement référence à l'habitude des troupes étrangères de boire notre vin et à la menace de revoir les « barbares » dans nos caves.

L'expression remonte à la défaite de Waterloo. Alors on ciblait l'ennemi : « Encore un que les Prussiens (ou les Russes, ou les Autrichiens, ou les Anglais) n'auront pas ! »

En lui assurant la primauté du goût et la maîtrise du marché, la guerre a aussi d'heureuses conséquences pour le vin du pays vainqueur. « Les terroirs ne se font pas à la pioche, mais à la pointe de l'épée », écrivait Raymond Dumay, rappelant ce que les vins persans, grecs et romains devaient à l'habileté de généraux, sobres ou pas. Il est incontestable que les vins de l'Hexagone ont bénéficié, plusieurs siècles durant, de la puissance militaire, économique et culturelle de la France. Un déclin du pays n'est pas sans conséquence sur l'image de son vignoble, la réputation de ses crus et l'autorité de son négoce. À l'apogée de sa domination sur le monde il est somme toute naturel que les Etats-Unis produisent, eux aussi, de grands vins, et logique que s'impose un « goût américain ». Auquel on a le droit de ne pas se soumettre.

Haddock (capitaine)

J'ai toujours reproché au capitaine Haddock, non pas de se saouler, mais de le faire au whisky. Hergé devait probablement considérer que cette eau-de-vie au nom anglais ajoutait de l'exotisme au navigateur barbu et, à l'époque, de l'originalité. Le whisky est comme le Coca-Cola : on en trouve partout dans le monde. Et quand, pour les besoins de l'histoire, l'atrabilaire capitaine devait être ivre en quelques minutes, il était plus commode de lui faire vider une bouteille de whisky que plusieurs bouteilles de vin.

Il lui est cependant arrivé, mais très rarement, de

boire du vin, car comme tous les pochards il se jetait sur tout ce qui est alcoolisé. Il a même touché au porto et au champagne. Mais c'était faute de son cher whisky.

Par quelle magie Hergé est-il parvenu à rendre sympathique un marin alcoolique et à en faire l'un des principaux personnages des aventures de Tintin sans susciter l'indignation, à tout le moins la réprobation, des éducateurs et des familles ? En ce temps-là, croyait-on que les enfants prendraient conscience des dangers de l'alcool en en constatant les effets funestes sur le capitaine Haddock ? Troubles du langage, de la mémoire, de la vision, comportement irrationnel et colérique, attitudes et mots provocateurs…

Les jurons et les insultes du capitaine Haddock ont beaucoup fait pour sa renommée, Hergé choisissant des mots simples (*moule à gaufres*, *vermicelle…*) ou tarabiscotés (*bachi-bouzouk*, *anthropopithèque…*), ou des expressions bizarres (*crème d'emplâtre à la graisse de hérisson…*), mais toujours drôles et, somme toute, jamais vraiment injurieux.

Dans la bouche du capitaine Haddock, l'eau est le mot le plus offensant. *Marin d'eau douce* et *pirate d'eau douce* sont particulièrement blessants. Comme la plupart des soiffards, Haddock traite les autres d'*ivrognes*, de *soûlographes*, et, plus original, de *boit-sans-soif.*

Phylloxéra ! me paraît toutefois le mieux venu de tous.

Glouglou

Quand le père Grandet, ancien tonnelier devenu le plus riche propriétaire de Saumur, apprit que sa fille Eugénie n'avait plus l'or qu'il lui avait donné, qu'elle s'en était dessaisie au profit de son beau cousin, il trépigna et jura. Puis, raconte Balzac, il cria : « Par la serpette de mon père, je ne peux pas te déshériter, nom d'un tonneau ! mais je te maudis, toi, ton cousin, et tes enfants ! » (*Eugénie Grandet*). Le « nom d'un tonneau ! » n'aurait pas été mal non plus dans la bouche du capitaine Haddock, à la fois marin et ivrogne.

EAU, IVRESSE, PAF

Hamlet

« Posez les flacons de vin sur cette table », dit le roi Claudius dans la grande scène fatale de l'acte V.

Hamlet n'a aucune chance d'échapper à la mort. La pointe de l'épée de Laertes est empoisonnée. Et, au cas où son adversaire ne parviendrait pas à le toucher — il réussit en effet à remporter les premiers assauts —, pour se désaltérer il boira du vin. Dans une coupe où Claudius « jettera une perle plus riche que celle que quatre rois successifs ont portée sur leur couronne au Danemark ». En vérité, la perle est fausse ou truquée, remplie ou enduite de poison. « Le roi boit à Hamlet », dit le traître et assassin, invitant le jeune homme à faire de même. Celui-ci remet ce plaisir à plus tard. L'épée sera donc plus rapide. Il n'est pas indifférent de rappeler que le cher Hamlet n'est pas mort empoisonné par le sang de la vigne.

De quel vin s'agissait-il ? Nous sommes au Danemark, avant le XIIIe siècle. Y cultivait-on la vigne ? On peut imaginer plus logiquement que le vin était anglais ou allemand. Allemand, précise Hamlet, au premier acte, quand il évoque les bamboches et les beuveries du roi avec du vin du Rhin.

Au cours d'un déjeuner auquel participaient des compatriotes de Shakespeare, j'ai posé cette question : « Si les événements rapportés par la pièce se déroulaient *de nos jours*, quel vin serait, selon vous, le mieux adapté à la pathétique scène du dernier acte ? » Il fut décidé à l'unanimité que ce ne pouvait être qu'un rouge. Le blanc respire la comédie, le rosé l'opérette, le champagne l'opéra-comique. Mais quel rouge ? Un bourgogne de la Côte de Nuits paraît plus porteur de tragédie qu'un château du Médoc. Une langue perfide me provoqua en se déclarant pour le beaujolais, puisqu'il serait inutile d'y ajouter du poison. On chercha des vins en Allemagne plutôt qu'en Espagne et en Italie. On abandonna trop rapidement l'idée que le roi du Danemark, déjà damné pour l'assassinat du père d'Hamlet, pourrait provoquer Dieu jusqu'à remplir la coupe de sa nouvelle victime avec un châteauneuf-du-pape, un château l'angélus ou un château la-grâce-Dieu.

Un éditeur anglais proposa le porto. Toute la table s'y rallia. À condition de choisir un grand vintage d'un rouge très foncé dont plusieurs décennies n'auront pas plus altéré la couleur et les arômes que l'âge n'entame la noirceur des sentiments. Quoi de plus engageant et subtilement pervers que l'onctuosité sucrée d'un vieux douro pour dissimuler la main aigre du criminel ?

Le talentueux et inventif metteur en scène d'opéra

Robert Carsen, à qui je rapportais ce débat shakespearien, se récria contre le choix du porto : « Vous avez oublié que le duel est long et éprouvant. La Reine dit qu'Hamlet *est en sueur et à bout de souffle.* Un combattant ne se désaltère pas avec un vin aussi alcoolisé que le porto. Enfin, la perle doit se dissoudre en quelques secondes. Un vin frais et un peu acide ferait mieux l'affaire qu'un vin doux. »

Irréfutables arguments de bon sens. Tournés vers l'allégorie nous avions négligé les contingences.

Mais alors, quel vin, aujourd'hui ?

Un blanc ou rosé sec, de soif, et tant qu'à faire allemand puisque le roi aimait les vins de ce pays. (Un rosé de Provence ne serait pas très shakespearien !)

Je proposerai à Robert Carsen soit un elbling, un petit vin blanc très sec, assez acide et rêche, de la Moselle ; soit, plus raffiné mais lui aussi assez cambré, un riesling ou un müller-thurgau, né dans les vignes de la Saale-Unstrut, dans l'Allemagne orientale.

Et nous lèverons notre verre au « noble cœur » d'Hamlet…

Glouglou

Dans la pièce de Victor Hugo *Lucrèce Borgia*, don Alphonse, mari jaloux, laisse le choix à doña Lucrezia : ou ses hommes tuent sur-le-champ par l'épée le jeune et beau Gennaro, ou elle lui verse du vin empoisonné. Du vin de Syracuse. Elle choisit le poison parce qu'elle porte sur elle l'antidote. Au troisième et dernier acte, au palais Negroni de Ferrare, de jeunes seigneurs festoient en compagnie de femmes gaies et ravissantes. Entre un page noir avec deux flacons à la main. « Messeigneurs, leur demande-t-il, du vin de Chypre ou du vin de Syracuse ? — Du vin de Syracuse. C'est le meilleur », répond Maffio. Mauvaise pioche. Doña Lucrezia y a versé du poison. Elle ne fournira pas l'antidote.

DON JUAN, QUEL VIN ?

Harrison (Jim)

L'écrivain américain Jim Harrison est un bâfreur de première. Que ce soit dans sa ferme du Michigan ou dans le Morvan, chez son ami l'écrivain Gérard Oberlé, à Los Angeles, à New York ou à Paris, il s'empiffre. Lesté d'un carnet de bonnes adresses, toujours prêt à en ajouter d'autres, il est doué pour conjuguer dans son assiette le consistant avec le sublime.

Ancien critique gastronomique, cuisinier qui sait prendre son temps, « dingue de la bouffe » (c'est lui-même qui se qualifie ainsi), il adore la cuisine française et la célèbre par des récits épiques de « gueuletons » dans des bistrots ou des restaurants trois étoiles. Cet infatigable chasseur d'oiseaux n'aime rien tant que traquer là où ils se cachent les salmis de bécasse, les volailles de Bresse demi-deuil, les confits de canard, les faisans en cocotte. À son menu également les farcis niçois (préparés par l'épouse de son éditeur français, Christian Bourgois), les « daubes irréfutables » (l'expression est de Jean-François Revel), les cassoulets, les foies gras frais, les joues de bœuf, les cuissots de chevreuil, etc.

Jim Harrison est un amateur de vins, comme le sont souvent les Américains gourmands et cultivés : ouvert aux bons produits de tous les vignobles. « Le goût est un mystère, écrit-il, qui trouve indéniablement sa meilleure expression dans le vin. » Quand une tempête transforme le lac Supérieur en une marmite du diable, il débouche une bouteille de lirac qui l'aide à supporter le tintamarre. Après avoir cru sa dernière heure venue à bord d'un avion à hélice que le pilote avait engagé au cœur d'un violent orage au-dessus du lac Michigan, il est rentré chez lui, tremblant, furibond. « J'ai été chercher deux bouteilles de vin à la cave, un migoua et un bandol Tourtine du Domaine Tempier de Lulu Peyraud. J'ai bu lentement le contenu de ces deux superbes bouteilles tout en méditant sur le caractère essentiellement criminel de l'aviation civile et sur le fait que même les oiseaux ont la jugeote de ne pas voler dans la tempête. »

Quand le ciel est paisible, Jim Harrison vide aussi de belles bouteilles de bordeaux, de bourgogne et, plus récemment découvertes, de côtes-du-rhône. Un jour, il eut la chance de s'approprier pour une modeste somme une collection privée de bouteilles exceptionnelles, entre autres des château latour 67, des richebourg 53 et des grands-échézeaux de plusieurs millésimes. Il n'en reste rien, évidemment.

Un jour, à Paris, rendu furieux par les interviews qui s'enchaînaient, il quitta son hôtel pour se rendre au café « Le Sélect », à Montparnasse, où il a ses habitudes. « J'ai bu une simple et délicieuse bouteille de brouilly (Jim Harrison, seul, ne commande jamais un verre, mais une bouteille). Ma colère a reflué quand le chat de la maison m'a permis de le caresser, et puis, en penchant la tête, j'avais une vue imprenable sur les jambes d'une femme installée dans un angle de la salle. Désormais, chaque fois que je boirai du brouilly, je penserai aux cuisses des femmes. »

Glouglou

Jim Harrison ne pouvait pas élire meilleur guide en France pour le choix de ses restaurants, bistrots et vins, que l'écrivain, érudit, libraire de livres anciens, éditeur, expert en paralittérature, en poètes oubliés, en sciences inexactes, etc., gastronome et cuisinier, Gérard Oberlé. Cet encyclopédiste du non-conventionnel, du rare, de l'authentique, du savoureux, qui écrit un français d'une allègre et coruscante sensualité, est l'auteur d'un livre unique au monde : *Les Fastes de Bacchus et de Comus ou Histoire du boire et du manger en Europe, de l'Antiquité à nos jours, à travers les livres* (Belfond, 1989). Il s'agit, sous forme de notices copieuses, détaillées, du recensement de 1 181 livres gourmands d'une collection particulière, avec présentation des principaux auteurs, de l'Antiquité notamment (Gérard Oberlé a été professeur de grec et de latin). Quatre ans plus tard, il récidivait avec *Une bibliothèque bachique* (Loudmer). Comme je regrette aujourd'hui de n'avoir invité à aucune de mes émissions cet Alsacien du Morvan qui ne doit pas être un méchant homme puisqu'il a lu tous les livres et bu tous les vins. Gérard Oberlé publiera en septembre 2006 ses souvenirs de biberonneur : *Itinéraire spiritueux*.

Hermitage

Certains historiens affirment que ce n'est pas dans la Narbonnaise, mais ici, à Tain-l'Hermitage, sur la rive gauche du Rhône, que se situe le plus ancien vignoble français. Quelque six cents ans avant la naissance du Petit Jésus et des culottes de velours ! Il est vrai que, si les Phocéens recherchaient une pente bien exposée pour y planter de la vigne, ils ne pouvaient trouver mieux que cette colline de l'Hermitage qui s'offre au soleil dans un voluptueux abandon.

Leur fille, la rouge syrah, a hérité de ses géniteurs la puissance aromatique et une lascivité déjà méridionale. Laissons-la vieillir, nous la marierons avec des prétendants à plume et à poil : faisan, lièvre, chevreuil…

L'hermitage blanc, pour lequel j'avoue une faiblesse entre ou pendant les repas, est épatant sur la truffe (ah ! le risotto aux truffes, blanches ou noires, peu importe, je prends !). Voici plus singulier : l'hermitage blanc ne craint pas l'ail ! C'est le bien nommé Philippe Bourguignon, meilleur sommelier de France 1978, directeur du restaurant « Laurent », qui l'affirme : « Il (l'hermitage blanc) peut s'enorgueillir de sa faculté à accompagner l'ail, car ce privilège n'est donné à aucun autre vin. (…) Le bouquet de foin et d'iris de l'hermitage jeune fait remarquablement écho à celui du condiment vedette de la cuisine méditerranéenne, associé ou non aux herbes parfumées de Provence et au pistou » (*L'Accord parfait*). Et de suggérer d'essayer avec des pâtes à l'ail.

Nous essaierons. Après avoir ouvert une bouteille, au frais dans un seau, un après-midi d'été, en écoutant des chansons du voisin de l'autre côté du Rhône, l'Ardéchois Jean Ferrat.

Le vin ne sera plus tiré
C'était une horrible piquette
Mais il faisait des centenaires
À ne plus que savoir en faire
S'il ne vous troublait pas la tête.

Jean Ferrat, *La Montagne*

CHÂTEAUNEUF-DU-PAPE, CONDRIEU,
CÔTES ET COTEAUX

L’Islam et le vin

Le prophète Mahomet a été très clair : « Dieu a maudit le vin, celui qui le boit, celui qui le sert, celui qui le vend, celui qui le presse, celui pour lequel il est pressé, celui qui le transporte, celui pour lequel il est transporté et celui qui jouit de l’argent qui en est tiré. » Mahomet a oublié — on ne saurait le soupçonner d’avoir trop bu — le pire de tous : celui qui le chante. Les poètes musulmans qui ont célébré le vin et l’ivresse sont pourtant nombreux, comme en témoigne une anthologie due à Malek Chebel, auteur entre autres d’un *Dictionnaire amoureux de l’Islam*.

C’est en Perse, pays de longue tradition œnologique, que l’amour du vin a, de tout temps, été le plus fort ou le moins dissimulé du monde musulman. C’est aussi la Perse qui a donné ses meilleurs poètes à la boisson interdite. Tandis que le vin et la transgression fouettent l’imaginaire, l’eau et la soumission dissolvent le talent. Le plus connu en France de ces poètes débauchés, insolents et réprimés, est sans conteste l'auteur de *rubaïyat* ou *robaï* ou *roba'iyyat* (quatrains) : Omar Khayyam, ne à Nichapour, en Perse, en 1048 de l'ère chrétienne. Poète, mais aussi et surtout mathématicien, algébriste, astronome, cet illustre savant n'hésitait pas à braver le Coran et le pouvoir religieux avec du vin de Chiraz, son préféré, et à en chanter le plaisir et les vertus dans des quatrains aussi épicuriens que libertaires.

Si l'islam condamne le vin, il glorifie l'eau, le lait et le miel. L'islam est une religion du petit déjeuner. Omar Khayyam recommandait d'y ajouter le vin parce que — incroyable audace du provocateur ! — « les buveurs du petit matin ne se soucient plus de la mosquée ». Ce n'est pas qu'il ne croyait pas en Dieu, mais il n'imaginait pas Allah sous la forme d'un tyran domestique qui interdit le meilleur de ce qu'il a créé et qui oblige les buveurs d'eau et de lait à se prosterner devant lui cinq fois par jour. Omar Khayyam était même de ces philosophes persans et arabes qui n'écartaient pas l'idée d'une mystique du vin et de l'ivresse.

L'un de ses plus célèbres *rubaïyat* est celui-ci :

Le Paradis est plein de belles sans défaut,
Dites-vous ? Et le miel et le vin y abondent.
Pourquoi proscrire alors tous les biens de ce monde
Si notre fin dernière est d'en jouir là-haut ?

(traduction de Jean Rullier)

Logique malicieuse d'un esprit scientifique.

Prudents ou manquant d'informations, les évangélistes ne disent pas de quoi sera faite l'éternelle félicité chrétienne. Le Coran, lui, promet à gogo les plaisirs de la terre, notamment des houris belles à damner, mais qui ne damneront plus personne puisqu'elles seront à la disposition des élus musulmans. Outre que rien n'est envisagé pour les élues, pourquoi interdire totalement le vin sur terre à l'homme docile et pieux, alors qu'il ne lui est pas défendu de mettre une ou plusieurs vierges dans son lit ? Qui peut dire que la consommation polygamique des femmes est moins dangereuse pour le salut de l'âme qu'une consommation modérée du vin ?

Le Coran promet des vins si abondants, si délicieux — on y évoque même « des vins rares » — que le paradis de Mahomet doit être couvert de vignobles. Foi de mécréant, foi de Grand Officier de la Confrérie bourguignonne, dans le cas où on me prouverait qu'Allah tient là-haut les promesses œnologiques de ses prophètes ici-bas, je veux bien tâter de la mosquée…

Glouglou

Ô mes amis versez dans la coupe où je bois,
barbouillez de rubis l'ambre de mon visage.
Mort, lavez-moi de vin et, suprême cépage,
la vigne à mon cercueil daigne fournir le bois !

Omar Khayyam
(traduction de Maurice Chapelan)

DIEUX ET LE VIN (LES)

Ivresse

On ne me trouvera pas parmi les zélateurs, ni même les défenseurs, de l'ivresse. Trop de crimes, trop d'accidents, trop de brutalités, trop d'horreurs en actes et en paroles, trop de folie, trop de déraison, trop d'hébétude, trop d'absence de soi-même, comme si un autre, violent, baveux, titubant et idiot, s'était glissé dans un corps déserté, à prendre. « Le pire état de l'homme, écrit Montaigne, c'est quand il perd la connaissance et gouvernement de soi. »

Diderot : « L'ivresse ôte toute lueur de la raison, elle éteint absolument cette particule, cette étincelle de la divinité qui nous distingue des bêtes ; elle détruit par là toute la satisfaction et la douceur que chacun doit mettre et recevoir dans la société humaine. »

Cuitant et cuisant souvenir. Je n'ai été ivre qu'une seule fois. À l'âge de quatorze ou quinze ans. Je dois cette cuite carabinée à des vendangeurs qui avaient formé le projet de soûler le fils aîné du patron et qui y sont parvenus assez facilement, d'abord pendant le dîner, où le vin procure l'agréable sensation de reconstituer les forces abandonnées pendant une journée de travail, ensuite, après le repas, au cours d'une veillée de détente et de bonne humeur bien arrosée.

C'est par la fierté qu'ils m'investirent et c'est par l'orgueil que je succombai. « Je suis sûr que tu n'es pas capable de boire… Qui de nous deux finira le premier son verre ?… Je pensais que tu tenais mieux la chopine !… Pour un gars du Beaujolais, t'es plutôt sobre… Allez, encore un verre et on va se coucher… »

D'abord stupéfait, puis révolté par la masse de vin que je déversai en lui pendant plus de deux heures, mon corps d'ado ne réussit, sous les regards goguenards de mes bourreaux, qu'à me conduire, pauvre chose zigzagante et dégueulante, aux toilettes. De là on dut m'emporter à mon lit, que je souillai toute la nuit, estomac volcanique, viscères en feu. Le lendemain, gueule de bois, honte, repos forcé. Et rage de m'être laissé embobiner comme un bleu. J'étais un bleu.

Cette mésaventure eut un heureux effet : elle me vaccina contre la soûlographie. Par la suite, les occasions de boire jusqu'à l'ivresse ne furent pas rares. Mais, chaque fois, après un nombre variable de verres — on est plus ou moins en forme pour « tenir la chopine » —, une sorte d'alarme fichée quelque part dans mon cerveau m'avertissait des dangers qu'il y aurait à poursuivre, tandis que mon corps bloquait toute envie, tout désir de continuer à boire, comme s'il avait lui-même fixé le seuil au-delà duquel il refuserait d'éprouver du plaisir.

Vocabulaire. L'ivrogne, le soûlographe, le soûlard, le soûlaud, le soûlot, l'alcoolique, l'alcoolo, le poivrot, le picoleur, le bituré, le biturin, le pionard, le pochard, le pochetron, le sac à vin, l'éponge à vin, l'outre à vin, le boit-sans-soif, l'arsouille, le biberonneur, le cuitard, le vide-bouteilles, le meurt-de-soif, le soiffard, le galope-chopine, le siroteur, le relicheur, le vinassier, l'alambic, etc. Débauche et ivresse des mots pour nommer l'ivrogne !

Mais il en est d'autres qui désignent l'état du buveur bien avant l'ébriété, plus encore l'ivresse, et qui ont du charme. Comme la *griserie*, sorte de bonheur passager ou d'exaltation intime que l'on ressent après un succès ou pendant un excès. La griserie de la vitesse, la griserie de l'argent. De tous les vins le champagne est le plus grisant, celui qui « monte à la tête » le plus rapidement.

J'aime bien aussi l'expression *un peu pompette*. On la trouve sous la plume de Barbey d'Aurevilly. « Pompette » tout court est amusant, mais, selon *Le Petit Robert*, un type pompette est déjà « un peu ivre ». Alors que, s'il est un peu pompette, il n'est encore qu'un peu un peu ivre… Donc, encore assez lucide pour s'arrêter.

Taxes de soûlographie. Au musée de la Vigne et du Vin du château d'Aigle, en Suisse, est exposé un « thermomètre des divers degrés de soûlographie et le prix de revient ». C'est une taxe qu'auraient perçue les cafetiers selon l'état éthylique de leurs clients. Voici le barème :

légèrement ému	1,95 franc
une pointe	2,35 francs
une flèche	2,80 francs
pompette	3,35 francs
gris	3,90 francs
une charge	4,45 francs
rond	4,70 francs
une cuite	5,40 francs
raide	5,85 francs
ivre mort	7,25 francs

L'humoriste vaudois auteur de ce « thermomètre » a ajouté : « Il est expressément défendu aux aubergistes, cafetiers et brasseurs de percevoir plus que la taxe notée ci-dessus. »

Littérature. « Nathanaël, je te parlerai de l'ivresse », lance André Gide dans *Les Nourritures terrestres.* À travers Ménalque, le maître imaginaire, Gide avoue ensuite : « J'ai connu l'ivresse qui vous fait croire meilleur, plus grand, plus respectable, plus vertueux, plus riche, etc. — que l'on n'est. »

Baudelaire : « J'ai connu un individu dont la vue affaiblie retrouvait dans l'ivresse toute sa force perçante primitive. Le vin changeait la taupe en aigle » (*Les Paradis artificiels*).

Toujours de Baudelaire, le plus grand poète du vin, insurpassable dans les chimères, les fuites et les lumières inouïes : « Il faut toujours être ivre. Tout est là : c'est l'unique question. Pour ne pas sentir l'horrible fardeau du Temps qui brise vos épaules et vous penche vers la terre, il faut vous enivrer sans trêve.

« Mais de quoi ? De vin, de poésie ou de vertu, à votre guise. Mais enivrez-vous » (*Le Spleen de Paris).*

On observera qu'il est plus commode de s'enivrer de vin que de poésie, et plus encore que de vertu.

De Verlaine : « Ah ! si je bois, c'est pour me soûler et non pour boire… » (*Jadis et naguère*).

Apollinaire clôt *Alcools* par un long poème, « Vendémiaire », dans lequel il exalte une soif inextinguible, de dimension d'abord française, puis européenne, enfin universelle.

Je suis ivre d'avoir bu tout l'univers
Sur le quai d'où je voyais l'onde couler et dormir les [bélandres

Écoutez-moi je suis le gosier de Paris
Et je boirai encore s'il me plaît l'univers

Écoutez mes chants d'universelle ivrognerie

(*Alcools*)

Il faut distinguer les écrivains qui ont raconté dans leurs œuvres de puissantes gobettes, des poivrades historiques — comme Rabelais, Balzac, Alexandre Dumas, Zola — et les innombrables écrivains, français et étrangers — ta gueule, Bukowski ! —, abonnés à l'alcool, soiffards récurrents, professionnels de la cuite. De ceux-ci on dit ce qu'on dit de buveurs qui n'écrivent pas : qu'ils boivent parce qu'ils sont désespérés ou sûrs d'eux, misérables ou riches, aux ordres ou dominateurs, pusillanimes ou cyniques, déviants ou blasés. Ou parce que, tout simplement, ils aiment ça (vin, bière, whisky, vodka, etc.). Parce qu'ils espèrent l'ivresse qui en résultera, et que leur corps et leur esprit ne peuvent plus s'en passer.

Cependant, au-delà de ces raisons archiconnues, il convient de reconnaître un lien mystérieux entre l'écriture et l'alcool, une spécificité de leur commerce. Guy Debord : « L'écriture doit rester rare, puisque avant de trouver l'excellent il faut avoir bu longtemps. » Comme si l'écriture découlait de l'alcool, le texte de la bouteille. Ou comme si, pour certains écrivains, une plume sèche, frottée de tempérance, ne pouvait aligner que des mots sans odeur, sans saveur, plats et fadasses.

L'écriture est un voyage ; l'ivresse aussi. Ils ne sont pas l'un et l'autre sans danger. L'un et l'autre emportent le risque-tout dans des pays sans frontières, sur des montagnes qu'il ne trouvera pas sur les cartes, dans des vallées insoupçonnées, à des époques qui ne sont plus ou qui ne sont pas encore les siennes, chez des personnes de lui connues qu'il ne connaissait pas et des personnes de lui inconnues qu'il connaissait très bien. La littérature et l'ivresse sont des *lignes de fuite*. Des *mots de passe.* Des jours à déguster et des muids de rêves. Avez-vous remarqué combien l'écrivain, même très sobre, et le cuitard sont souvent *ailleurs* ?

On veut croire aussi que, attestée entre autres par les poètes bachiques persans et arabes, il existe une métaphysique de l'ivresse. Encore un verre, monsieur l'échanson, et je déchiffrerai enfin cette somptueuse et éternelle énigme après laquelle courent les stylos de tous les écrivains dignes du nom : l'Énigme du Temps. C'est toujours au fond du dernier godet que Dieu se cache…

Je ne l'y ai jamais cherché, probablement parce que je ne suis pas un écrivain. Ainsi n'ai-je pas cédé à l'ivresse.

Dédoublement. « … Le prince de Conti divertira bien les Polonais quand ils le verront ivre, car il est bien drôle lorsqu'il a bu. Il s'imagine alors que ce n'est pas lui qui est gris, mais un autre. L'an dernier (…), je le trouvai qui avait une forte pointe. Il vint à moi et me dit : "Je viens de m'entretenir avec le nonce, il pue le vin et est complètement ivre (…)." Il me fit rire de bon cœur. "Mais, mon cousin, dis-je, ne seroit-ce pas vous qui *oriés beu* par hasard. Car vous voilà bien gaillard." Il répondit en riant : "Ah ! vous voilà dans la mesme *Ereur* de Monseigneur et de M. de Chartres et Mme la princesse de Conti. Car ils croyent tous que je suis ivre et ne *veullent* pas comprendre que c'est le nonce qui l'est.” Si mon fils et moi nous ne l'avions retenu, il eût demandé au nonce où donc il s'était enivré... »

(*Lettres de la Princesse Palatine*,
3 novembre 1697)

Les poivrots sympas. Si beaucoup d'ıvrognes sont hargneux, méchants ou sinistres, il en est aussi que la cuite rend sympathiques. Des pochetrons dont les excès de bouteille n'ont pas entamé une certaine philosophie gaie et désinvolte de l'existence. Le vin les plonge dans une euphorie qu'ils veulent faire partager à leurs compagnons de nouba et même aux personnes de rencontre. Ils chantent à tue-tête des refrains de soif ou de cul. Souvent, la voix déraille, mais ils chantent. Ils sont un peu peloteurs, mais leurs mains connaissent encore les bons endroits.

Intéressants aussi — j'en ai connu à Lyon — les longs, maigres, pâles et austères, vêtus de noir et cravatés, qui glosaient sur Platon, Théocrite, Pascal, Anatole France devant des cadavres de morgon ou de chiroubles, puis s'écroulaient soudainement tandis qu'ils récitaient « La Jeune Parque » de Paul Valéry.

Il est des trognes de soiffards qui méritent notre admiration, le vin les ayant habilement sculptées et colorées, *de l'intérieur*. La poussée sédimentaire a été, semble-t-il, à proportion de la vinométrie. Au centre, un gros appendice, vermillon à midi, mauve à minuit, une balise charnue, contournée, phosphorescente, *urbi* un quinquet de taverne, *orbi* le phare d'Ouessant, le pif tels un alambic, un gyrophare, une cocarde, un défi, une morale. Ces hommes-là n'ont jamais le nez bouché ; parfois bouchonné, c'est tout.

La fragilité de certains picoleurs force aussi la

bienveillance. Les raisons mystérieuses de leur humide détresse. Leur élégance dans leur désordre. Du panache, de la verve dans une esbroufe pathétique. Ainsi les inoubliables amis Quentin et Fouquet dans leur frénésie éthylique et tauromachique sur la côte normande (*Un singe en hiver*, d'Antoine Blondin). Ainsi, encore, Nick Molise, poivrot d'un vieux café italien de Californie, qui a causé bien des ennuis à toute sa famille, qu'on abomine et qu'on aime, et qui, tout compte fait, meurt avec la compassion et la sympathie du lecteur (*Les Compagnons de la grappe*, de John Fante).

C'est Montaigne qui raconte. « … Une femme de village, veuve, de chaste réputation, sentant les premiers ombrages de grossesse, disait à ses voisines qu'elle penserait être enceinte si elle avait un mari. Mais, du jour à la journée croissant l'occasion (*la cause*) de ce soupçon et enfin jusqu'à l'évidence, elle en vint là de faire déclarer au prône de son église que, qui serait content de ce fait (*qui le reconnaîtrait*) en l'avouant, elle promettait de le lui pardonner, et, s'il le trouvait bon, de l'épouser. Un sien jeune valet de labourage, enhardi de cette proclamation, déclara l'avoir trouvée, un jour de fête, ayant bien largement pris son vin, si profondément endormie en son foyer, et si indécemment, qu'il s'en était pu servir sans l'éveiller.

Ils vivent encore mariés ensemble. »

(Montaigne, *Essais*, livre II, chapitre 2,
« De l'ivrognerie »)

Glouglous

« L'estanco du père Dubreuil avait un comptoir qui se dressait, paraît-il, à la limite de Bagnolet et des Lilas, ce qui faisait finement dire au patron, lorsqu'il picolait dans la salle :

— Moi, j'me saoule aux Lilas et j'cuve à Bagnolet. »

(Robert Giraud, *Les Lumières du zinc*)

Me Paul Lombard dit avoir connu un procureur de la République qui buvait tellement qu'il avait été surnommé « l'attorney général ».

Blondin (Antoine), Bukowski (Charles), Paf

Jayer (Henri)

Une signature et une légende. On peut même dire que, depuis qu'il a pris sa retraite — son dernier millésime : 1995 —, il n'a jamais été aussi admiré. Et jamais ses vins n'ont été cotés aussi haut. Dans les ventes aux enchères, les échézeaux et surtout les rares cros parantoux d'Henri Jayer se disputent à des prix équivalents à ceux des romanée-conti et des pétrus. Un magazine anglais d'œnologie l'a élu meilleur vigneron du monde. Un livre lui a été consacré (*Ode aux grands vins de Bourgogne*, de Jacky Rigaux). Un Japonais est venu de Tokyo avec dans ses bagages une bouteille de richebourg 1971 (signée H.J.) qu'il avait dû acheter dans une vente aux enchères, Jayer n'ayant jamais expédié ses vins au Japon. Par admiration pour le Bourguignon, il a partagé avec lui le plaisir de boire cette bouteille… Même dans la Côte de Nuits où il pourrait être jalousé, contesté, Henri Jayer jouit d'une réputation à faire pâlir les tuiles vernissées des Hospices de Beaune.

On imagine ce patriarche et Marcelle, son épouse, dans une vieille maison bourgeoise, avec allée cavalière, cour, gravier, dépendances à colombages, attenante à un vignoble ceint de murs centenaires. Rien de cela : à la périphérie de Vosne-Romanée, sur la route qui mène au bourg, à côté d'autres bâtisses qu'on ne remarque guère, ils habitent une villa qui évoque plus l'expansionnisme urbain que le patrimoine bourguignon. La cave est tout aussi modeste. Elle n'a pas été construite pour épater le chaland, mais pour loger — toujours en fûts neufs taillés dans les chênes de la forêt de Tronçais — les vins d'un petit domaine auquel s'ajoutaient quelques vignes en fermage, entre autres un peu de richebourg.

Les brûlées, les beaux monts, les échézeaux, etc. Mais c'est un autre climat, classé premier cru, le cros parantoux, dont il possède 72 ares — ce qui en représente quand même les trois quarts ! —, qui fut son chef-d'œuvre. Située juste au-dessus de richebourg, la parcelle avait été abandonnée après le phylloxéra, puis plantée de topinambours pendant la Deuxième Guerre mondiale. Henri Jayer a acheté le terrain, l'a défriché et lui a redonné le goût de la vigne et du travail. Le sol, mosaïque de calcaires, était très rétif puisqu'il dut utiliser des explosifs pour y faire les trous destinés à planter les ceps. Le vigneron-artificier se souvient de 400 explosions !

Le mérite d'Henri Jayer est d'avoir été en même temps à contre-courant et à l'avant-garde.

À contre-courant par le refus de la potasse, le rejet des engrais en veux-tu en voilà, le recours aux pesticides seulement lorsqu'il y avait nécessité, le respect du sol et de la vie biologique souterraine, et surtout une volonté inflexible de limiter les rendements.

C'est d'abord à la vigne que se font les bons vins. Le bon vinificateur est d'abord un bon vigneron.

À l'avant-garde aussi, par l'installation d'une table de tri où il éliminait impitoyablement les raisins pas assez mûrs ou touchés par la pourriture. C'est parce qu'il ne hâtait ni ne dénaturait (refus des levures industrielles évidemment) la cuvaison et la vinification, qu'il obtenait des vins d'un rubis chatoyant, aux arômes complexes, aux tanins bien présents mais discrets, longs en bouche, très longs en cave. Il ne collait pas ses vins, il ne les filtrait pas non plus, rites de passage rendus inutiles par l'équilibre et la limpidité de la matière.

Henri Jayer a eu la sagesse de ne retenir des progrès de la science que ce qui lui convenait. Il a toujours considéré que la vinification relève plus de la philosophie que de la science, de la sensibilité que de l'œnologie. Principes à suivre avec modération dans les débuts, car la philosophie n'a jamais refroidi une cuve, ni favorisé les fermentations malolactiques. Michel Platini dit que, lorsque la technique est parfaitement maîtrisée, on peut jouer au football selon son inspiration. Henri Jayer tient le même raisonnement avec le raisin et le vin.

Peu d'hectares, peu de rendement, peu de bouteilles : les vins d'Henri Jayer étaient chers, mais pas du tout à proportion de leur rareté, de leur renommée et de leur excellence. S'il l'avait voulu, il aurait pu doubler le prix des échézeaux et des cros parantoux et tout vendre aux Américains. À chaque restaurant et à chaque particulier il limitait le nombre de bouteilles. Encore fallait-il être des élus. Je l'ai été pendant quinze ans, sans passer par la liste d'attente, grâce à la recommandation explicite de Georges

Dubœuf et implicite de la télévision. Il y avait une erreur à ne pas commettre · sauter une année sous un prétexte fallacieux, en vérité parce que le millésime n'avait pas la réputation du précédent. C'était précisément dans les millésimes difficiles qu'Henri Jayer étonnait le plus. Il disait que c'étaient « des années de vigneron », le savoir-faire faisant la différence.

Il n'était pas recommandé non plus de discuter les prix. Sitôt en main, je considérais le petit bout de papier où il avait inscrit d'une écriture minuscule le nombre de bouteilles, leur appellation et leur prix — trois cartons de douze, parfois, ô chance, quatre ! — comme un privilège qui stimulait en même temps mes papilles et mon carnet de chèques. J'ai connu des amateurs qui n'étaient pas des clients d'Henri Jayer et qui étaient prêts à tout pour le devenir. Cela m'a inspiré une nouvelle intitulée « La liste d'attente » (*Lire*, décembre 1986). Trois assassinats dans trois villes différentes. Le commissaire Guerpillon remarqua que les victimes avaient un point commun : des bouteilles d'Henri Jayer dans leurs caves. Il se rendit à Vosne-Romanée où il fit connaissance d'un vigneron un peu étonné par la mort violente de trois de ses clients. Bien questionné, il livra au commissaire un nom sur la liste d'attente qui, dès le lendemain de chaque meurtre, lui avait téléphoné pour obtenir à l'avenir les bouteilles des défunts…

Chez « Lameloise », à Chagny, au déjeuner offert à Henri Jayer par ses amis pour ses quatre-vingts ans, Pierre Troisgros disait que les grands vignerons ressemblent à leurs vins. C'est particulièrement vrai de l'artisan-star du cros parantoux : un corps bien charpenté, un visage rond et jovial, un accent bourguignon dans lequel résonnent les trois *r* du mot terroir, une conversation où le bon sens du vigneron se marie naturellement à la technicité de l'œnologue, ancien diplômé de l'université de Dijon.

DUBŒUF (GEORGES), DULAC (JULIEN), PINOT NOIR

Jura et Savoie

Le moment est venu d'avouer une infirmité, une disgrâce : je n'aime pas le vin jaune. De loin en loin, j'ai fait des tentatives pour le bien recevoir autant que pour m'en faire accepter. Avec les années, notre goût change, notre curiosité s'aiguise. Peut-être son goût à lui aussi s'est-il modifié ? Mais tous nos rendez-vous ont échoué. Jamais je n'ai pris du plaisir à déguster un château chalon, fût-il d'un millésime de la mémoire franc-comtoise. Cette agressivité butyreuse, ce mélange bizarre d'arômes violents de noix, de raisins en surmaturation, de curry, de champignons… Mais je ne vais pas débiner, dans un *Dictionnaire amoureux*, un vin que j'ai le tort, la cruauté réductrice, j'en conviens, de n'apprécier que dans la sauce d'une poularde ou d'un poulet aux morilles…

Le vin jaune est le vin français le plus vivant puisque aucun autre n'est le sujet d'autant de controverses. Ou on l'exècre ou on l'adore. Et ceux à qui il a l'heur de plaire en deviennent, tant ils sont conquis, des dévots et des missionnaires. Le vin jaune suscite la foi, le prosélytisme. A-t-il une dimension métaphysique qui m'échappe ? Ou plutôt poétique, Jean-Claude

Pirotte s'en étant fait l'enthousiaste « chroniqueur-échanson ». Citons, lisons, cela en vaut la peine :

« Rien, dans l'univers fertile des crus et des climats, rien n'inspire, autant que le château chalon, le sentiment émerveillé du prodige et de la perfection. Que de ce savagnin rebelle et fragile, accroché aux éboulis calcaires et aux pentes de marne bleue du Revermont, tour à tour brûlé de soleil et de gel, durement vendangé au treuil et parfois sous la neige, que de ce cépage unique, dont le jus n'aura cure, à nul moment, au plus obscur des caves, des prescrits orthodoxes de l'œnologie, naisse, on ne saura jamais comment, ce vin si puissant qu'autour de lui tous les autres faiblissent ou s'annulent, voilà bien qui fait s'exclamer l'amateur :

— Décidément la vie mérite d'être vécue, puisque elle a, quelquefois, le *goût de jaune* ! » (*Les Contes bleus du vin*).

Le vin jaune est issu d'un seul cépage : le savagnin. Ce n'est pas mon copain, mais je lui reconnais une personnalité puissante, atypique. C'est un tribun, un fort en gueule, et ceux qui le connaissent bien ajoutent qu'après les six ans et trois mois passés dans les tonneaux à méditer, sans aucun ouillage, son jus développe un discours tout en nuances… Ce n'est pas parce que je ne les saisis pas que je ne range pas le *goût de jaune* parmi les plaisirs gourmands du franc licheur.

Comme Jean-Jacques Rousseau, comme Pasteur, le génie du lieu, je trouve bien de l'agrément aux vins d'Arbois. Issu de cépages régionaux, le trousseau et le poulsard, que les Jurassiens appellent *ploussard*, le rouge se laisse boire avec une traîtresse facilité. Je ne suis pas ennemi du vin de paille, à condition cependant que le poulsard y domine largement le savagnin !

Par un ami de mon père, je fus très tôt initié à la jolie roussette de Savoie et à tous ces blancs ou rouges, nés et élevés en altitude, dont les noms sont comme des promesses de balades sac au dos : apremont, chignin, chignin bergeron (issu, comme l'hermitage, de la roussanne), abymes, ayze, charpignat… Les cépages régionaux sont-ils aussi nombreux qu'autrefois ? Les Savoyards étaient fous de la mondeuse, qui râpait la langue et le gosier. Il me semble que les vignerons lui ont appris à se montrer moins rêche en société, tout en lui conservant ses notes de framboise. Une rouge mondeuse, tirée d'un seau d'eau fraîche, au retour de la balade, quoi de plus revigorant et jouissif ? Ou bien un blanc du Bugey ? Et, si l'on est audacieux, une petite côte du Cerdon ?

Glouglou

Dans une nouvelle intitulée *Le Vin de Paris*, Marcel Aymé imagine un viticulteur d'Arbois, Félicien Guérillot, fils et petit-fils de vignerons, qui n'aime pas le vin, y compris son arbois qui lui arrache grimaces et souffrances. Seule sa femme sait son déshonorant et inavouable secret. Personnage invraisemblable dans une situation absurde : comment son aversion pour le vin peut-elle ne pas être connue de ses amis et voisins, dans un village viticole où les occasions de trinquer sont permanentes ?

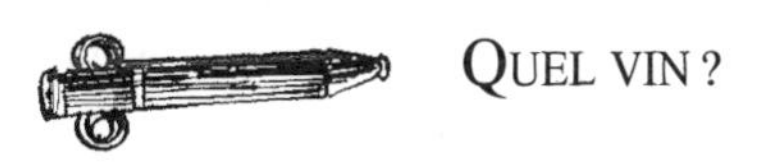

QUEL VIN ?

Jurançon

C'est à l'école communale de mon village que j'entendis parler pour la première fois d'un autre vin que le beaujolais. L'instituteur, monsieur Cazenave, dit « le père Cazenave », dit « Pétrus » (mon copain d'enfance, Paul Geoffray, et moi en avons oublié la raison, mais aucun rapport avec le vin de Pomerol, inconnu de lui et de nous), dit « Ducachecol » (il portait une écharpe en toutes saisons), évoquant le bon roi Henri IV, nous raconta son baptême laïque : une gousse d'ail frottée sur les lèvres et une goutte de jurançon sur la langue. Il a dû ajouter, je suppose, que le jurançon est un vin blanc du sud-ouest de la France. Mais il est peu probable qu'il ait précisé que le vignoble se situe près de Pau et qu'il avoisine d'autres appellations aux noms chantants : irouleguy, côtes-de-béarn, madiran, pacherenc du Vic-Bilh, côtes-de-saint-mont. Nous avions huit ou neuf ans et nous ignorions encore les noms des crus du Beaujolais. Ah, j'allais oublier le tursan — le meilleur est le blanc — dont Michel Guérard, à Eugénie-les-Bains, s'est fait le cuisinier-hôtelier-vigneron.

Au jurançon sec, issu principalement d'un cépage appelé gros manseng, je préfère ô combien le jurançon moelleux que produit, entre autres, le petit manseng. Celui-ci a la peau aussi épaisse qu'un vigneron béarnais. Dans sa solide enveloppe, le raisin peut continuer de mûrir et le jus de se concentrer jusqu'à obtenir une surmaturation appelée passerillage. Les grains ne vieillissant pas au même rythme, il faut donc vendanger plusieurs fois. Autant de « triées » que de passages dans la vigne.

Avant de se fixer dans le Béarn, le gros et le petit mansengs ont-ils bourlingué dans les Tropiques d'où ils auraient rapporté leurs arômes de fruits exotiques ?

Avec sa cédille, le jurançon est un vin qui fournit le tire-bouchon. Le mâcon est moins pratique.

Glouglou

« … Je fis, adolescente, la rencontre d'un prince enflammé, impérieux, traître comme tous les grands séducteurs : le jurançon. Ces six flacons me donnèrent la curiosité de leur pays d'origine plus que n'eût fait un professeur » (Colette, *La Treille muscate*).

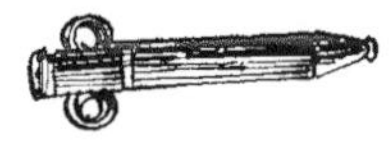

QUINCIÉ-EN-BEAUJOLAIS

Krug

Comme les citroënnistes qui ne conduisent jamais d'autres voitures qu'une Citroën, les krugistes considèrent qu'aucun autre champagne que le Krug n'est digne de leur table et de leur palais. Ils ne vont pas jusqu'à refuser de boire en dehors de chez eux un Pol Roger, un Ruinart ou un Roederer, qu'ils auront la courtoisie de juger excellents. De même les citroënnistes acceptent volontiers de monter dans une Renault ou une Opel quand cela les arrange. Mais les uns sont acquis au Krug avec le même enthousiasme et la même intolérance que les autres à Citroën — ou à Ferrari !

Selon le père Bernard Bro, il ne lui a jamais été servi chez Julien Green d'autre champagne que du Krug. L'écrivain franco-américain était donc un krugiste. Comme Hemingway et Paul Morand, pour s'en tenir aux auteurs qui ont cassé leur flûte. Depuis, même si de tous les champagnes le Krug est, avec le Salon, le plus cher, le cercle de ses adorateurs, célèbres ou inconnus, s'est considérablement agrandi, jusqu'au Japon.

De l'ancêtre Joseph Krug (1800-1866) jusqu'à Henri, le viticulteur, le caviste, l'artisan, et à Rémi, son frère, le négociant, l'ambassadeur, les Krug ont toujours un peu fait bande à part, considérant que la qualité exceptionnelle de leur champagne et sa production limitée méritaient une attention et un prix que leur accordent d'ailleurs la plupart des connaisseurs. Des industriels du champagne ? Sûrement pas. Des artisans ? Ils en revendiquent la méthode et l'esprit. Des artistes ? Ils ne vont pas jusque-là. Pourtant Henri a publié un petit ouvrage intitulé *L'Art d'être Krug*. Il compare la Grande Cuvée à une symphonie et le Clos du Mesnil — une toute petite et admirable production millésimée d'un monocépage — à une sonate. Des artistes contemporains, notamment Jan Voss, ont peint des tableaux où le K de Krug est célébré dans une exubérante modernité. Pour fêter quarante années d'assemblage, de cuvées, de *création*, Rémi a offert à son frère Henri et au Tout-Paris culturel un somptueux dîner (Krug 1988, Krug rosé, Krug collection 1979) à la Cité de la musique. Le repas était précédé d'un récital du violoniste Laurent Korcia et d'une distribution de rafraîchissoirs, *créés* pour l'occasion, à des artistes comme Rostropovitch et Jeanne Moreau, dont Krug honorait ainsi les talents et auxquels Krug adroitement associait le sien.

C'est dire si toute la stratégie de représentation et de commercialisation des deux frères est tournée vers la *création*, les arts et la rareté culturelle. Cela leur vaut des jalousies ou des perfidies. Ils s'en fichent. Le « culte Krug », fondé sur l'excellence de bouteilles atypiques, est une affaire qui pétille.

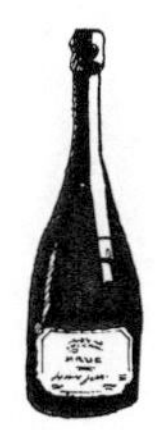

CHAMPAGNE, DOM PÉRIGNON, VEUVE CLICQUOT

Lamartine (Alphonse de)

Plus tourné vers Lyon que vers Dijon, Lamartine est un Bourguignon du Sud. Son nom et son œuvre poétique (en particulier « Milly ou la Terre natale », « La Vigne et la Maison ») sont intimement liés au terroir mâconnais, où il ambitionnait d'être un propriétaire avisé et prospère. Par héritage, il devint le maître de trois châteaux et domaines qui, à partir de Mâcon où il est né en 1790, forment un pèlerinage lamartinien dont François Mitterrand s'était fait le guide.

Il y a Milly — devenu le village de Milly-Lamartine — et Monceau, ses deux demeures préférées, peut-être à cause des dizaines d'hectares de vignes qui en constituaient la richesse, alors que la troisième, Saint-Point, était pour l'essentiel entourée de terres, de prés et de bois, les vignes y étant de moindre qualité et de moindre rapport. Une trentaine de vigneronnages, une générosité naturelle qui lui faisait distribuer les louis d'or, un train de vie dispendieux, pouvaient laisser croire que Lamartine était un aristocrate campagnard opulent. Il n'en était rien. La possession des domaines s'était accompagnée du versement étalé de sommes considérables à ses sœurs et beaux-frères, de rentes viagères servies à des ayants droit et d'emprunts contractés pour payer de nouvelles acquisitions. Ce seigneur voyait toujours plus grand et plus beau. Il aima si passionnément la terre qu'il s'endetta à vie, ses vignes engloutissant ses droits d'auteur. Les mauvaises années, il devait de nouveau emprunter, le plus souvent à des taux usuraires. Il ne se résignait pas à vendre, sinon contraint et forcé, comme en 1860 — il avait soixante-dix ans —, lorsqu'il dut, aux abois comme jamais, désespéré, céder son cher Milly à un riche habitant de Cluny.

La plupart des années, Lamartine ne parvenait pas à vendre la totalité de ses blancs et rouges mâconnais à des prix qui lui auraient permis de rentabiliser l'entretien de ses vignes et la plantation de nouvelles. Espérait-il, comme aujourd'hui les acteurs, les patrons d'entreprise, les chefs étoilés, etc., que son prestige d'écrivain et d'homme politique donnerait à son vin une plus-value que la clientèle n'hésiterait pas à payer ? S'il a compté là-dessus, le marché l'a déçu. De même dut-il convenir que sa tentative d'exporter ses vins en Amérique — avec quelques autres —, par l'intermédiaire d'une société de négoce qu'il avait créée et financée, fut un désastre qui lui coûta très cher.

Mais il en fallait plus pour le décourager. Avec l'opiniâtreté d'un cep clunysien, même à Paris, même en voyage, il s'intéressait de près à l'état de ses vignes et à la vente de ses vins. En témoignent ses lettres, billets et notes à l'intention de son « cher Révillon », intendant de ses domaines viticoles. « Surveillez rigoureusement les ouvrages des vignerons à Milly et à Monceau, passez dans les vignes au moins deux fois la semaine pour voir les travaux des terres à porter, buissons, etc. » À sa sœur Cécile et à ses nièces : « Ceci est une lettre de vigneron. Soignez et pressez mes vendanges dans les trois vignobles. Avancez aux vignerons ce qui leur sera nécessaire pour se procurer du pain l'hiver. Faites-moi encuver en tout dix-huit cents ou deux mille pièces de vin si vous pouvez. »

On sent Lamartine toujours plus préoccupé par le rendement de ses vignes que par la qualité de ses vins.

À qui s'adressait ce billet que j'ai acheté et fait encadrer ? Il est daté d'un 25 février sans précision de l'année.

« Si M. Galichon veut prendre 650 pièces de vins vieux de toutes dates pour la somme ronde de 60 000 f comptant en avril, qu'il me fasse le plaisir de me le dire.

« Cela ne fait qu'un peu plus de 85 f la pièce. J'en refuse un peu plus en ce moment à crédit.

Tout à lui
Lamartine »

Je suis retenu au coin du feu par le rhume. »

Ces quelques lignes appellent quelques observations. Erreur de calcul, la pièce coûterait un peu plus de 92 f à M. Galichon. Lamartine serait ravi de trouver preneur pour son stock de « vins vieux de toutes dates » parce qu'il n'avait pas réussi à les fourguer jeunes. Son continuel besoin d'argent frais le poussait à vendre trop souvent à perte.

« Mes vignes me promettent deux mille pièces de vin, écrit le poète-vigneron à Mme de Girardin, si le bon Dieu, dont j'ai tant besoin, retient ses foudres et ses grêles. »

Glouglou

Curieusement, si la vigne a passionné le propriétaire, elle a peu inspiré le poète. Dans « Milly ou la Terre natale », elle est un élément du décor, sans plus. Dans « La Vigne et la Maison », dialogue de Lamartine avec son âme, elle est plus présente.

Écoute le cri des vendanges
Qui monte du pressoir voisin,
Vois les sentiers rocheux des granges
Rougis par le sang du raisin.

Regarde au pied du toit qui croule :
Voilà, près du figuier séché,
Le cep vivace qui s'enroule
À l'angle du mur ébréché !

On est bien obligé de reconnaître que c'est l'eau (« Le Lac ») qui a inspiré au viticulteur mâconnais son chef-d'œuvre. Le vin n'est pas un liquide romantique.

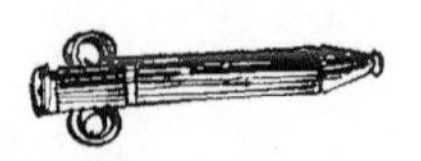

CHARDONNAY, MONTESQUIEU

Languedoc-Roussillon

Des vignobles et leurs vins sont à la mode pendant un certain temps, puis ne le sont plus. Pendant les années 1970, ce fut le Beaujolais. Les rouges de la Loire (Touraine, Anjou, Saumur) prirent le relais. Depuis les années 1990, c'est au tour du Languedoc.

Quel sommelier, quel caviste ne proposent pas d'emblée au client ouvert aux aventures la découverte d'un vin rouge du Languedoc ? Par exemple, c'est à « L'Atelier de Robuchon » que j'ai goûté pour la première fois un Domaine de la Colombette, un athlète qui chantait avec l'accent du pays. Mon invité en avait dans sa cave. Il ne l'a pas reconnu, ce qui est tout à fait excusable dans la fièvre gourmande d'un restaurant pris d'assaut. Ce vin de pays, issu des Coteaux du Libron, ayant reçu l'onction de Robuchon, prit d'un coup une sacrée plus-value dans l'estime et la cave de mon camarade.

C'est tout le Languedoc qui est promu, tiré vers le haut, sans cesse conseillé, recommandé, par les sommeliers parisiens. Cela est mérité. Car le plus vaste et le plus ancien vignoble de France (la Narbonnaise) — s'il continue de produire à tout-va des vins de consommation de moins en moins consommables, parce que le client est de plus en plus éduqué et exigeant — est devenu un concurrent des meilleurs. Non sans un snobisme de chêne neuf, d'œnologue chic, et à des prix qui, ici ou là, ne sont plus raisonnables. Dans le foisonnement des domaines et des appellations, l'argent demandé au client n'est-il pas une autre manière de se distinguer et d'affirmer sa suprématie ? Sans oublier que le retour sur investissement existe dans les entreprises viticoles comme dans les autres.

Il y eut, il y a toujours, une ruée sur des terroirs du Languedoc comme il y eut une ruée sur les rivières du Colorado. Et force est de reconnaître que la plupart des orpailleurs de toutes nationalités et de tout acabit qui se sont lancés, souvent à grands frais, dans une recherche de la singularité (vins de pays d'un ou de plusieurs cépages) et de la qualité ont réussi. De même les viticulteurs qui se sont recentrés sur des vins de cépages des pays d'oc.

Languedoc, « terre de contrastes » (cliché interdit par toutes les écoles de journalisme) : d'un côté, on survit dans la tradition, l'archaïsme, la pléthore ; d'un autre, on vit de mieux en mieux de la transgression, de l'innovation, de la sélection, de l'audace.

Somptueux maury, tendre banyuls : vins de grenache mutés. Le frontignan, cher à Colette, le rivesaltes, le saint-jean-de-minervois : vins doux naturels de muscat. Les papilles de ma jeunesse s'en souviennent. Serait-ce la version Roussillon de la madeleine de Proust ? Autre cliché interdit par les écoles de journalisme.

Loire (Val de)

De tous les vignobles français le plus étiré, le plus divers, le plus original. Comme la Loire en crue, difficile à canaliser ; comme la Loire aux beaux jours, serein, majestueux, serpentin, paisible. Le fleuve est une longue vie tranquille, et les vignes qui s'y succèdent, rassemblées en duchés, en principautés, portent la marque de la douce et vieille France.

Des domaines ont des noms de châteaux : de Fesles, de Suronde, de Vaugaudry, de la Turmelière, des Noyers, etc., mais les somptueux et historiques châteaux de la Loire et de ses affluents : Amboise, Chambord, Chenonceaux, Blois, etc., n'ont ennobli aucune appellation*. Ah, ce ne sont pas les Bordelais, certains appelant châteaux des bicoques, qui auraient laissé sans étiquette de tels monuments, gloire du tourisme et du commerce !

Autre originalité du vignoble du Val de Loire : aucune ville n'en est la capitale. À l'instar du Rhône et des Côtes qui portent son nom, la Loire rassemble et incarne toutes les appellations d'origine — soixante et une — disséminées le long de son cours. Mais, contrairement au Rhône où les grandes villes : Vienne, Valence, Montélimar, Avignon ne prêtent pas leur notoriété aux vignobles qui leur sont proches, en abandonnant la gloire à des communes modestes, la Loire est balisée de quelques métropoles qui s'identifient à leur environnement vinicole : Nantes, Angers, Saumur, Tours.

On peut aussi raconter une remontée de la Loire, de Nantes à Roanne, à travers les cépages qui se sont installés sur ses rives comme autant de tribus : melon de Bourgogne, naturalisé muscadet, gros plant, chenin blanc, cabernet franc, cabernet sauvignon, groslot, chardonnay, sauvignon, malbec, pinot noir, pinot gris, chasselas, gamay… Il est logique que la province élue par les rois de France pour profiter de la douceur de vivre se soit crue encouragée, par imitation de la monarchie, à multiplier les appellations, les titres, les fiefs, les domaines, à préférer, selon son intérêt, l'as-

---

* À l'exception de Cheverny.

semblage ou la famille unique. Les vignobles du Val de Loire sont à l'image des Valois et des Bourbons : de la souche, de la branche, de la descendance, de l'étiquette, de l'embrouillamini, du prestige, de l'excellence, seigneurs et hobereaux mêlés.

J'apprécie particulièrement les seigneurs moelleux, doux, issus de la pourriture… noble. Les grains de chenin blanc exposés au soleil de l'Anjou et aux brumes développées par la confluence du Layon et de la Loire produisent des voluptés qui ont reçu les noms de quarts-de-chaume et bonnezeaux (il paraît que le millésime 1921 portait l'homme le plus retenu soit à la transcendance, soit à l'épectase). Avec les coteaux-du-layon, quand les étés sont indiens, on peut aussi ressentir des chocs.

Le vouvray, blanc préféré de Balzac, est le seigneur de Touraine. Toujours avec le chenin, cépage dont la complaisance touche au miracle, le vouvray s'habille de sec, de demi-sec, de moelleux, de liquoreux, et même de pétillant. C'est selon le sol, l'exposition, l'année, le vigneron, le marché. Demi-sec — mille excuses, seigneur ! —, je vous trouve un peu bâtard, mousseux, un peu bouffon. Je vous préfère dans votre jeunesse sèche, élégante et hautaine, ou, mieux encore, dans les ors éclatants, les arômes hédonistes de votre vieil âge, lorsque vous naquîtes une année de royal soleil, dite année Louis XIV.

Le cépage sauvignon a installé de part et d'autre de la Loire orientale les seigneurs blancs de Sancerre et de Pouilly, aristocrates populaires qui ont mis la cocarde à leur bouchon et qui, loin des châteaux, eussent voté la mort du roi. Pouilly sent même, non pas le roussi, mais le fumé, la pierre à fusil, ce qui lui confère une singularité enviable. Quant à Sancerre, il n'hésite pas à s'afficher avec le dénommé Chavignol, producteur de succulents fromages de chèvre appelés crottins. Sancerre et Pouilly fumé ont été si bien gagnés au partage démocratique qu'ils ont laissé s'établir avec succès, entre Bourges et Vierzon, deux gentilshommes campagnards, eux aussi blancs de pourpoint, Quincy et Reuilly.

À l'autre bout de la Loire, alors que le pays nantais respire déjà l'iode atlantique et préfère imaginer des phares devant lui plutôt que des châteaux derrière, le muscadet répand ses notes citronnées sur la multitude des fruits de mer.

Mais les meilleurs blancs secs de la Loire viennent des terres de René Ier le Bon, duc de Bar, duc de Lorraine, comte de Provence, roi de Naples et surtout duc d'Anjou, qui fut le dernier à régner, avec raffinement, sur un duché encore séparé de la France. Aux moelleux du Layon il pouvait ajouter, encore plus proches de son château, sur la rive droite de la Loire, les secs de Savennières. Il est peu probable que la carte des vins autour d'Angers ressemblât à l'époque à celle d'aujourd'hui. Mais nul ne contestera la très ancienne célébrité des deux grands crus exceptionnels de Savennières : la roche-aux-moines et, surtout, la coulée-de-serrant, qui plaisait tant à Curnonsky qu'il la rangeait parmi les cinq meilleurs vins blancs de France (avec château-chalon, château-grillet, montrachet et yquem).

N'est-il pas normal que la Loire royaliste ait donné à la France plus de seigneurs blancs que de seigneurs rouges ?

Ceux-ci ont élu domicile surtout en Touraine, à Chinon, Bourgueil et Saint-Nicolas-de-Bourgueil, à un trait d'arbalète des châteaux d'Azay-le-Rideau et de Langeais. Saché est à côté. Nous sommes chez Balzac. Nous sommes chez Rabelais. Le vin de Touraine est inséparable du souvenir de ces deux immenses écrivains.

Glouglou

Vouvray l'été
Sage lumière
Poussière du temps
Lente avalanche de tuffeau vers le fleuve pétillant
[de jaune

Vouvray l'automne
Musique rousse
Feux de sorcières sous les fûts
Où notre futur chante et ronronne
L'or du chemin entre en fusion (...)

(Jean-Marie Laclavetine, *Vouvray*)

~~*Glouglou*~~

Le vin d'Anjou coule d'abondance dans *Les Trois Mousquetaires* et dans *Vingt ans après*. C'est le vin français préféré de D'Artagnan. Milady le sait. Elle lui en a envoyé quelques bouteilles au siège de La Rochelle. Elle en espère une vengeance expéditive, car le vin est empoisonné. Un valet qui en a bu une rasade meurt *illico* et sauve la vie de nos quatre héros. Ai-je lu trop vite ? Il ne me semble pas qu'Alexandre Dumas ait jamais précisé si l'anjou des mousquetaires était sec ou moelleux.

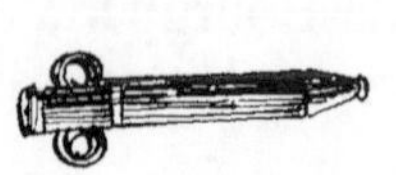

Courier (Paul-Louis)

Mauriac (François)

C'est à l'âge de quarante et un ans que François Mauriac, après des arrangements avec sa famille, est devenu le propriétaire de Malagar (autrefois orthographié Malagarre, puis Malagare). Une robuste et très belle maison du pays de Garonne, qui n'est pas un château mais qui, comme il est admis pour les vins de Bordeaux, le devient sur les étiquettes. Le domaine, situé à 3 kilomètres de Langon, au carrefour des graves, des sauternes, des côtes-de-bordeaux saint-macaire et des sainte-croix-du-mont, produit des premières côtes-de-bordeaux : un rouge, un blanc sec, un rosé et surtout un blanc liquoreux. Le château malagar n'a évidemment pas la réputation de l'un de ses illustres voisins, le château d'yquem. Mais comment expliquer que, du vivant de François Mauriac, je n'aie jamais entendu quiconque, en particulier ses confrères journalistes de *L'Express* et du *Figaro* qui avaient fait le voyage ou qui avaient passé commande, en vanter les mérites ? Leur jugement était-il faussé par la gloire de l'écrivain (on ne veut pas qu'un homme gagne sur tous les tableaux) ?

Dans son *Bloc-notes*, Mauriac célèbre assez souvent le charme de Malagar, en particulier la terrasse qui surplombe une vaste et impressionnante échappée de vignes. Il y est bien, il aime y revenir, notamment à Pâques et à l'automne. Il en apprécie la paix, le silence, même s'il peste contre les « bang » des avions supersoniques. Comme tout propriétaire de vignoble, il craint la grêle et trop de pluie avant les vendanges. « Le vrai est que je ne me sens chez moi qu'à Malagar. » Ah ! l'odeur des sarments qui brûlent dans la cheminée, le chant du rossignol, la brume du matin, le brouillard sur les vignes…

Mais il ne parle pas du travail du viticulteur. Rarement du raisin et des vendanges. Ceci quand même : « Les vendanges ont été courtes cette année. Le vin sera exquis : 23° avant-hier. Mais il n'y en aura guère. Les vendangeurs m'ont offert leur bouquet. Je suis allé les remercier dans la cuisine assombrie où ils mangeaient la dinde » (dimanche 11 octobre 1959). En octobre 1963, il note qu'il entend à travers le mur « le nouveau pressoir ». C'est tout. La vigne langonaise a beaucoup moins inspiré l'écrivain girondin que les pins landais de son enfance, dont les hautes silhouettes et la bruissante compagnie lui paraissaient bien plus romanesques. Le vin de Bordeaux n'est cependant pas absent de ses romans. Voici, par exemple, qui est magnifique : « Les étés d'autrefois brûlent dans les bouteilles d'yquem et les couchants des années finies rougissent le gruaud-larose » (*Le Baiser au lépreux*).

À propos, François Mauriac aimait-il le vin ? En appréciait-il l'exercice de dégustation ? Il l'évoqua si peu qu'on se demande si sa très chrétienne tempérance n'était pas une absence de plaisir d'en boire. Pourtant, comme tous les propriétaires bordelais, il était fier d'avoir son château dans le vignoble le plus célèbre du monde. De là à descendre à la cave, à choisir des bouteilles, à comparer des millésimes… C'est son fils, Claude Mauriac, lui-même sans curiosité pour les vins, qui a vendu la mèche : « Tel de mes oncles (Pierre, surtout), tel et tel de mes cousins Mauriac ont toujours montré beaucoup de dons, d'inspiration et de connaissance en cette si spirituelle matière. Un peu moins mon père, me faut-il avouer ici, au risque de décevoir » (*De l'esprit des vins, Bordeaux*).

Qui reprochera au poète des *Mains jointes* de les avoir souvent dénouées pour tenir un stylo, un livre, un journal, de préférence au verre ?

AUSONE (CHÂTEAU), MONTESQUIEU

Médoc

Le lecteur se reportera à son encyclopédie préférée des vins français pour consulter la liste des vins rouges du Médoc classés en 1855. Il rencontrera, en descendant la rive gauche de l'estuaire de la Gironde, l'appellation margaux, 21 crus classés, dont un premier (château margaux) ; puis saint-julien, 11 crus classés ; pauillac, ensuite, 18 crus classés dont trois premiers crus (château lafite-rothschild, château latour, château mouton rothschild) ; enfin, saint-estèphe, 5 crus classés, et, décalé, en arrière, le haut-médoc, 5 également. Total : 60.

Contrairement à ce que croient les Bordelais, pour un étranger au pays il n'est pas si facile de s'y retrouver, à ces noms de communes prestigieuses s'ajoutant d'autres qui le sont moins, Arsac, Cantenac, Saint-Laurent, Moulis, Saint-Seurin, Labarde, Macau... Ces villages possèdent eux aussi quelques-uns des crus classés de la fameuse liste.

Pour un Français qui a vendangé des vignes de coteaux, de collines et même de montagnes, à qui l'on a toujours dit que, face au soleil, c'est de la pente où le cep s'accroche et lutte que le raisin tire sa légitimité et puise sa substance, il est stupéfiant de découvrir le Médoc. Quoi ! altitude zéro ? morne plaine ? Allons, j'exagère : la commune de Listrac culmine à 43 mètres au-dessus du niveau de la mer ! Vertige assuré. Et, ici ou là, on observe quelques routes et chemins, menant aux châteaux, qui semblent vouloir très légèrement décoller (« grimper » serait un gros mot). Eh bien, oui, le Médoc n'a ni altitude ni pente, et il produit des vins dont la saillante personnalité est inversement proportionnelle à la platitude de sa géographie.

Mais il y a l'eau de la Gironde. L'on dit que « les meilleures vignes regardent la rivière », comme celles de château beychevelle, ainsi appelé parce que les navires baissaient leur voile pour saluer en son château le duc d'Épernon, grand amiral de France. Des histoires de familles et d'invités prestigieux, des anecdotes sur le négoce, des lettres de remerciement de rois, de princes, de présidents, de stars, tous les châteaux en ont la mémoire pleine, documents et photos sous verre, encadrés. Ou dans le coffre.

Il y a aussi l'océan, les courants chauds du Gulf Stream, et une météorologie atlantique ni trop sèche ni trop humide dont le cabernet sauvignon, long à mûrir, s'accommode parfaitement.

Il y a encore les graves, ces dépôts alluviaux qui se seraient détachés des Pyrénées et auraient glissé vers la Gironde, la Dordogne et la Garonne pendant quelques dizaines de millions d'années. Merci aux graves d'être venues, car ce sont elles, mélangées au calcaire, à des petits cailloux, qui laissent filer l'eau quand l'océan prend l'Aquitaine pour son évier. De la pauvreté de son sol tertiaire, le Médoc (et quelques autres vignobles du Bordelais) extrait sa richesse.

Il y a, enfin, l'homogénéité des vins du Médoc et la singularité de chacun. Une même famille, avec des airs différents, des caractères distincts, des comportements qui varient en vieillissant selon la naissance et l'éducation de chacun. Voilà pourquoi des passionnés de vins du Médoc débattent à l'infini des mérites des margaux comparés aux vertus des pauillacs, préfèrent ou non les saint-juliens aux saint-estèphes, s'amourachent d'un cinquième cru ou même d'un cru bourgeois, et veulent lui donner la place d'un second cru dont ils se sont dépris avec un ressentiment qui n'a d'égal que la ferveur qu'ils ont pour leur nouveau favori.

Au-delà du plaisir de déguster et de comparer, comme il est amusant de se donner l'illusion de bousculer la hiérarchie sociale des châteaux !

Glouglou

Il n'existe aucune obligation dans le Médoc à boire du « classé » ! À des prix non tanniques on dénichera des châteaux citoyens, comme le château moulin-de-la-rose (qui dit mieux ?), un saint-julien signalé par

Guy Renvoisé dans l'un de ses livres. J'ai eu la chance, un jour, d'en découvrir le nom sur une carte de restaurant.

BOURGEOIS, CLASSEMENT DE 1855

Mérite agricole

De toutes les décorations généreusement distribuées par la République française, le Mérite agricole est la plus recherchée. Surtout par ceux qui, n'ayant jamais mis la main à la croupe d'un cheval ou au cul d'une vache, ou ignorant la signification du verbe « ouiller » ou du substantif « millerandage », ne le méritent pas. Jeunes journalistes, nous avions été convaincus par un professeur du CFJ (Centre de formation des journalistes) que notre liberté d'expression, s'exercerait-elle dans des rubriques très modestes ou dans des journaux lus par leurs seuls rédacteurs et leurs familles, ne saurait s'accommoder, tant que nous étions en activité, de la Légion d'honneur. On pourrait prétendre aux autres hochets à condition d'en être parfaitement indignes.

Au *Figaro littéraire* des années 1960, nous entreprîmes de démontrer cette proposition irrespectueuse et inoffensive. Je n'avais pas trente ans et mes camarades me feraient obtenir le Mérite agricole, tandis que je m'emploierais à orner la boutonnière du maire de Quincié-en-Beaujolais du ruban des Arts et Lettres. Nous procéderions à une remise commune, le viticulteur et le courriériste littéraire sur la même tribune, devant leurs amis, celui-ci recevant la médaille logiquement destinée à celui-là, et inversement.

Mon Mérite agricole ne fut qu'une formalité. Je crus pourtant l'affaire mal embarquée quand je dus remplir une demande dans laquelle on me questionnait sur le nombre de têtes de bétail en ma possession et la superficie de mon exploitation. Je répondis sans barguigner : 1 (un chat) et 250 m^2 (jardin de banlieue). Le ministre de l'Agriculture, Edgar Faure, et son directeur de cabinet, Jean Pinchon, cultivaient l'humour : je fus reçu.

Du côté du ministère de l'autre culture, celle des Arts et Lettres, ce fut une tout autre chanson. Nous rédigeâmes un opuscule pour vanter l'action continue, énergique et ancienne de M. Georges Lavarenne, maire de Quincié, en faveur de la bibliothèque et de la fanfare municipales, pour souligner combien ce viticulteur discret aimait les livres et favorisait les travaux des chercheurs sur l'histoire de sa commune et du canton de Beaujeu, pour enfin se réjouir du retentissement que cette décoration, inattendue mais tellement méritée, ne manquerait pas d'avoir dans un monde viticole où chacun aspirait à s'ouvrir à d'autres cultures que celle du vin, mais où l'esprit ne recevait de Paris et de la tutelle culturelle que peu de signes d'encouragement. Habile, non ? Hélas ! André

Malraux, son directeur et ses chefs de cabinet étaient sérieux comme les œuvres de Malebranche dans la « Pléiade ». Une enquête fut diligentée qui conclut ceci : le viticulteur Georges Lavarenne était plus apte à recevoir le Mérite agricole que les Arts et Lettres !

L'intéressé, moi et mes camarades du *Figaro littéraire* avons été très déçus. Nous ne manquions aucune occasion de festoyer, de vider des bouteilles, et cette double remise de médailles usurpées eût été un grand moment de liesse amicale et bachique. Nous avons été si désappointés par l'échec de notre entourloupe que nous n'avons pas arrosé mon Mérite agricole. Il ne m'a jamais été remis.

QUINCIÉ-EN-BEAUJOLAIS, TASTEVIN (COMPAGNIE DES CHEVALIERS DU)

Messe (vin de)

Une nouvelle fois, hélas ! nous nous demandons : quel vin ? Quel vin contenait la coupe de Jésus sur la table de la Cène ? Était-ce du blanc ou du rouge qu'il changea métaphoriquement en son sang, comme il changea le pain en son corps ? Sur trois évangélistes (le quatrième, Jean, n'évoque pas le repas du jeudi saint), pas un pour préciser la couleur du vin qui subit la transsubstantiation. Nuls ! Quelques historiens et exégètes ont cherché à déchiffrer l'énigme. Sans succès.

Par sa couleur, le vin rouge a une évidente légitimité à se substituer au sang. Rouge sang, rouge bordeaux… Visage sanguin, orange sanguine… L'Eucharistie est un mystère beau et opaque dont la seule logique profane est l'identification du sang au vin rouge. Patatras ! Chez les catholiques, le vin de messe est du blanc (du rouge chez les orthodoxes, l'Église byzantine étant plus… cartésienne ?). Mais le prêtre, s'il tient au vin rouge pour des raisons de commodité, de goût, de santé, ne commet ni faute ni péché.

Curieusement, le droit canon ne dit rien de la couleur du vin, alors qu'il précise qu'il doit être fait « avec du raisin mûr et fermenté », que « l'ébullition ne remplace pas la fermentation ». On appréciera l'obligation pour le prêtre de communier avec un vin correct. « Lorsque le vin est aigre ou corrompu, il est matière invalide ; s'il commence à aigrir ou à se corrompre, il est matière illicite. » Il n'est donc pas interdit, bien au contraire, de choisir pour vin de messe un AOC, et même un grand cru. Le cardinal de Bernis ne s'en était pas privé. Comme on lui demandait pourquoi il utilisait un très bon meursault, il répondit : « C'est que je ne veux pas que mon Créateur me voie faire la grimace au moment de la communion. »

C'est pour des raisons d'intendance, de sacristie, que, à partir du XVIe siècle, le vin rouge a été progressivement abandonné au profit du blanc. Le rouge tache, comme on sait, même le linge sacré. Ses traces sont voyantes, peu compatibles avec la dignité de l'office, alors que les traces du blanc sont discrètes. Le pragmatisme l'a emporté sur le symbolisme, le confort sur la lessive. C'est aussi pour des raisons pratiques que la communion des fidèles sous l'espèce du vin n'a pas été conservée.

Pendant la Deuxième Guerre mondiale, enfant de chœur à l'église de Quincié, j'eus souvent la responsabilité, avant de servir la messe, de remplir les burettes, l'une d'eau, l'autre de vin. En ce temps-là, le Beaujolais ne produisait que du rouge (la production de blanc sec reste aujourd'hui très minoritaire, mais elle progresse). Je me rappelle que le curé, s'il lui arrivait d'employer aussi du rouge, avait à sa disposition des bouteilles de vin blanc qui lui étaient fournies par des vignerons, ou par leurs femmes, paroissiens assidus de l'office du dimanche. C'était un blanc doux fait à partir des raisins oubliés par les vendangeurs ou laissés sur les ceps parce que pas assez mûrs au moment de la cueillette. On appelle cette seconde récolte les « grisemottes ». Elle donnait peu, mais suffisamment pour remplir un quartaut d'un vin atypique réservé à la consommation domestique, en particulier lors des veillées. Les femmes s'en régalaient en tricotant pendant que les hommes, plutôt buveurs de rouge, jouaient à la belote. Je parle au passé parce que les veillées n'existent plus, ni ce petit vin blanc, ni même les grisemottes, sauf les très rares années déficitaires en vendanges, par exemple 2003.

L'eau dans l'autre burette a deux fonctions : purifier les mains du célébrant et couper le vin. Couper ? Tout au plus lui ajouter une ou deux gouttes d'eau avant qu'il soit consacré. Le droit canon l'exige : « La quantité d'eau mêlée au vin doit être très petite, d'après le Concile de Florence (…). Très petite quantité signifie que la nature du vin ne doit pas être altérée, ce qui dépend évidemment de la qualité du vin employé. Quelques gouttes d'eau suffisent. »

Je pense que cette addition d'eau au vin, si courte soit-elle, est un héritage de la civilisation méditerranéenne. Sauf à vouloir passer pour un barbare ou un plouc, il était obligatoire dans l'Empire romain de couper le vin. Dans les rites orientaux de la chrétienté, l'ajout d'eau au vin de la communion est d'ailleurs plus considérable, un tiers chez les coptes.

Habilement, l'Église catholique a conservé ces quelques gouttes d'eau pour leur donner une signification symbolique . elles représentent l'humanité mêlée au sang du Christ.

DIEUX ET LE VIN (LES), EAU, QUEL VIN ?, SAINT-VINCENT

Meursault (Paulée de)

Je ne connais pas de lauréat de la Paulée de Meursault qui n'en évoque la journée avec une nostalgique gaieté. Les 100 bouteilles offertes en prolongent les plaisirs au domicile de l'écrivain choisi. Mais c'est du déjeuner de 600 couverts, servi dans la cuverie du château de Meursault, que l'on garde le souvenir le plus entêtant et le plus reconnaissant.

Car pour une fête, c'en est une ! Bachique, bourguignonne, bonhomme. Avec à la fois du faste et de la ruralité. Un festin de congratulations, de dégustations et de jubilation. Chaque vigneron de Meursault apporte quelques-unes de ses meilleures bouteilles, de millésimes différents. Elles sont toutes bues pendant le repas. Le lauréat est de tous les convives celui qui est le plus sollicité pour goûter les meursaults blancs et rouges, ainsi que d'autres crus de Bourgogne dont les vignerons sont les plus fiers. S'y soustraire serait choquant, presque indigne. C'est ainsi que, heureux lauréat de la Paulée de 1994 — le menu comporte des pages blanches où chacun peut prendre des notes —, je goûtai 62 vins. Le déjeuner, il est vrai, est bon et copieux, suffisamment long pour que chacun reprenne faim et soif, ou plutôt pour qu'il recharge sa petite machine intérieure à créer des envies.

Il y eut successivement des foies gras d'oie et de canard, un bar en croûte au vin de Meursault, un gâteau de caille de la Dombes et un filet de lièvre. Fromages, desserts… Retrouvant mes notes, j'ai particulièrement apprécié un meursault-genevrières 1990 aux reflets verts, aux arômes de fleurs blanches, un meursault générique de la même année qui avait un goût très prononcé de noisette, un meursault-charmes 1978, « la volupté même », un autre charmes, de 1971 (j'ai marqué que j'en ai bu une seconde gorgée !), un bonnes-mares 1983 (« une consolation pour le lièvre d'être si bien accompagné à ses obsèques »), un meursault 1964 (avec le dessert ?), jugé « tendre, suave », puis deux ou trois mots illisibles… Le plus souvent, faute de temps, je me suis contenté, après chaque vin, d'ajouter une barre dans une colonne… Tout cela en chansons, en conversant avec mes voisins, les élus de la commune et leurs épouses, en signant des menus.

Après le repas, la tête chaude mais aussi droit sur mes jambes que le clocher gothique de l'église romane de Meursault, je tenais une forme olympique. Je n'ai pas vu un seul convive sortir vacillant du château. Les vins médiocres rendent le genou mou et la langue pâteuse ; les très bons vins favorisent l'articulation des os et des mots. Comme chaque année, cinq propriétaires murisaltiens avaient ouvert leurs caves pour des dégustations de fin de Paulée, histoire de ne pas se séparer trop vite. Sauf à décevoir cruellement le généreux indigène, le lauréat ne peut pas échapper à ces descentes d'escalier et de pipette. J'en fis deux ou trois, notamment à la cave de Geneviève Michelot, donatrice des 100 délicieuses bouteilles 1992 étiquetées à mon nom. Je dormis ensuite comme un loir dans un silo à blé.

Ainsi se terminait la troisième Glorieuse 1994. Question : qu'est-ce que les Trois Glorieuses ?

La Paulée — traditionnellement, repas de fin de vendanges — a lieu tous les ans, à Meursault, le troisième lundi de novembre. La veille, le dimanche après-midi, s'est déroulée, à Beaune, la vente aux enchères des vins des Hospices. Enfin, le samedi soir, au château de Clos de Vougeot, s'est tenu un chapitre de la Confrérie des Chevaliers du Tastevin, chapitre dit des « Trois Glorieuses ». Parce que sont ainsi nommées ces trois journées successives où la Bourgogne fait la fête et du commerce.

On appelle aussi les « Trois Glorieuses » les journées révolutionnaires des 27, 28 et 29 juillet 1830. Deux réponses pour la même question. Les professeurs d'histoire des lycées de Dijon et de Beaune admettent-ils l'une ou l'autre réponse ? Avec un bonus pour les deux ?

Glouglou

Il est bien normal que les écrivains bourguignons soient nombreux à figurer, depuis 1932, au palmarès de la Paulée de Meursault. Entre autres, le classique auteur de l'*Histoire de la campagne française*,

Gaston Roupnel (1933), l'érudit et philosophe du vin Raymond Dumay (1950), bien sûr, Colette (1951), la poétesse Marie Noël (1958), Jacques de Lacretelle (1961), le cher Henri Vincenot (1977). Bernard Clavel (1992) est un voisin de Franche-Comté.

Moi qui suis lyonnais, donc un gone, j'ai justifié toutes les récompenses et douceurs que la Bourgogne m'a prodiguées en déclarant que je suis un « bourgone ».

Albert Camus est absent du palmarès quoiqu'il ait donné le nom de Meursault au narrateur de son roman le plus lu, *L'Étranger*. C'est, je suppose, parce que le jury a jugé incompatible la mortifère insensibilité du personnage avec la joyeuse tonicité du vin.

Dans une première version, intitulée *La Mort heureuse*, Camus avait choisi le nom de Mersault. Selon André Abbou, qui a annoté l'édition de *L'Étranger* dans la « Pléiade », il aurait opté pour Meursault parce qu'il avait lu, dans *L'Écho d'Alger* du 2 novembre 1937, qu'un prix littéraire récompensait son lauréat de « 3 000 bouteilles de vin de Meursault » et que cette annonce avait peut-être suscité la « verve sarcastique » de Camus. Du meursault bourguignon ? C'était probablement un vin blanc algérien qui s'était indûment approprié le nom.

Marie Noël, poétesse auxerroise et chrétienne — elle comptait beaucoup de lecteurs incroyants —, n'avait pu se déplacer, en raison de son âge et de sa santé, pour recevoir l'hommage des Murisaltiens. Dans son discours de remerciement, qui fut donc lu, elle disait ceci, qui est très beau et témoigne d'une viticulture d'un autre âge :

« Depuis que ma géniale payse, la grande Colette, n'est plus, où trouverez-vous une fille qui sache comme je le sais d'enfance ce qu'étaient “sombrer” une vigne, la “rueller”, la “biner”, l'“écouler”… l'“essoumacer”… — mais je m'exprime ici en “pelonne” auxerroise et peut-être, vous de la Côte, n'entendez-vous guère mon patois —, où trouverez-vous, je le répète, une fille plus mêlée, dès son petit âge, aux secrets et peines du “métier de galère”, qui ait en souci plus que moi de la gelée de mai, du ver, de la chenille, qui, avec plus d'inquiétude, ait entendu, venant Pentecôte, signaler la mystérieuse offensive de l'un ou l'autre des deux monstres d'été, Oïdium ou Mildiou ; une fillette plus capable, en se promenant dans les perchées, de reconnaître avec effroi, à telles sinistres feuilles jaunes, la présence, aux racines du cep, de l'abominable phylloxéra ?

J'étais, au temps de ce fléau, une toute jeune vendangeuse. »

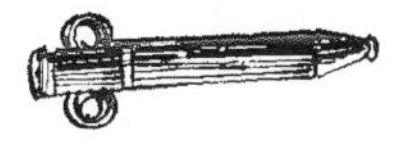

DÉGUSTATION, SAINT-VINCENT, TASTEVIN (CONFRÉRIE DES CHEVALIERS DU)

Millésime

Une inscription sur une amphore romaine, traduite par les archéo-œnologues, atteste que 182 avant J.-C. est le plus ancien millésime répertorié. Selon Pline l'Ancien, le meilleur millésime de toute l'Antiquité est le 121 avant J.-C. Mais le 102 n'était pas mal non plus, surtout le falerne, qu'on laissait vieillir une bonne vingtaine d'années. Grecs et Romains considéraient que les meilleurs crus, comme les vins de Sorrente, de Chio et de Lesbos, devaient patienter dix à vingt-cinq ans avant d'être jugés dignes de la table des puissants et des riches. Des amphores contenant des vins d'un siècle et plus ont été ouvertes par des « collectionneurs » d'Athènes et de Rome, mais ils ne nous ont pas laissé leurs notes de dégustation.

Si le vin figure dans les *Lieux de mémoire*, exploration savante de l'héritage culturel des Français dirigée par Pierre Nora, il le doit beaucoup aux millésimes qui constituent des repères de son histoire, de son évolution, de son inconstance, de sa popularité. Les grands millésimes sont des batailles gagnées contre le ciel. On n'en finit jamais de les citer. De s'y référer. Et de les commenter, puisque le vin de ces glorieuses bouteilles change très lentement, s'épanouit, culmine en beauté et en saveur à une époque incertaine, plus ou moins longue, puis décline comme tout corps vivant ici-bas. Même très anciennes et devenues, sinon imbuvables, du moins décevantes, ou d'une tout autre nature, comparées à ce qu'elles furent, les grandes bouteilles des millésimes exceptionnels restent des œuvres d'art. Des pièces de collection. Des acteurs-témoins de la séculaire mémoire du vin. Des objets de spéculation. Presque des reliques patriotiques. On achète aux enchères une bouteille d'un premier grand cru du Médoc, millésime 1928, comme s'il s'agissait d'un manuscrit de Marcel Proust ou du képi du général de Gaulle. En 1989, année du bicentenaire de la Révolution française, une bouteille de château margaux de 1787, ayant appartenu à Thomas Jefferson, a été adjugée à un prix extravagant. « À ce niveau de symbolique, écrit Georges Durand, auteur du texte sur le vin dans *Les Lieux de mémoire*, le vin est devenu mémoire, mais est-il encore du vin ? »

1630 fut un grand millésime parce que, cette année-là, une comète traversa le ciel et que la vigne produisit du raisin en abondance. À cette époque, une année était considérée comme miraculeuse quand elle donnait beaucoup. En 1811, le vin de la comète se révéla exceptionnel en quantité et en qualité. « Vous monterez une fiole de mon pommard de 1811... Année de la Comète, monsieur le duc ! Quinze francs la bouteille ! Le roi n'en boit pas de meilleur ! » (Émile Augier, *Le Gendre de Monsieur Poirier*). Pour son bouzy, Madame Veuve Clicquot fit faire une étiquette spéciale : « Vin de Bouzy 1811 de la Comète ». Moët et Chandon et d'autres maisons de Champagne utilisèrent le même argument de vente. C'est cette étoile de 1811 qui a subsisté sur certaines étiquettes, notamment de Dom Pérignon.

La superstition triompha de nouveau en 1893, surtout dans le Bordelais, où les vendanges furent très précoces, à la mi-août, abondantes et grosses d'un fameux millésime. François Mauriac évoque quelque part « la perfection de ce léoville 1893 ».

Les grands millésimes du XXe siècle doivent peu aux étoiles, puisque le passage de la comète de Halley, en 1910 et 1986, n'a pas provoqué de récoltes miraculeuses (encore que les médocs 1986 jouissent d'une cote flatteuse). Comme leurs prédécesseurs du XIXe siècle, les grands millésimes du XXe sont le produit du génie du terroir et de la pertinence du climat, qui assure ou non le bon déroulement du cycle végétatif de la vigne. Enfin, ils dépendent du travail du viticulteur, de la taille à la mise en bouteilles en passant, heure suprême, par la vinification, exercice délicat où la science et la technique permettent de plus en plus de faire le vin dont l'œnologue a le projet et de moins en moins le vin dont le vigneron aurait eu l'intuition. En tout cas, pas de vendanges somptueuses sans un soleil royal en août et, surtout, en septembre, quand il oblige les coupeurs à porter tous les jours des chapeaux.

Au Loto des millésimes exceptionnels du siècle dernier (accordons-nous douze chiffres puisque le vrai Loto en tire six sur quarante-neuf), il fallait jouer : 21, 28, 29, 34, 45, 47, 59, 61, 89, 90, 96, 2000. Chiffres complémentaires : 11, 66, 78, 83, 85, 88, 95. Si la plupart des millésimes recueillent l'adhésion des experts, d'autres sont contestables, selon qu'on est bordeaux, bourgogne, champagne, côtes-du-rhône, etc. Le ciel ne répand pas uniformément ses bienfaits. J'ai retenu les années où la majorité des vignobles français se sont illustrés. Impossible de faire figurer dans ce classement, par exemple, les années 70 et 75, navrantes pour les bourgognes, ou 97, qui n'a fastueusement honoré que les vins de Loire

Des maisons de négoce, comme le Savour Club, éditent des cartes de millésimes bien utiles pour l'amateur. Une note est attribuée à chaque grande aire de production pour chaque année. La confrontation des cartes, fatalement subjectives, alimente des conversations passionnées. Ma confiance très ancienne dans la carte des millésimes établie par Jean-Claude Vrinat, directeur du restaurant « Taillevent » et fondateur de la cave du même nom, n'a jamais été trompée, même si je lui reproche d'avoir viré le beaujolais au profit des vins du Languedoc et de Provence. Une ligne de plus, ce n'était pas une affaire ! Il n'a jamais attribué pendant le XXe siècle un 19 (sur 20) au bourgogne rouge et au bourgogne blanc, honneur suprême rendu au moins une fois, depuis 1945, aux autres grands vignobles. Ce 19, le bourgogne rouge a attendu 2002 pour l'avoir. Mais était-ce cette année-là qu'il le méritait le plus ?

Glouglou

Le vin inspire beaucoup de marottes, de destinées singulières. Ainsi François Audouze, qui a la passion coûteuse des vieux millésimes. Au cours de dîners conçus spécialement par des chefs talentueux, lui et les membres de son club ouvrent des bouteilles anciennes, le plus souvent achetées dans des ventes aux enchères. Il fait ensuite le commentaire de ses dégustations et expériences dans un bulletin envoyé aux habitués de ses *wine dinners*. À l'ouverture de chaque bouteille on devine, à travers son texte, qu'il retient sa respiration, qu'il est en attente d'un miracle, d'un plaisir arraché au temps, du dernier souffle troublant de la diva, d'une saveur à nulle autre pareille. D'un château rayne-vigneau, sauternes de 1880, François Audouze écrit : « La couleur est très foncée, le liquide est bien fluide. Le nez est puissant, de bel agrume. En bouche, c'est un sauternes qui a mangé son sucre, influence sans doute d'un botrytis faible. Le vin est donc presque sec, ce

qui n'altère en rien son pouvoir d'évocation. Il raconte des milliers d'histoires de fruits exotiques, d'îles inviolées. Ce vin est magique, à la longueur immense, dessert à lui seul… » L'imagination a pris le relais de l'examen.

De chaque grande et vieille bouteille défunte, François Audouze se fait le Bossuet.

AUSONE (CHÂTEAU), DÉGUSTATION

Moines-viticulteurs

Qui, des bénédictins ou des cisterciens, furent les meilleurs vignerons ? À qui Dieu a-t-il confié, là-haut, pour les récompenser de leurs travaux viticoles sur terre, les coteaux les mieux exposés au soleil éternel ? Si j'avais été moine-viticulteur au Moyen Âge, et même avant ou après, aurais-je, pour l'excellence de leurs vins, préféré, sous le haut patronage de saint Benoît, que mon bras trimât pour Cluny (bénédictins) ou pour Cîteaux (cisterciens) ?

S'il est notoire que saint Bernard imposa aux cisterciens des règles de vie autrement plus rudes que celles des bénédictins, que ses monastères, par leur dépouillement et leur austérité, rappelaient aux moines que leur passage ici-bas tient plus de la piquette que du premier cru, il n'interdit ni la vigne ni le vin. Tout sévère qu'il était, saint Bernard savait bien que l'homme ne vit pas seulement de prières et que le vin est une composante de la christologie. Mais c'est à lui qu'on doit probablement l'invention du conseil qui désormais n'est pas destiné qu'aux moines : *moderate bibendum est* (à consommer avec modération).

Selon les experts, nous serions très déçus par les vins qui sortaient des chais des monastères, même ceux considérés à l'époque comme les meilleurs. On estime, par exemple, que les bourgognes rouges etaient pâles, proches de ce que nous appelons aujourd'hui les rosés. Des clairets, en quelque sorte. Et c'est par charité chrétienne que je ne m'étendrai pas sur la nécessité pour les moines-viticulteurs installés dans des régions « défavorisées », comme la Normandie, d'aromatiser les vins avec des herbes, des fruits, du miel, ou de les adoucir avec du lait, ou de les vivifier avec du sang de brebis.

Nos goûts ne sont plus les leurs ; notre science et notre art œnologiques sont sans rapport avec leur artisanat élémentaire ; nous exigeons du vin qu'il soit beaucoup plus qu'une agréable boisson désaltérante ou enivrante. Et pourtant tous ces moines — et pas seulement les bénédictins et les cisterciens, mais aussi les chartreux et, plus modestement, les dominicains, les carmes, les franciscains — ont développé la vigne en Europe et ont été, dans le même mouvement, les propagateurs de la foi et du vin.

Entre prime et vêpres (autrefois, le soir), ils cultivaient la vigne et élevaient le vin en même temps que leur âme. Professionnels de l'hospitalité, ils savaient que la générosité de leurs visiteurs serait d'autant plus marquée que le vin qu'ils leur proposeraient serait excellent. Au Moyen Âge, tout monastère s'entourait de vignes. C'est la principale explication de la présence de vignobles sur des terres, comme l'Angleterre, le nord-ouest de la France, qui n'étaient pas faites pour ça. La bistrouille était-elle un autre moyen de gagner des indulgences ?

Mais, en règle générale, partout où les moines produisaient du vin, il était jugé le meilleur (selon les critères de l'époque). Parmi eux, beaucoup d'hommes de science qui, tel dom Pérignon, inventèrent des techniques pour améliorer la vinification et la conservation de leur production, laquelle était de surcroît bénie du Ciel. Dans la réputation des abbayes entraient autant la qualité de leur vin que la beauté de leur architecture et la piété de leur communauté. Tout cela ne pouvait être surpassé, pour la publicité du monastère, que par un miracle qui, alors, attirait des foules considérables.

Il arrivait que le moine abusât du produit de son travail. Abondante est l'iconographie qui représente des frères rondouillards, au visage rubicond, à cheval sur des tonneaux ou attablés gaiement, la débauche dans l'œil, devant des pichets et des verres qu'une Jeanneton remplit en tenant de son autre main ses jupes relevées.

Le moine franc licheur, videur de barriques, engloutisseur de muids, toujours prêt à lever le coude, serait-ce pour la plus grande gloire de Dieu, est une figure traditionnelle de la littérature gaillarde ou polissonne. Le plus populaire : frère Tuck, ami de Robin des Bois ; le plus joyeux, le père Gaucher, si gai qu'Alphonse Daudet et le prieur le dispensèrent de la messe pour qu'il n'y entonnât point des chants bachiques ; le plus soiffard, le moine des *Contes de Canterbury*, de Chaucer. Et le plus célèbre de tous, le frère Jean des Entommeures, comme Gargantua et Pantagruel lancé par Rabelais à la conquête de la Dive Bouteille, et dont voici le portrait.

« En l'abbaye estoit pour lors un moine claustrier (*du cloître*), nommé Frère Jean des Entommeures, jeune, guallant, frisque (*pimpant*), de hayt (*joyeux*), bien à dextre (*adroit*), hardy, adventureux, deliberé, hault, maigre, bien fendu de gueule (*fort en gueule*), bien advantaigé en nez, beau despescheur d'heures (*très rapide, expéditif*), beau desbrideur de messes, beau descroteur de vigiles, pour tout dire sommairement vray moyne si onques en feut depuys que le monde moynant moyna de moynerie ; au reste clerc jusques es dents en matiere de breviaire » (*Gargantua*, chapitre XXVII, édition de Pierre Michel, « Folio »).

Sitôt présenté au lecteur, frère Jean interrompt *le service divin* pour se mettre *au service du vin* et anéantir sans pitié la bande d'ennemis qui vendangeaient les vignes du clos de l'abbaye de Seuillé.

Les moines avinés et paillards forment procession dans les écrits libertins, révolutionnaires et anarchistes, ainsi que dans les dessins et libelles antireligieux. Question œnolo-métaphysique : pourquoi n'ont-ils jamais le vin triste ?

Un sociologue dirait froidement que le nombre de moines alcooliques fut proportionnel, à toutes les époques, au nombre de gens de robe et d'épée pris de boisson. Un moraliste ajouterait qu'ils sont plus excusables, étant pour la plupart en contact permanent avec la tentation que leurs travaux et leurs soins avaient pour effet de rendre plus désirable encore. Un mauvais historien — parce que sans preuves —, mais psychologue avisé, achèverait ce chapitre des moines à la trogne enluminée en affirmant qu'ils furent plus nombreux chez les bénédictins que chez les cisterciens, dont l'ordre fut justement créé par réaction contre la décadente volupté des premiers.

Si on ne peut dire qui, des bénédictins ou des cisterciens, firent les meilleurs vins, le nombre et l'emplacement de leurs vignobles permettent d'établir une comparaison, voire de revenir sur une compétition géographique qui dut parfois être endiablée.

Les deux ordres ont planté des vignes dans toute l'Europe, notamment en Suisse, en Allemagne et en Espagne. C'est en France qu'ils se sont le plus déployés et qu'ils ont le plus prospéré. On les rencontre peu dans le Bordelais, davantage dans le Sud-Est, la vallée du Rhône et la Loire (muscadet et pouilly-fumé aux bénédictins, sancerre et quincy aux cisterciens). Ils sont omniprésents dans la Bourgogne, avec un net avantage aux bénédictins, premiers arrivés, première corporation de moines-viticulteurs. Ils possédaient, outre le Mâconnais autour de Cluny, les vignes de Vosne-Romanée — y compris ce qui deviendra beaucoup plus tard la Romanée-Conti —, Pommard, Gevrey, Corton, Savigny, le Clos de Bèze, Santenay, etc. L'historien anglais Desmond Seward dresse une liste impressionnante de villages et de crus bourguignons sanctifiés par le travail des bénédictins. Mais les cisterciens ne se sont pas mal débrouillés non plus. Qu'on en juge : Chablis, Meursault, Musigny, Clos de Tart, Bonnes Mares, et surtout le domaine de Clos de Vougeot ! Une place de frère convers dans ce vignoble qui, au Moyen Âge, était le plus réputé de toute la Bourgogne, ne m'aurait pas déplu.

Mais, si on ajoute aux bénédictins leur jardin, leur monopole, leur chef-d'œuvre, c'est-à-dire la Champagne, plus le vin jaune, né du génie viticole des moniales bénédictines de Château-Chalon, nous pensons être justes en accordant un triple ban bourguignon aux cisterciens et un quadruple aux bénédictins.

Glouglous

Texte d'un exorcisme du XVIe siècle, en Bourgogne :

« Armé du bouclier de la Foi et du pouvoir de la Sainte Croix, je somme une fois, deux fois, trois fois, tous les insectes et tous les vers nuisibles au fruit de la vigne de cesser immédiatement leurs ravages, consommation, destruction et démolition des rameaux, des bourgeons et des fruits, d'abandonner à l'instant leur pouvoir et de se retirer dans la profondeur des forêts, où ils ne sauraient nuire aux vignes des fidèles » (Cité par Desmond Seward, *Les Moines et le Vin*).

Son confesseur lui racontant des billevesées, la Princesse Palatine lui a ri au nez et lui a dit : « Mon père, tenez ces discours dans vostre couvent à vos moines qui ne voyent le monde que par le trou d'une bouteille » (*Lettres*, 26 février 1719).

DOM PÉRIGNON

Montesquieu

Charles-Louis de Secondat, baron de Montesquieu et La Brède, seigneur de Raymond, Goulard, Bisqueytan et autres lieux, est évidemment plus célèbre pour avoir écrit, entre autres, *Lettres persanes* et *De l'esprit des lois*, que pour sa production annuelle de vins de Bordeaux. Mais il est avéré qu'il vécut pour l'essentiel des revenus de ses propriétés viticoles, qu'il en retira une grande liberté dans la conduite de sa pensée et de sa vie, et qu'il manifesta dans l'élaboration, la vinification et le commerce de ses graves autant d'intelligence que de passion.

En 1716, à l'âge de vingt-six ans, Montesquieu devint par héritage le propriétaire-récoltant du château de La Brède, joyau d'un domaine viticole qu'il ne cessa d'étendre et dont il s'appliqua à tirer le meilleur. Son dernier biographe, Jean Lacouture (*Montesquieu, Les Vendanges de la liberté*, 2003), aussi fin connaisseur de littérature française que de vins de Bordeaux, explique en partie la fidélité du paysan à sa terre, la gloire venue, par son enfance : « On peut avoir fréquenté les écoles et les universités, les salons et les châteaux — et les rues de Paris sous un masque de Persan perspicace —, et rester le gamin qui, jusqu'à dix ans, a couru en sabots entre chais et vignes, nourri de croustades et de frottées à l'ail, levant le coude à l'occasion et parlant, on le sait, le patois des vignerons. »

Jean Lacouture publie un document stupéfiant, découvert par un érudit local, dans lequel Montesquieu, tout de modestie et d'envie d'apprendre, pose des questions techniques sur le métier de viticulteur et sur la façon la plus usitée de faire du bon travail. Par exemple : « Combien de flèches à chaque cep et combien d'yeux on laisse à chaque flèche ? La manière de plier et lier la vigne à l'échalas ? Si on effeuille, et en quel temps ? Si l'on fume ou si l'on terre, et de quelle espèce de fumier on se sert ? »

Sauf les années de longs voyages, le baron de La Brède ne rate jamais les vendanges. Il est aussi dans son domaine pour surveiller la taille. Vigneron à mi-temps, il se tient au courant, à Paris, de l'état des vignes et de la récolte. S'il paraît moins généreux que Lamartine pour ses métayers et ses ouvriers, il sait bien mieux vendre son vin que le poète mâconnais, qui ne produit pas, il est vrai, des bouteilles aussi renommées, le bordeaux étant alors en plein essor. Montesquieu use de ses relations mondaines, de sa position d'écrivain et de juriste, à Paris et à Bordeaux, pour fouetter le négoce et justifier le prix de ses vins. Et, quand il séjourne à Londres, où *De l'esprit des lois* l'a rendu célèbre, les Anglais, pour qui le bordeaux était depuis longtemps déjà le meilleur vin du monde, apprécient les bouteilles qu'il soumet à leur jugement. Peut-être même, lecteurs aussi perspicaces que goûteurs, découvrent-ils de subtiles affinités entre la philosophie politique de Montesquieu et ses graves…

On peut quand même se demander s'il n'aimait pas plus la terre et la vigne que le vin, plus la possession et l'exploitation des vignobles que la dégustation, plus les revenus du négoce que le plaisir de boire. C'est que le vin inspire peu sa littérature. Si l'on excepte les mises en garde du musulman Usbek (*Lettres persanes*) contre les dangers du vin, et des observations judicieuses, plutôt d'ordre économique, sur les vignobles et les vins rencontrés au cours de ses voyages, Montesquieu n'est pas un vigneron enthousiaste et bavard. Certes, il est ouvert à d'autres appellations que le bordeaux. Mais il ne s'arrête jamais longuement, en particulier dans sa correspondance, sur un millésime, sur une bouteille, sur une découverte (à l'exception du tokay, qu'il adore).

Mais a-t-on sérieusement imaginé ce seigneur bordelais, académicien, anglophile, auteur de l'austère et politique *Esprit des lois*, en poète bachique ?

Glouglou

De la vigueur et de la profondeur du lien noué entre Montesquieu, sa vigne et l'Angleterre, terre de liberté, rien ne témoigne mieux peut-être que le projet que le maître de La Brède forma, à la fin de sa vie, d'ériger dans son domaine une pyramide dotée de cette inscription dans le style d'Ovide :

Stet lapis hic donec fluctus girunda recuset
Oceano regi gererosaque vina Britannis

que l'on peut traduire par :

Que cette pierre demeure jusqu'à ce que la Gironde refuse
son flot au roi Océan, et ses vins généreux aux Anglais.

(Jean Lacouture, *op. cit.*)

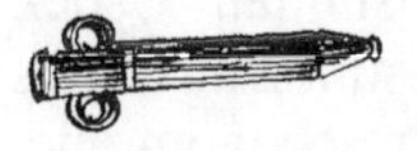

Courier (Paul-Louis), Lamartine (Alphonse de), Mauriac (François)

Nectar

Le mot a vieilli. Il désigne un vin particulièrement exquis. Incomparable, sublime, exceptionnel, presque miraculeux. « Quel nectar ! » Si on l'emploie encore aujourd'hui, c'est pour des vins très aromatisés comme le gewürztraminer, pour un vouvray liquoreux d'une belle année, pour un sauternes, un quarts-de-chaume, un monbazillac, un tokay, tous les vins issus de la pourriture noble. Il arrive toujours un moment où les adorateurs du château d'yquem ne peuvent plus se retenir de prononcer ou d'écrire, si démodé soit-il, le mot « nectar ».

Parce que, en l'occurrence, il rejoint son sens premier : boisson des dieux antiques, breuvage d'immortalité, l'ambroisie en étant la nourriture d'accompagnement. Et il est vrai que les grands blancs liquoreux sont, de tous les vins, ceux qui, autant par leur genèse que par leurs couleurs et leurs saveurs, sont les plus évocateurs des somptueuses douceurs de l'empyrée.

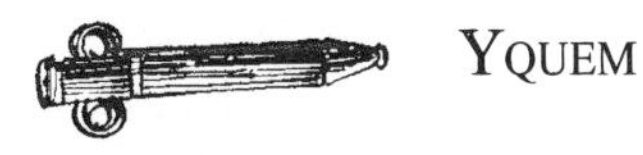

YQUEM

Œnologues

Ce sont des techniciens à qui les propriétaires confient la vinification et l'élevage de leurs vins. Les œnologues les plus exigeants, les meilleurs, ne se contentent pas de débarquer quelques jours avant les vendanges. C'est durant toute l'année, du sol du vignoble à la dernière dégustation avant la mise en bouteilles, qu'ils donnent des conseils et procèdent à des expertises. Les œnologues — du grec *oinos*, vin, et *logos*, science — sont même des scientifiques quand ils continuent de faire des recherches, des expériences sur la physiologie végétale, la biochimie de la vigne, la microbiologie, l'analyse chimique des vins, etc.

Les œnologues sont des personnes très sérieuses qui ont largement contribué à améliorer la qualité des vins là où l'on a recours à leur savoir. Avec eux, les diplômes se sont introduits dans les cuviers et dans les chais. Ils en ont chassé le folklore et la pifométrie. Leur réputation ajoute à celle des vins et à leur cote.

Dans le film de Jonathan Nossiter, *Mondovino*, par sa désinvolture, sa suffisance, l'œnologue bordelais Michel Rolland donne une image détestable du métier. Tout le contraire de son prédécesseur, Émile Peynaud, pas moins convaincu de l'autorité que lui conféraient sa science et sa riche expérience, mais très attentionné, réfléchi, patient et pédagogue. Je m'étonnais devant lui qu'il pût être l'œnologue en même temps d'une impressionnante liste de châteaux, même si, ici ou là, il n'était consulté que sur des problèmes ponctuels. Son goût ne l'amenait-il pas, en partie à son insu, à reproduire le vin qu'il aimait et, même si des variantes et des particularismes sont inexpugnables, à unifier le goût de « ses » vins ? Y avait-il un « goût Peynaud » comme il y a aujourd'hui un « goût Rolland », qui est le « goût Parker » (*Mondovino* en ayant fait la démonstration) ?

Émile Peynaud m'a répondu que, certes, d'un château à l'autre il ne changeait ni d'idées ni de méthode, et que des dégustateurs très avisés, des palais très pointus, pouvaient reconnaître dans « ses » vins une « structure identique », mais qu'il respectait trop la spécificité de chaque vin pour ne pas au contraire lui donner les moyens de l'affirmer. Il a ramassé sa philosophie dans une formule : « J'ai toujours essayé de mêler dans mes cuves suffisamment d'esprit de finesse à l'indispensable esprit de géométrie » (*Le Vin et les Jours*).

DÉGUSTATION À L'AVEUGLE, TERROIR

Paf

Certains soirs, tandis que j'écris ce livre, je ressens une très légère griserie, le début d'une douce ivresse. L'évocation ininterrompue de mots du vin en est la cause. Ils sont chargés d'alcool, de parfums et de rêves. Ils s'installent dans le cerveau, d'où ils chassent provisoirement les mots du quotidien. Ils activent la circulation du sang. Je me sens littérairement un peu paf. Si je devais y souffler, quelle serait la couleur du ballon ? Mon Dieu, combien de fois Martine Chatelain-Courtois a-t-elle été pompette en dressant l'inventaire des *Mots du vin et de l'ivresse* ?

La richesse des substantifs et des expressions pour dire l'ébriété et la soûlographie — mot employé pour la première fois par Balzac — fait... tourner la tête. Le peuple s'y connaît et il ne cesse d'inventer. Les métaphores coulent des bouteilles, les locutions remplissent les verres, les tours de langage claquent sur la langue. Ainsi, l'onomatopée « paf », coup rapide et revigorant. C'était d'abord le nom d'une eau-de-vie. Il s'est allongé jusqu'à s'empaffer, boire et manger d'abondance (contamination de s'empiffrer ?), puis s'est rétréci : paffé, paff, enfin paf, ivre, complètement paf, c'est-à-dire fin soûl, joliment paf, sérieusement pinté.

Aujourd'hui passé de mode, le Paf désignait à la fin des années 1980 le Paysage audiovisuel français, ensemble des stations de radio et des chaînes de télé, et plus particulièrement la télévision. L'assimilation de celle-ci à l'ébriété ou à l'ivresse n'était pas fausse. Le Paf est toujours un peu paf de lui-même.

À condition d'avoir bu avec modération, on jouera à ce QCM (questionnaire à choix multiples) sur les mots et sur les expressions de l'ivresse, si nombreux, si imagés.

1) On dit d'un homme ivre qu'il est *bourré*. Mais aussi — une seule proposition est fausse, laquelle ? — qu'il est :

. fusillé
. gelé
. rétamé
. schlass
. ouillé
. bitumé
. défoncé
. parti
. pété
. raide
. rouillé
. torché
. noir
. mouillé
. incendié

Réponse : défoncé, qui ne s'applique qu'aux drogués. Exemple : « À l'heure où Paris s'éveille, l'heure abominable où les prolétaires marchent vers le chagrin, on était *noirs*, et en plus Treize devait être *défoncé*, à quoi je ne sais pas, je ne voulais pas savoir » (Olivier Rolin, *Tigre en papier*).

2) On dit d'un homme ivre qu'il est *rond comme un tonneau*. Ou encore — une seule proposition est fausse, laquelle ? — qu'il est rond comme

. une barrique
. une table
. une bille
. une soucoupe
. une queue de pelle
. un œuf
. une bâche
. un boudin

Réponse : table. L'homme ivre n'est pas rond comme une table, mais roule sous la table.

3) On dit d'un homme ivre qu'il est *soûl* ou *bourré comme un cochon*. Ou encore — une seule proposition est fausse, laquelle ? — qu'il est soûl ou bourré comme :

. un éléphant
. une vache
. un canard
. une dinde
. une grive
. un âne

Réponse : éléphant. Mais ne prétend-on pas que les alcooliques voient des éléphants roses ?

4) D'un homme éméché ou ivre on dit qu'il a *un coup dans le nez*. Ou encore — une seule proposition est fausse, laquelle ? — qu'il a un coup dans :
. l'aile
. les lattes
. la pipe
. le foie
. les carreaux
. le gilet
. la musette
. les brancards

Réponse : le foie. Et pourtant, le foie de l'homme abonné à l'ivresse, il en prend des coups !

5) Tous ces verbes sont synonymes de *se soûler*, sauf un. Lequel ?
. s'arsouiller
. se noircir
. se poisser
. se coiffer
. se beurrer
. se biturer
. se fioler
. se carafer
. se pinter
. s'empaffer
. se pivoiner
. se pocharder
. se poivrer

Réponse : se carafer. C'est le vin qui « se carafe », néologisme qu'on évitera d'employer devant une grande et vieille bouteille, pour laquelle il convient de respecter le bon usage.

6) Toutes ces expressions sont synonymes de *prendre une cuite*, sauf une. Laquelle ? Prendre…

. une culotte
. une ronflée
. une beurrée
. une casquette
. une meule
. une casaque
. une margot
. une castagnette
. une pistache
. une muflée
. une muffée

Réponse : castagnette. À noter que Zola parle dans *L'Assommoir* d'un « lendemain de culotte » et qu'une margot était jadis une femme de vie dissolue, portée sur le vin et sur le sexe. D'où l'expression entendue à Paris, il y a vingt ans : « Dis donc, hier soir, tu t'es fait une château-margot ? »

Françoise Chandernagor : « Le Toine avait sa "pille", quoi, sa ronflée » (*La Chambre*).

7) Toutes ces expressions s'appliquent à un homme en état d'ivresse, sauf une. Laquelle ?

. il a pris un coup de soleil à l'ombre
. il a chaud aux plumes
. il en tient une sévère
. il a du vent dans les voiles

. il tient une bonne bersillée
. il en trimballe une bonne
. il a ramassé une malle
. il est beurré comme un Petit Lu
. il est bouchonné jusqu'à la ceinture
. il s'est ramassé une peinture
. il est complètement dématé
. il a la gueule en chocolat
. il est gris comme un cordelier

Réponse : « il est bouchonné jusqu'à la ceinture » inventé à l'instant. À noter que le mot « bersillée » a été formé sur le nom de Bercy, quartier de Paris où transitaient les vins, et qu'« avoir la maladie de Bercy », c'est être alcoolique. Variante : « avoir la fièvre de Bercy ».

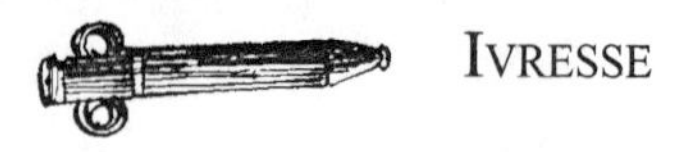 IVRESSE

Paris et Île-de-France (vins de)

J'éprouve quelque difficulté à imaginer, à la place de ma maison, de mon jardin de Montrouge, de tout le quartier, de la ville, des étendues de vignes coupées de chemins de terre menant à des fermes. Plus compliqué encore à se représenter : les collines de Montmartre, de Charonne, de Belleville, la montagne Sainte-Geneviève couvertes de rangées de ceps. Et des vignobles encore sur le mont Valérien, à Vaugirard, à Issy, qui n'était pas encore « les Moulineaux », à Vanves, à Suresnes, à Sceaux, à

Montmorency, aux frontières nord, ouest, sud-ouest de la capitale. Ses habitants, au Moyen Âge, buvaient les vins de la ville et de la région.

Puisqu'il y avait des moines à Paris, beaucoup de moines, pourquoi n'auraient-ils pas eux aussi célébré le Seigneur à travers vigne et futaille ? La terre ne manquait pas, de sorte qu'à l'époque médiévale l'Île-de-France était l'une des plus vastes et des plus prestigieuses régions viticoles. Les moines rivalisaient pour enchanter les palais du roi, des princes et des courtisans. Charles VIII s'extasiait devant le vin des chartreux de Villeneuve-le-Roi et s'en faisait livrer au Louvre.

Les médecins n'étaient pas en reste pour recommander les crus de la capitale et de ses environs, au détriment des « envahisseurs ». Roger Dion cite un traité d'hygiène, signé de Nicolas de la Framboisière (*sic*), l'une des plus hautes autorités médicales du royaume. Il attire l'attention d'Henri IV sur le caractère bienfaisant des « vins françois, crus ès environs de Paris et par toute l'Île-de-France… (qui) ne remplissent pas la tête de vapeurs âcres comme le font les vins d'Orléans ».

Les crus franciliens n'avaient pas besoin du secours de la Faculté pour être reconnus, jusqu'à l'étranger, comme des vins de qualité, en particulier ceux qui portaient les signatures d'Argenteuil, de Clamart, de Suresnes, de Sèvres et de Meudon.

Les meilleurs provenaient du morillon, autre nom du pinot noir de Bourgogne, et, pour les blancs, du fromental ou fromenteau. Mais, avec la multiplication des petits domaines où le paysan fait surtout le vin qu'il consomme pendant l'année, s'installent des cépages médiocres. On fait pisser la vigne. Quand le soleil est avare de ses rayons, le raisin rechigne à mûrir, et l'acidité du vin irrite les dents. Déjà, au XVIe siècle, les Parisiens avaient plusieurs fois protesté contre des verjus qu'ils avaient baptisés ginguets, « un peu courts », mot qui donnera la « guinguette ».

Mais ce n'est pas le climat — qui peut croire qu'il faisait plus froid en Île-de-France au XIXe siècle qu'au Moyen Âge ? — qui a eu la peau des raisins et des vignerons de Paris et de ses environs. C'est la concurrence des autres vins, la laïcisation des vignobles de l'Église, la révolution industrielle, l'urbanisation, gloutonne avaleuse d'espaces, les remembrements. C'est l'Histoire…

La célèbre vigne de Montmartre, rue Saint-Vincent, exposée au nord, produit un rosé moins rieur et plaisant que les vendanges folkloriques qui, chaque année, trompettent son avènement. Le clos montmartre a le mérite de maintenir depuis longtemps une tradition bachique à l'intérieur de Paris. Il n'est plus le seul. Le clos des morillons, dans le parc Georges-Brassens ; le clos mélac, vin issu d'une treille, dans le quartier de Charonne ; les quelque

200 ceps de gamay, parc de Belleville ; la treille du parc de Bercy…

Dans la banlieue, la vigne bouge aussi. À Suresnes, à Clamart, à Meudon, à Bagneux, à Courbevoie, à Rueil-Malmaison, à Argenteuil, etc. À Issy-les-Moulineaux où le blanc de chardonnay est agréable. Près de 2 000 pieds de merlot et de cabernet franc plantés, en 2002, au Hameau de la Reine, dans le parc du château de Versailles ! Pour les vendanges on organise des fêtes. Des confréries vineuses se sont lancées. Il n'est pas impossible que certaines comptent plus de membres que la vigne n'a de ceps…

Ce retour à la vigne en Île-de-France est sympathique parce qu'il crée des lieux de promenade où la nostalgie des anciens, qui n'ont cependant pas connu leur ville ou leur village couverts de vignes, se mêle à la curiosité des jeunes de la banlieue, qui découvrent chez eux un greffon de la Bourgogne ou du Val de Loire.

Et si, avec le réchauffement de la planète, on s'apercevait que c'est en Île-de-France — à Montrouge, en particulier dans mon jardin — que les meilleures conditions climatiques sont réunies pour produire des grands vins ?

Glouglou

Ah ! le petit vin blanc
qu'on boit sous la tonnelle,
quand les filles sont belles,
du côté de Nogent !

Cette chanson (1943) de Jean Dréjac fut l'un des succès les plus souvent et les plus ardemment repris en chœur dans ma famille, et dans beaucoup d'autres, à la fin des repas de mariage, de baptême et de première communion.

Perret (Pierre) ou l'amitié et le vin

Comme il est doux d'avoir un ami à la table duquel on a la certitude de bien manger et de boire des vins rares, comme le montrachet ou le pétrus. Il n'y a que chez Pierre Perret que je puis me frotter à de telles merveilles. À mon goût trop rarement. Non que Pierrot ne soit pas généreux. Il est toujours en tournée (pas d'apéros, de concerts) ou à la pêche à la ligne (saumon ou écriture).

Il n'habite pas un château, mais une vaste, confortable et avenante maison de campagne. Les châteaux, il les a mis dans sa cave. C'est un multiple châtelain classé. Il est le compositeur-parolier-chanteur dont le répertoire en sous-sol est le plus étendu et le plus varié. Au-dessus, ce n'est pas mal non plus : boudins, saucissons, jambons, pâtés de lièvre, de sanglier, terrines de marcassin, bocaux de cèpes, etc., tout fait maison ! Au temps où Moscou avait les dents longues, il était entendu que, sitôt que l'Armée rouge s'enfoncerait dans le garde-manger occidental, j'arriverais chez lui avec ma famille et tirerais le verrou derrière moi. Nous aurions été assurés d'une confortable survie d'un an pour l'alimentation, de dix pour les vins.

On se doute bien que, même si Pierre Perret n'avait que des vins de pays, j'accepterais ses invitations avec le même plaisir.

La vraie question est celle-ci : pourrais-je être l'ami de quelqu'un pour qui le boire et le manger n'ont d'autre utilité que nutritive et chez qui la table n'est un sujet ni de satisfaction ni de conversation ? Je ne crois pas. Non qu'il n'y ait pas autant ou plus à attendre et à partager de thèmes immatériels, mais le vin, sacrebleu ! quel causeur ! À la fois sujet et verbe. Si l'on est deux, à table il fait le troisième. Il a la meilleure place : *sur* la table. Il est au milieu, il est le lien, il unit, il rapproche, il oppose, il rassemble. Il rafraîchit ou il chauffe, il rafraîchit puis il chauffe. Il parle intimement à chacun tout en participant à la conversation générale. Il n'entend rien à la philosophie, mais la philosophie lui doit beaucoup. Modeste ou prestigieux, il est l'un des fondateurs de la communication.

De tout temps, si le vin a beaucoup fait pour l'amour — « Claque ta langue, fille de Bacchus, contre la mienne, et gloire à Vénus ! » (Pierre Perret, *Le Vin*) —, il a fait plus encore pour l'amitié. Jean-Jacques Rousseau note : « Pour une querelle passagère qu'il cause, il forme cent attachements durables. » J'adore le tableau d'Étienne Jeaurat qui représente *Le Poète Piron à table avec ses amis Vadé et Collé* (Louvre). Avec ses grosses joues de bon vivant, Piron est l'image même de l'amphitryon qui n'a pas mégoté sur la qualité de son vin blanc en carafe. Il vient d'en remplir les verres de ses deux amis et il s'en sert lui-même, alors que Collé saisit entre deux doigts son verre par le pied et, l'ayant placé dans la lumière, prononce l'éloge du vin, quatrième personnage à table.

Combien de fois ai-je observé que des amitiés naissantes, où la curiosité pour les vins était très inégale, achoppaient sur ce détail ? Tout était sauvé si le moins expert était incité à hisser rapidement son niveau de connaissance, conscient d'affermir ainsi un sentiment encore fragile.

L'homme ne galvaude pas son ami le vin avec n'importe qui. Il hiérarchise, il module. Il assortit les amis de sa cave avec les amis de sa salle à manger. Quand Pierre Perret m'invite en même temps que son ami, le mien aussi, le professeur Jean-Philippe Derenne, pneumologue réputé, auteur de l'époustouflant *Amateur de cuisine*, il nous donne l'impression, si l'on en juge par les bouteilles et les carafes qui nous attendent au garde-à-vous, que son jugement sur nos compétences n'est pas trop défavorable.

Glouglou

J'ai longtemps pensé que le pétrus, homonyme du célèbre cru de Pomerol, désignait en argot le nez. Quoi, en effet, de plus logique ? Dans sa chanson *Les Jolies Colonies de vacances*, Pierre Perret parle du « pétrus tout boutonneux » des enfants qui se baignent dans « un petit bras où sortent les égouts de la ville ». Au vrai, le pétrus est le nom populaire d'une autre partie du corps, de trois lettres aussi, le cul. Même les bouteilles de pétrus ont un cul, après tout !

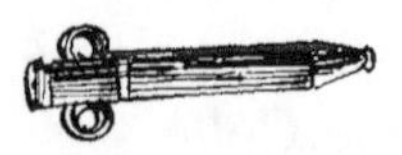

AMOUR ET LE VIN (L')

Pétrus

Comme la romanée-conti en Bourgogne, le pétrus est une légende, un mythe, un rêve, une référence, une révérence, un sésame, une idée de vin, une rouge utopie. Cependant, pour la plupart des gens, ce n'est qu'un on-dit. On dit quoi ? On dit que ce pomerol a réussi à supplanter, dans le jugement des experts internationaux, dans la notoriété universelle et dans l'échelle des prix, les grands châteaux du Médoc. On dit qu'il s'est offert le luxe aristocratique de se délester de sa référence châtelaine, si banale dans le Bordelais, pour s'afficher, non sans orgueil, sous son seul nom plébéien de pétrus. On dit qu'il doit ses bouquets d'une richesse inouïe, sa puissante et veloutée sensualité, ses rondeurs de maître du palais, à une couche d'argile épaisse, onctueuse, mêlée à un peu de sable où le merlot (95 %, plus 5 % de cabernet franc) est heureux comme canard dans la vase. On dit que les 11,4 hectares de pétrus ne sont vendangés que les après-midi, quand le raisin ne présente plus de traces de rosée du matin. On dit que, conseillés par le talentueux œnologue Jean-Claude Berrouet, Jean-Pierre Moueix, puis son fils Christian, ont apporté tant d'innovations et de raffinements à l'élaboration de leur vin qu'ils en ont fait une œuvre d'art, pas indigne, quoique plus répandue somme toute, de celles qui, signées Dubuffet, César ou Richard Serra, ornent leur particulier.

Comparé à ses beaux et vieux cousins du Médoc, de Graves et de Sauternes, Pétrus — que le typographe lui mette exceptionnellement une majuscule — est un nouveau riche. Le XXe siècle est le sien ; le XIXe était le leur. Pétrus est un Libournais qui a conquis l'Amérique, non pas celle de Jefferson, de Rockefeller et de Henry James, mais celle des Kennedy, d'Andy Warhol et de Truman Capote. Réalité ou illusion ? Impression vraie ou autosuggestion ? Les « pétrusiens » — ils ne courent pas les rues ! — affirment apprécier, entre autres qualités, la modernité du pétrus, ou plutôt une certaine contemporanéité. Que dément son étiquette, assez vieillotte. Mais, elle, n'est bue que des yeux !

Pomerol. Pourquoi, souvent, les Bourguignons préfèrent-ils les vins de Pomerol aux autres vins de Bordeaux ? Parce que les domaines y sont presque aussi exigus que chez eux ? Parce que, le merlot régnant sur le pomerol sans y être exclusif, les Bourguignons ne sont pas loin de considérer que ce vin est, comme les leurs, un monocépage ? Pour embêter les seigneurs médocains que la gloire récente du pomerol a longtemps irrités ? Non, il s'agit tout bonnement d'une affaire de goût. De tous les vins rouges du Bordelais, le pomerol est le plus fruité, le plus proche des bourgognes par son aptitude à être apprécié, « sacrifié » dans sa jeunesse, jetant au nez des arômes de violette, de cassis, de groseille, puis de fruits mûrs bien cuits.

Est-ce parce que le Pomerol produit des vins plus sensuels, moins cérébraux que le Médoc, les Graves et Saint-Émilion, qu'on ne s'est pas cassé la tête à classer officiellement ses crus ? Il existe cependant un classement officieux. Où, bien sûr, Pétrus — allez, encore un *p* majuscule — est seul devant.

AUSONE (CHÂTEAU), BORDELAIS,
PERRET (PIERRE) OU L'AMITIÉ ET LE VIN,
RIVALITÉ DES VIGNOBLES

Pinard

Beaucoup de mots nés de la verve populaire désignent les mauvais vins qui causent plus de tort qu'ils ne font du bien. De tous ces substantifs péjoratifs, persifleurs, goguenards, malveillants, je n'en déteste qu'un : *pinard*. Parce qu'il désignait le gros vin qui était servi d'abondance aux soldats pendant la Première Guerre mondiale. Il était censé leur soutenir le moral, comprenez leur faire oublier que, s'ils n'étaient pas encore blessés ou morts comme tant de leurs camarades, leur tour viendrait bientôt. On avait poussé le cynisme jusqu'à inventer un Père Pinard dont les chansons patriotiques exaltaient chez le poilu une bravoure d'autant moins consciente qu'elle était dopée par des quarts de rouge. Même Apollinaire s'y était laissé prendre. Il considérait que ce qui faisait la différence entre les Français et les « Boches », c'était « le quart de pinard ».

Signé du poète Henri Margot (*sic*), spécialiste du

lyrisme œnologique, voici les derniers vers d'une ode gratinée, intitulée tout simplement « Le Pinard » :

Viens-tu d'Auvergne, d'Algérie,
Viens-tu de l'Hérault, de la Brie,
D'Ouest ? Du Sud ? De l'Est ? Du Nord ?

Je ne sais... Mais joyeux à boire,
Emplissant nos quarts jusqu'au bord,
Tu nous as donné la Victoire.

« Pinard » s'est décliné dans *pinardier*, marchand de pinard, de vin grossier. Le pinardier est aussi un navire-citerne, plein d'un vin robuste, très alcoolisé, pompé naguère en Algérie et destiné à donner du corps à des vins français malingres. Avec pinard ou pinardier, on est dans la tromperie et la médiocrité. Le pinard est à la viticulture ce que le nanar est au cinéma. Aujourd'hui, rien n'est plus injurieux pour un viticulteur, un négociant ou un cafetier que voir son nom et sa fonction associés à ce mot disqualifiant de « pinard ». Lequel est littérairement infamant. Le procureur impérial qui requit, devant la 6e chambre correctionnelle du Tribunal de Paris, en février 1857, contre Flaubert (*Madame Bovary*), et en août de la même année contre Baudelaire (*Les Fleurs du mal*), pour outrage à la morale publique et aux bonnes mœurs, s'appelait Ernest Pinard.

Piquette est devenu le terme générique pour désigner tout vin médiocre. On comprend que, pendant la guerre de 14-18, on lui ait préféré « pinard », car une piquette est aussi une défaite cuisante, une raclée...

L'invention langagière du peuple des cafés, des

RÉSERVEZ LE VIN
POUR
NOS
POILUS

buvettes, des bistrots, du zinc, des rades, des troquets pour nommer le vin qui lui arrache des grimaces est stupéfiantc. Comme si la piquette tirait des esprits qu'elle chauffe des mots dont l'ironie rabelaisienne venge ses victimes.

Râclard a disparu. De même *guinguet* (vin acide, très vert, qui a donné la « guinguette »), *ginglard* et même l'amusant *reginglard.* Selon Pierre Perret (*Le Parler des métiers*), *chasse-cousin* — vin si mauvais que même les insectes s'en éloignent — s'emploie encore. Il n'en est pas de même pour le *vin de crocheteur*, le *porto de déménageur* ou le *chocolat de déménageur*. Se sont également esbignés (« s'enfuir de la vigne » est le premier sens du verbe s'esbigner, fuir, décamper) le *brouille-ménage* ou le *brise-ménage,* le *culbutant,* le *casse-gueule,* le *casse-pattes,* le *casse-tête* (vin qui file la migraine). On ne dit plus non plus que c'est *un vin à laver les pieds des chevaux*. À l'heure des « *serial killers* » (en français, tueurs en série), on doute que le *pousse-au-crime,* si, dans les faits, hélas ! il existe toujours, soit encore employé.

Comme « pinard », *picrate* a survécu à la Première Guerre mondiale. La *bibine* est encore en bouche. Mais, même s'ils désignaient plus un vin très ordinaire qu'une piquette, *vin bleu, petit bleu, gros bleu* sont allés se faire boire ailleurs (« Burgonde a arrosé son repas de beaucoup de beaujolais froid et bleu », François Nourissier, *L'Empire des nuages*).

Si le parler d'aujourd'hui n'est plus aussi riche qu'autrefois en termes dépréciatifs du vin, c'est tout bonnement parce que celui-ci est d'une meilleure qualité. La plupart des vins de pays ne sont plus des *tord-boyaux*. Le *gros rouge* ou le *gros-qui-tache,* production majoritaire il y a encore cinquante ans, est en constante régression. Tous les vins ne sont pas bons, mais on ne propose plus au comptoir d'horribles piquettes, du *rouquin,* du *gros-rouquin,* du *rouquinos*, du *rouquemonte*, du *destructeur*, du *brutal* (réservé depuis *Les Tontons flingueurs* à l'alcool), du *décapant* (mot hors d'usage, mais on emploie l'expression : *ça décape !*), enfin, de ces vins abominables qui exigeaient du consommateur un palais en béton et un estomac en acier.

Amoureux des mots et des vins, il m'est difficile de regretter que la disparition de la *rinçure de tonneau* et autres pinards abjects ait provoqué l'extinction dans notre vocabulaire de la plupart des mots, eux savoureux, qui les désignaient. Quitte à parler plus pauvre, mieux vaut quand même boire meilleur.

GUERRE ET LE VIN (LA)

Pinot noir

Le cépage des rouges bourguignons. Tout seul, sans se lasser, sans crâner, il produit du jus qui se transforme, excusez du peu, en romanée-conti, en chambertin, en volnay, en clos de vougeot… Dans la course, vieille comme le monde, des meilleurs vins, dans le Tour de France des rouges, le pinot noir de Bourgogne a le bouquet du champion.

Il se produit ailleurs, avec moins d'éclat mais non sans réussite. Dans le Val de Loire, en Champagne, en Alsace, dans le Jura, etc. Il a étendu son empire dans tout l'univers viticole. Il conquiert chaque année de nouveaux territoires, mais, même très loin, en Oregon, en Australie, en Nouvelle-Zélande, il n'oublie pas les douces collines de la Côte-d'Or, ce petit coin de la campagne française où il a grandi et s'est fait un nom.

Il s'appelle pinot parce qu'il ressemble à une pomme de pin, et non — le professeur Gilbert Garrier est catégorique — par déformation de *pignolo*, nom d'un cépage milanais. Il s'est appelé *morillon* (parce que noir comme un Maure) en Champagne et en Île-de-France, *auvernat*, on l'a deviné, en Auvergne, à Saint-Pourçain.

Voici, trop rapidement, quelques-unes des plus belles œuvres du pinot noir en Bourgogne (la romanée-conti bénéficiant d'une entrée particulière).

Chambertin. Naguère, il n'était pas rare d'entendre des dégustateurs, ayant grimacé au-dessus d'une piquette, s'exclamer : « Eh bien ! ça n'est pas du chambertin ! » Le grand cru de Bourgogne était alors, dans l'imaginaire populaire, la référence suprême des grands vins.

Si l'expression est passée de mode, le chambertin a gardé sa réputation de bourgogne seigneurial, aux neuf grands crus, vin préféré de Napoléon qui cependant le coupait d'eau. Quitte à fâcher l'Empereur, la commune de Gevrey-Chambertin (Gevrey jusqu'en 1847) élit, chaque année, un Roi Chambertin. Je le fus en 1984, à la diligence d'un jury où siégeaient mes amis Lucien Hérard et Roger Gouze. Je les remerciai d'une volée d'alexandrins où chambertin rimait avec scrutin, gratin, destin, festin et, ma spécialité télévisuelle, baratin.

Je me souviens avec nostalgie d'une dégustation

horizontale de plusieurs millésimes de chambertin chez Mme Bise-Leroy, palais hors pair, propriétaire de l'un des meilleurs domaines de la Côte de Nuits. De tous les chambertins grands et premiers crus (charmes, mazis, saint-jacques) soumis à mon ignorance largement partagée, le seul assez facile à identifier était le griotte-chambertin, qui sentait réellement la griotte. Des cerisiers aigres auraient jadis poussé dans le coin. Mais l'historien Jean-François Bazin rapporte que *griotte* serait une forme de *criotte*, alias *crai*, terrain pierreux, comme ailleurs *criots, cruots, cras*. De l'autosuggestion, ce goût de cerise ?

Les chambertins ressemblent à leur nom : amples, puissants, longs en bouche, de plus en plus complexes et subtils avec les années.

Chambolle-Musigny. Cette commune possède la collection des plus jolis noms de climats : les charmes, les amoureuses, aux beaux bruns, derrière la grange, les groseilles, les feusselottes, les sentiers… Tout un roman ! Les bonnes-mares est l'un de mes grands crus bourguignons préférés.

Se rappeler, à Chambolle-Musigny comme à Vosne-Romanée, à Nuits-Saint-Georges, à Morey-Saint-Denis, à Gevrey-Chambertin, que plus on s'éloigne de la nationale 74, meilleurs sont le sol, l'exposition, les vignes et les vins. C'est toujours à mi-pente que se situent les grands et les premiers crus.

Nuits-Saint-Georges. La place du Cratère-Saint-Georges rappelle qu'un trou lunaire a été baptisé Saint-Georges par les cosmonautes d'Apollo 15. En mémoire de la bouteille de nuits avec laquelle les héros du roman de Jules Verne *Voyage autour de la lune* avaient célébré leur réussite.

Pommard. Qui s'appelait autrefois *pomard.* Les deux *m* donnent plus d'assise, de robustesse tannique à un vin de la Côte de Beaune qui n'en manque pas. Vin de patience, de sommeil, de confort, de volupté. Le pommard est un gros chat. Il faut savoir attendre qu'il ouvre un œil et s'étire. Tous les chats dodus, confiants dans le moelleux des coussins et de l'existence, devraient s'appeler Pommard.

Volnay. Le village voisin de Pommard. Ils forment un couple, Pommard le mâle, Volnay sa fiancée, toute en finesse et en arômes de petits fruits. Mais Freud a labouré par là : il y a une part de féminité dans des pommards et certains volnays ont de la moustache.

Le pinot est un cépage très sérieux et, parfois, un peu farceur.

BOURGOGNE, ROMANÉE-CONTI

Pivot (Jean-Charles)

Ma sœur Anne-Marie, professeur d'allemand, moi, journaliste, il est patent que le seul artiste de la famille est mon frère Jean-Charles, pendant quarante ans viticulteur à Quincié-en-Beaujolais. À quoi reconnaît-on un artiste ? Il prend une matière brute : peinture, bronze, céramique, tissu, mots, notes de musique, etc., et la transforme en une œuvre d'art (réussie ou pas, c'est une autre affaire). Jean-Charles produisait du raisin, matière qu'avec talent et compétence il transformait — et qu'il continue de transformer comme vinificateur — en un vin que je n'étais pas le seul à tenir, la plupart des années, pour une création originale et délicieuse, digne d'éloges. C'est, entre autres et notamment, l'opinion de Jean-Claude Vrinat, qui le propose depuis longtemps aux clients des « Caves Taillevent », à Paris.

Tous les viticulteurs sont des artistes. Comme les peintres ou les poètes, il en est d'exécrables, d'insignifiants, de banals ; il en est aussi de doués, d'inventifs, de perfectionnistes. Ceux pour qui j'éprouve le plus d'admiration sont, soit ceux qui, à la tête d'un vignoble très réputé, maintiennent au plus haut, chaque année, la qualité des crus, soit ceux qui, d'une vigne modeste, savent tirer le meilleur et travaillent avec opiniâtreté à accroître les vertus et la cote de leurs vins. Jean-Charles m'a toujours étonné par son aptitude à obtenir, les années de ciel gris et de raisin valétudinaire, des vins friands où perce quand même le soleil.

Peut-être son art de se débrouiller particulièrement bien quand la récolte est fragile vient-il de ce que lui-même, enfant, l'était. Les médecins avaient conseillé à nos parents de le retirer le plus tôt possible de la ville pour le mettre à la campagne. Il adorait celle-ci, ça tombait bien. Après l'école de viticulture de Beaune, après deux stages, l'un à Villié-Morgon — où il s'occupait aussi des vaches —, l'autre au château de Pizay — où l'équipe de l'Olympique lyonnais se met parfois au vert —, à vingt-trois ans il devenait le métayer (fruit partagé) de nos parents. Scepticisme général dans le village. Alors que les jeunes paysans quittaient la campagne pour la ville, voilà qu'un jeune citadin revenait à la campagne. Pas pour diriger le domaine, pipe au bec et les mains dans le velours côtelé. Mais pour accomplir lui-même, avec sa femme, tous les travaux que réclament 5 hectares de vignes. Les plus optimistes donnaient six mois au fils du proprio avant de repartir pour Lyon. Depuis 1963, il n'a pas bougé. Il a été l'un des premiers à mettre son vin en bouteilles — au lieu de le vendre en vrac au négoce. Il a aussi créé — ayant hérité les qualités de commerçant de nos parents — une petite carte de négociant.

Peut-être doit-il son adoption rapide par les vignerons du pays a un talent dont il n'était pas besoin d'attendre pendant un an les résultats : il joue de l'accordéon et, à l'époque, il en jouait dans les bals, les fêtes familiales et populaires. Le vin et la musique ont, de tout temps, formé un couple d'artistes sensuels et joyeux.

Glouglou

Le lexicographe Pierre Guiraud m'avait écrit pour me signaler que, dans l'argot militaire du milieu du XVIIIe siècle, *pivoter* signifiait « boire à la régalade ». Les accointances du mot *pivot* avec le *pivois,* vin dans l'argot de tout le monde, sont attestées. *Pivois* a eu pour descendants *pive*, *piveton, pifton, pif.* D'où les truculentes créations que sont les mots *beaujolpive, beaujolpif.* Un Pivot dans le *beaujolpive*, c'est presque un pléonasme !

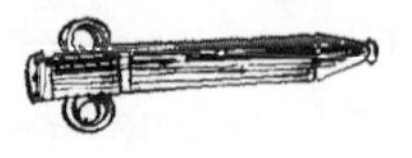

BEAUJOLAIS 2, BEAUJOLAIS 3, DULAC (JULIEN), QUINCIÉ-EN-BEAUJOLAIS

Pontac (Jean de)

Il y a dans le *Classement de 1855 des vins rouges de Bordeaux* une bizarrerie, une excentricité, presque une incongruité : aux 60 crus du Médoc s'ajoute un 61e qui n'est pas de la paroisse, mais qu'on a cependant admis quoiqu'il vienne de Pessac, dans la banlieue de Bordeaux, un graves : le haut-brion. Et pas accueilli avec réticence, en le noyant dans la liste. Au contraire, en en faisant l'égal des trois premiers crus du Médoc : lafite, latour et margaux (auxquels mouton se joindra beaucoup plus tard).

Ce n'est pas par grandeur d'âme que les Médocains ont accordé la meilleure place à ce rival du Sud, mais parce que la qualité et le prestige du haut-brion étaient tels qu'il eût été inconcevable de l'écarter du palmarès. Ceux qui n'auraient pas compris cet ostracisme étaient les meilleurs clients des vins de Bordeaux : les Anglais. À Londres, le « *ho-bryan* » jouissait d'une réputation sans égale, en raison notamment d'une taverne très chic, longtemps courue, ouverte après l'incendie de Londres (1666), où le propriétaire français de Haut-Brion faisait servir son vin en exclusivité. On y rencontrait, paraît-il, Daniel De Foe et Jonathan Swift. Le lieu avait pour enseigne « Pontac » (*Pontack's House*). En hommage à Jean de Pontac.

C'était un contemporain de Montaigne et de La Boétie. Leur confrère au parlement de Bordeaux. Un type génial qui, sur le site de Haut-Brion, acquis pour partie par alliance pour l'autre par achat, a inventé le concept du château viticole. Les vignes sur le terroir adéquat, et, en retrait, sur un sol dont il fallait moins espérer, le château qu'il fit construire. Un modèle pour tout le Bordelais.

Si les graves sont considérés comme la région fondatrice des grands vins de Bordeaux, c'est à Jean de Pontac et à ses successeurs à Haut-Brion qu'ils le doivent. Certains historiens font état d'une classification qui daterait de 1640, où les graves précèdent le médoc. Celui-ci a ensuite pris sa revanche, tout en continuant d'accueillir à sa table le prestigieux banlieusard bordelais grâce auquel, puisqu'ils sont dans la bouteille, vous économiserez l'achat de truffes et de gibier.

Bordelais, Classement de 1855, Dégustation à l'aveugle

Porto

« Un peu de porto, Maryse ?
— Très, très peu…
— Et vous, Charles ?
— Un doigt… Juste un doigt, pas plus… »

Dans la même journée, surtout le dimanche, je pouvais passer du doigt de Dieu au doigt de porto. Celui-ci était réservé aux grandes personnes, celui-là était pointé sur tout le monde, moi en particulier. Les amis de mes parents proposaient souvent, avant le déjeuner, le porto rouge que contenait une carafe de cristal et qu'ils versaient dans des petits verres du même style que la carafe. On était dans le précieux, le rare, le coûteux. On s'extasiait. On se risquait dans l'exotique puisque le porto, à l'époque, était le seul vin en provenance de l'étranger qui parvenait sur nos tables. Il y avait aussi le madère, mais il était plus chic, plus snob, donc plus rare que le porto, du moins dans la petite bourgeoisie lyonnaise.

Célèbre dans le monde entier, archiconnu en France, pays qui en est le plus gros consommateur, le vin de Porto constitue pourtant une énigme pour la majorité des Français. Nous savons qu'il appartient à la grande famille des vins doux naturels ou vins de liqueur, comme nos populaires banyuls, nos délicieux muscats de Rivesaltes, de Beaumes-de-Venise, le sombre maury rouge, souple et moelleux comme un clafoutis, puissant comme le soleil du Roussillon. Tous ces vins doivent de garder leurs arômes de fruits frais à l'apport d'eau-de-vie qui arrête la fermentation du raisin, opération délicate appelée mutage. Mais, pour ce qui est du porto, nous ignorons trop souvent ce qui différencie les *rubys* — portos jeunes de moins de trois ans d'âge —, les *tawnys* — vieillis en fûts de chêne — et les *vintages* — millésimés, vieillis en bouteille, les plus sublimes, les plus coûteux. Les impatiences de l'époque font boire et apprécier les portos jeunes, mais rien n'égale en suavité, en volupté, les *tawnys* et les *vintages* vieux de vingt ou trente ans. C'est chez ceux-ci que se sont fondus dans une miraculeuse harmonie les arômes innés du raisin et le feu acquis de l'alcool.

Le porto blanc est le seul qui convienne à l'apéritif. Mais il m'a souvent déçu, parce que l'eau-de-vie, bien loin d'avoir fusionné avec le vin, le domine avec arrogance et rudesse. Même si cela est contraire aux usages lusitaniens, mieux vaut, avant de passer à table, servir un porto rouge bien élevé qu'un blanc sans éducation. On servira de préférence les rouges avec les fromages à pâte persillée, notamment le stilton — merci, messieurs les Anglais, d'avoir osé cet accord ! —, et sur les pâtisseries, en particulier les gâteaux au chocolat, à condition que celui-ci ait gardé de l'amertume.

Dans son château de Vila Real, à l'extrémité nord-ouest des vignes de Porto, le comte Albuquerque nous avait fait servir, vers 23 heures, par une tiède nuit de mai, un *tawny* (*10 years old*) signé Nierpoort. Légèrement rafraîchi, d'un rouge assez clair, il apportait l'heureuse touche finale, avec des arômes de pain d'épice, à une journée baroque, moins cependant que l'église Santa Clara de Porto. La dégustation inopinée d'un porto dans l'après-midi ou le soir est une initiative à encourager. Comme il faut décourager la vieille habitude, très française, de garder pendant plusieurs mois le reste d'une bouteille versé dans une carafe. Avec ou sans bouchon, l'oxydation frappera. Comme la musique de fond, le fond de porto est à fuir.

Le Portugal est un grand pays de vins, ce qui ne signifie pas que, en dehors, bien sûr, du sublime porto et du madère, ce soit un pays de grands vins. Du nord au sud, il y a abondance de vignobles — 32 appellations pour 8 régions, y compris Madère et les Açores.

Près de 350 cépages. Du soleil en veux-tu en voilà. Trop, justement. Les douros rouges de 14° et plus ne sont ni des vins de soif ni des vins de conversation et d'expertise. Je leur préfère certains blancs — costauds, eux aussi — aux arômes d'agrumes. Ou encore les *vinho verde*, plutôt les blancs, quand ils ne sont pas trop acides. Ils accompagnent fort bien les poissons grillés pêchés dans l'Atlantique.

Porto et Bordeaux ont été jumelées par l'histoire de la vigne et du vin. De l'une et de l'autre les Anglais ont été maîtres de chais. Ils ont laissé dans les deux villes leurs capitaux, leurs négociants, leurs noms, leur technicité — ne serait-ce que dans les tire-bouchons —, et surtout leur goût qui était sûr. Et exigeant. On ne connaît pas d'autres villes colonisées qui eussent moins à se plaindre de leur colonisateur.

Selon le Bordelais Pierre Veilletet, « si la fragile pierre de Gironde féminise Bordeaux, le granit de Porto est masculin. (…) Si Bordeaux est un décor linéaire et univoque, obsédé par la fidélité à ses archétypes, Porto est un amphithéâtre tumultueux qui n'a que faire du sens de la mesure ». Autrement dit, il y a plus d'élégance, plus de tweed, plus de discrétion, moins de commerce affiché quai des Chartrons que sur le quai de Vila Nova de Gaia, où les enseignes lumineuses des maisons de Porto rivalisent de hauteur et d'éclat, comme si elles désiraient être vues jusqu'à Lisbonne… Et puis les vieux quartiers de Porto sentent toujours la morue alors que Bordeaux ne prépare plus la brandade.

Serait-ce donc à cause des morutiers que je ressens plus l'appel du large sur les berges du Douro que sur celles de la Garonne ? Peut-être aussi parce qu'à

Bordeaux l'océan est encore loin, qu'on en est séparé par le Médoc, alors qu'à Porto les vignes sont derrière et poussent la futaille et le visiteur vers la mer ?

Glouglous

Un Anglais a bien essayé de fâcher Portugais et Français, Porto et Bordeaux. C'est l'amiral Nelson. On rapporte que, juste avant la bataille de Trafalgar, il exposa sa stratégie à Lord Sidmouth sur la table où ils venaient de manger et où il dessina un plan avec son index qu'il trempait dans un verre de porto.

Le père de l'actuel comte Albuquerque reçut la visite de producteurs-négociants qui désiraient lancer un nouveau vin et l'appeler *Mateus*, nom du château du comte. Celui-ci, méfiant, leur demanda d'apporter quelques échantillons. Il goûta et jugea le vin très mauvais, sans avenir. C'est pourquoi, plutôt que de toucher un pourcentage sur chaque bouteille vendue comme on le lui proposait, il accepta de céder le nom de *Mateus* pour une somme rondelette, mais définitive. Le vin *Mateus*, sucré, pétillant, abominable, connut un succès considérable, notamment aux États-Unis. Il s'en vend encore dans le monde de 30 à 50 millions de bouteilles par an.

BORDELAIS, XÉRÈS

Provence

Les Provençaux qui se donnent beaucoup de mal pour produire des vins à la fois de soif et de caractère sont les vignerons français les plus méritants. Il fait si chaud en Provence, et la nature y est si belle… Le journaliste et expert britannique Oz Clarke a failli lui aussi succomber à une heureuse nonchalance : « Je me suis déjà laissé aller à paresser à l'ombre devant une bouillabaisse, un aïoli, et un rouget (quel appétit !), à siroter un blanc ou un rosé glacés en admirant la mer scintillante, si béat que j'en perdais tout esprit critique. » Il n'en manque pourtant pas, tonnant, après s'être donc ressaisi, contre « des masses de rosés pitoyables, de blancs sans fruit et de rouges décharnés ».

Mais ici, comme dans le proche Languedoc, de jeunes viticulteurs ambitieux s'installent, qui ajoutent leurs vins bien typés à ceux, réputés, de domaines traditionnels. En vacances dans la région, il est amusant de consacrer un peu de temps à choisir son rouge, son rosé et son blanc dans les appellations baux-de-provence, côtes-de-provence et coteaux-d'aix-en-provence. Les cépages sont nombreux, ce sont des vins d'assemblage, et on a plus de chance d'en dénicher des sympas et joyeux, qui exhalent des notes délicates de la garrigue, chez le producteur qu'à la supérette du village.

Pourquoi l'INAO a-t-elle imposé aux vignerons de Pagnol — ce n'est pas une nouvelle appellation, c'est l'écrivain — des règles compliquées et strictes d'assemblage, donc d'encépagement ? Par exemple, à Bandol — ce n'est pas un écrivain, c'est une aire d'appellation provençale, la meilleure avec trois autres AOC : Cassis, Bellet et Palette —, le vin blanc doit être constitué de raisins provenant pour au moins 60 % du bourboulenc, de la clairette et de l'ugni blanc. Il vous reste 40 % mais pas plus pour le sémillon, le grenache blanc, le rolle, etc. Pour le bandol rouge, la loi est encore plus contraignante : il est interdit d'ajouter plus de 15 % de syrah et de carignan aux trois cépages obligatoires : mourvèdre, grenache et cinsault. Bruxelles, le marché, la concurrence, l'obligation et l'envie d'innover, tout cela ne va-t-il pas obliger les pouvoirs publics à desserrer le carcan de la réglementation viticole sur l'encépagement des aires d'appellation ?

Glouglou

C'est en lisant l'Américain Jim Harrison que j'ai découvert les bandols du domaine Tempier. Ce fut une excellente lecture.

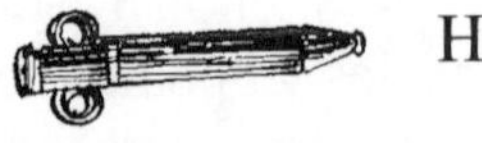

HARRISON (JIM)

Quel vin ?

Le 25 février 1848, Lamartine est à l'Hôtel de Ville de Paris. Victor Hugo aussi. C'est lui qui raconte, dans *Choses vues* : « Il (Lamartine) rompit le pain, prit une côtelette par l'os et déchira la noix avec les dents. Quand il avait fini, il jetait l'os dans la cheminée. Il expédia ainsi trois côtelettes et but deux verres de vin. » Deux verres de quel vin, cher Victor ?

On est frustré de ne pas savoir. Lamartine s'était-il versé du vin de chez lui, un mâcon ? Ou un bourgogne ? Ou un rouge de Paris ? Ou une piquette qui traînait à l'Hôtel de Ville et qui n'avait rien de révolutionnaire ? J'en veux à Victor Hugo de s'en tenir au terme générique de « vin » et de ne pas préciser la nature de celui qui accompagnait les côtelettes de Lamartine.

Chaque fois, je peste contre les écrivains qui ne font pas l'effort de relever les noms des vins qui coulent dans leurs récits ou qui négligent de nommer ceux qu'ils servent dans leurs romans.

Ainsi Blaise Cendrars. Dans *Kodak*, qu'il qualifie pourtant de « documentaire », il cite des menus dans lesquels la provenance des produits à manger est donnée, mais non celle des vins à boire. Exemple :

Saumon de Winnipeg
Jambon de mouton à l'écossaise
Pommes Royal-Canada
Vieux vins de France.

Quels vieux vins français ? Issus de quelles régions ?

Dans *L'Or*, Blaise Cendrars nous donne carrément faim tout en nous laissant sur notre soif : « La table était splendide. Hors-d'œuvre ; truites et saumons de rivières du pays ; jambon rôti à l'écossaise ; ramiers, cuissot de chevreuil, pattes d'ours ; langue fumée ; cochon de lait farci à la rissole et saupoudré de farine de tapioca ; légumes verts, choux palmistes, gombos en salade ; tous les fruits, nature et confits ; des montagnes de pâtisseries. Des vins du Rhin et quelques vieilles bouteilles de France qui avaient fait le tour du monde sans s'éventer tellement on en avait pris soin. »

Qui n'aimerait connaître les appellations de ces « vieilles bouteilles de France » qui revenaient d'un tour du monde pendant lequel elles avaient été surveillées, cajolées, mignotées ? Des bordeaux, probablement, mais de quelle région, de quels châteaux ? D'ordinaire, Blaise Cendrars accumule les références, les détails, les précisions. Mais, pour le vin, il reste coi. Dommage !

Comme il est dommage que Dominique Rolin (*Journal amoureux*) ne donne pas le nom du château bordelais dont Jim (Philippe Sollers) apporte chez elle une bouteille, une fois par semaine. D'autant qu'elle en raconte le rite : « Il en chauffe le col arrondi comme s'il s'agissait d'une femme. Il en apprivoise le sang dormeur et lui met des baisers (voici l'enfant, soudain). Nos verres se choquent et se vident (...). Le vin chauffant nos gorges est une soie precieuse... » Mais, saperlipopette ! de quel bordeaux s'agit-il ? On peine à imaginer la raison pour laquelle Dominique Rolin s'est refusée à écrire le nom du château alors que, si le nom de Philippe Sollers n'est pas imprimé noir sur blanc dans le livre, elle fournit assez de renseignements pour qu'il soit aisément identifiable dans le personnage de Jim, l'amant. En revanche, faute d'indications sur le château et son vin, impossible d'en placer par l'imagination une bouteille sur la table du couple*.

À Jules Romains, le pompon ! Il publie en 1923 un roman (imbuvable) intitulé *Le Vin blanc de La Villette*, succession d'histoires racontées au café « L'Ambassade », sur le port de la Villette, par des éclusiers, charbonniers, camionneurs, débardeurs... Bénin et Broudier, deux personnages récurrents de Jules Romains, les font parler en leur offrant du vin blanc. Lequel ? Seule indication : « Bénin et Broudier n'avaient jamais trouvé un tel goût au vin blanc. » C'est peu pour justifier le titre du livre.

Ne pas nommer les vins, quels qu'ils soient, grands ou petits, c'est leur manquer de considération. C'est refuser de reconnaître la spécificité de chacun. C'est

---

* Renseignement pris auprès de Philippe Sollers, il s'agit du château brane-cantenac, un margaux classé deuxième cru.

se priver d'un détail important, significatif, qui ajoute au portrait d'un personnage ou à la véridicité d'une scène.

Louons et remercions Jean-Jacques Rousseau (*Les Confessions*) de préciser que, lorsqu'il débattit de théologie avec le curé M. de Pontverre (*sic*), il lui laissa volontiers la victoire parce que celui-ci lui avait servi « son vin de Frangy, qui me parut excellent ». La commune savoyarde, située entre Annecy et Annemasse, produit toujours de la roussette, la roussette de Frangy.

À Turin, où il abjura la foi protestante pour être baptisé dans la foi catholique, Jean-Jacques Rousseau calmait son « bon appétit » avec des « repas rustiques », « et quelques verres d'un gros vin de Montferrat à couper par tranches ».

À Lyon, engagé comme précepteur chez M. de Mably, il lui subtilisa quelques bouteilles de vin « pour boire à mon aise en mon petit particulier ». Quel vin ? Jean-Jacques, lui, répond, ne serait-ce que pour justifier son larcin par la qualité de la tentation : « Je m'avisai de convoiter un certain petit vin blanc d'Arbois, très joli, dont quelques verres que par-ci par-là je buvais à table m'avaient fort affriandé. »

Plus tard, c'est toute la cave qu'il avait constituée à l'Ermitage, chez Mme d'Épinay, que Rousseau se fit voler. Quels vins contenait-elle ? Hélas ! là-dessus il ne dit rien.

Quincié-en-Beaujolais

Je n'y suis pas né, mais j'y ai grandi, poussant mes racines avec ardeur et cette gaieté légère que diffuse la promesse du vin.

Village de quelque 1 100 habitants, Quincié est situé entre la vallée et la montagne, aux portes de Beaujeu, capitale historique du Beaujolais. En face, à l'est, sur l'autre versant, Régnié, le dixième cru. Au sud, le mont Brouilly. À son sommet on aperçoit une petite chapelle, construite en 1856, vers laquelle, dans mon enfance, on allait en pèlerinage. Notre-Dame de Brouilly, sainte patronne du brouilly et du côte-de-brouilly, aurait protégé le vignoble des ravages de l'oïdium. Contre la grêle, elle a paru moins motivée.

Le sol granitique des coteaux produit l'un des meilleurs beaujolais-villages. Un jour d'envolée lyrique ou d'exaltation un peu démagogique, Édouard Herriot avait fixé à Quincié le paradis terrestre : « Et ce n'est pas une pomme qui a tenté la première femme. C'est une grappe de notre raisin. Comme je l'excuse et la comprends ! »

C'est à Quincié que j'ai appris à lire et à écrire. Élève de l'école communale pendant les cinq années de la guerre, j'étais un farouche opposant à l'Allemagne, qui retenait mon père prisonnier et dont les soldats ne se risquaient guère jusqu'au bourg où, souvent, passaient à toute allure, devant nos yeux d'écoliers ébaubis et enfiévrés, des 11 CV Citroën noires bourrées de maquisards en armes. J'explique mal, en revanche, sinon par goût de l'exotisme, mon penchant pour les Japonais jusqu'à ce que l'Histoire m'affranchît.

Le 5 mai 1945, jour de mes dix ans, fut une grande date. Vers 11 heures du matin, on vint me chercher à l'école, pendant le cours. Mon père était de retour ! Jamais ma mère ne me parut aussi belle, émue et joyeuse. Pourtant, le type qui l'embrassait et qui prenait dans ses bras tantôt mon frère, tantôt moi, avait perdu ses cheveux, et son corps un peu tassé était recouvert d'un abominable vêtement gris-vert, l'uniforme des KG, deux grosses lettres dans le dos, les *Kriegsgefangener*, prisonniers de guerre. J'étais décontenancé, ayant souvent rêvé ou imaginé le retour d'un guerrier au charme irrésistible. Enfin, il y eut des discours, un vin d'honneur servi en mairie, le déjeuner tardif dans le deux pièces qu'occupait ma mère, depuis cinq ans, dans la maison de ses vignerons, et le visage de mon père qui, enfin, coïncidait de plus en plus avec ses photos d'avant-guerre. 1945 fut un très grand millésime en Bourgogne et en Beaujolais, sauf qu'il y eut peu de vendanges, le gel ayant pétrifié une partie du vignoble dans la nuit du 4 au 5 mai, celle qui précéda le jour où mon père nous a été rendu.

Dans les régions viticoles, on ne raconte pas sa vie

en prenant pour repères des chansons ou des films. On dit : on s'est fiancés l'année où il a fait si chaud, on avait des moûts de 14° et plus... Elle est née en 63, je m'en souviens, on était en retard pour la taille, il pleuvait tous les jours, alors je suis allé à la clinique, j'ai embrassé la mère et la fille, et je suis reparti à la vigne... Le pauvre, il est mort en 57, juste avant les vendanges, pas une bien bonne année, comme s'il avait pas voulu voir ça...

1964, c'est l'année du Congrès des farces et attrapes à Quincié. Trois jours de folie pendant le week-end de Pentecôte. Guy Béart, cerné par les jeunes filles, reprenait sans cesse *Le Chant du pétard*, qu'il avait composé pour la circonstance. Cent Parisiens — notamment Robert Sabatier, François Caradec, qui présidait l'IFFA (Institut français des farces et attrapes) — défiaient la population locale, un verre dans une main, des pétards dans l'autre. Pas un conférencier, pas un orateur ne parvinrent à aller au bout de leur texte. On fit jaillir miraculeusement du vin en piochant la terre. Dans les prés, les vaches avaient été peintes de couleurs joyeuses. Alertés par les radios, des milliers de Lyonnais vinrent pour eux aussi s'amuser. Ils payèrent un droit d'entrée dans le village et ne s'amusèrent pas. Ils comprirent trop tard qu'ils avaient été victimes d'une farce. *Time* publia un reportage photographique qui restituait bien cette fête villageoise, bachique et médiévale.

L'année précédente, le Congrès des farces et attrapes avait eu lieu à La Roche-Canillac, petit village de Corrèze. Terrorisés, les habitants s'étaient barricadés chez eux. C'est moi qui ai soufflé le nom de Quincié-en-Beaujolais aux dirigeants de l'IFFA. J'étais certain que l'humeur d'une population viticole, à l'ordinaire joyeuse, trouverait à s'employer dans un week-end effervescent de Parisiens en goguette, et même à s'accommoder de leurs débordements. Depuis Rabelais, on sait que le vin pousse à la fraternité et à la liesse. De fait, maire, conseillers municipaux, sapeurs-pompiers et musiciens en tête, le village a participé au congrès avec l'ardeur des néophytes en religion farceuse.

1968, c'est l'année — juste avant mai — où Monique, qui était alors ma femme, mère de nos deux enfants, et moi avons acheté à Quincié une maison qui nous a séduits au premier coup d'œil. Située à mi-pente, entourée de grands arbres, elle ouvre, devant, sur la plaine de la Saône ; derrière, sur des vignes qui escaladent la montagne. Avec un « look » anglo-normand, à l'intérieur de style 1900, elle avait été construite en 1893 par un esprit original, peintre, photographe, musicien — le portrait de Constant Scève, fondateur de la fanfare du village, trône maintenant en mairie. Il l'avait baptisée « *Bonum vinum laetificat* ». Les trois mots latins étaient imprimés, gravés, enluminés sur la cheminée, sur les lustres, sur les porte-fenêtres, sur des treilles de fer forgé, sur des porte-manteaux, sur des frontons... Il y en avait partout ! On a gardé les plus esthétiques, notamment les « *bonum vinum laetificat* » qui courent sous une fresque qui fait le tour du salon. Elle représente, peints chez lui par l'artiste, les travaux de la vigne jusqu'à la danse qui clôt les vendanges. C'est élégant et c'est gai.

Nous avons poursuivi l'œuvre du fondateur en introduisant dans la maison des meubles, de la vaisselle, des verres décorés de raisins achetés aux Puces, et en couvrant les murs d'affiches sur le vin. Il y a là, j'en conviens, de la monomanie, une obsession

uvale, un rétrécissement culturel. Mais, tant qu'à être cerné par la vigne, ne valait-il pas mieux, comme l'avait fait mon prédécesseur, ouvrir toute grande la maison au dieu Pampre et au dieu Raisin, dont les formes ont, depuis Sumer, toujours inspiré le crayon, la plume, le pinceau, la pointe ou le burin des artistes ? « *Bonum vinum laetificat cor hominis* », telle est, complète, la formule latine : « Le bon vin réjouit le cœur de l'homme. »

Je crois que les femmes et les hommes dont l'enfance et l'adolescence ont couru les vignes ne sont pas tout à fait comme les autres. Ni pires ni meilleurs, mais d'une nature un peu différente, d'une sensibilité légèrement plus minéralogique. Le terroir a une si grande importance pour le vin qu'il en a forcément aussi, même si cela n'est pas mesurable, pour les personnes qui y ont grandi et s'y sont… cultivées. Dans l'intimité des vignes et des caves, on prend une mentalité de feuilletoniste. Au prochain chapitre ! À suivre, à suivre… Avec le vin, on n'en a jamais fini. De la taille à la mise en bouteilles, les épisodes, nombreux, divers, s'enchaînent sur un temps très long, qui est beaucoup plus court pour les producteurs de blé, de fruits ou de légumes. Même si nous ne sommes pas nous-mêmes des professionnels de la vigne et du vin, leur fréquentation et leur conversation nous amènent à nous conformer à leur gestion du temps, le temps qu'il fait comme le temps qui passe. Enfin, nous gagnons en gourmandise, en sensualité, peut-être aussi en communication, car le vin stimule le bavardage, inspire les confidences, pousse les feux de l'imagination. C'est probablement cette palabre, durant ma jeunesse, à Quincié, tandis que j'étais adossé aux foudres et aux barriques, qui m'a donné le goût de la conversation. Avec l'envie de l'animer ?

Glouglou

La Cave coopérative de Quincié, à laquelle est apporté le raisin que produit l'hectare de vigne qui jouxte ma maison de famille et que cultive Daniel Burnichon, a toujours été, grâce aux hommes qui se sont succédé à sa tête, un magnifique instrument pour faire les meilleurs vins possible. En témoigne la rafle de médailles gagnées, chaque année, dans les concours à l'aveugle. Depuis 1936, trois générations de Chagny, Joseph, puis Henri, maintenant Jean-Luc, ont eu en charge la direction œnologique de la Cave coopérative. Le talent de vinificateur serait-il héréditaire ?

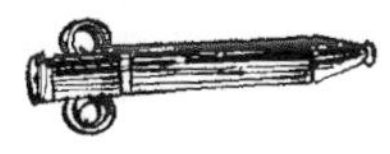

BEAUJOLAIS 2, BEAUJOLAIS 3, DULAC (JULIEN), PIVOT (JEAN-CHARLES)

Raisin

Il n'était pas possible qu'Adam et Ève fussent tentés par un raisin puisque la vigne n'avait pas encore été donnée ou inventée. Donc, ce fut une pomme. Qui devint le fruit défendu, le symbole de l'interdit, de la transgression, la représentation croquante du désir peccamineux.

Une grappe de raisin, blanc ou noir, est autrement plus sensuelle qu'une pomme. Chaque grain est une invite à la gourmandise. La chair et le jus de chaque petite perle luisante, blonde ou mordorée, en se répandant dans la bouche après avoir éclaté sur la langue, évoquent plus que tout autre fruit les plaisirs de la luxure. Dessins et photos érotiques mettent en scène des amants qui pressent des raisins au-dessus de la gorge et du ventre de leurs maîtresses. On n'en a jamais vu qui pèlent des pommes.

Si celles-ci sont rondes comme des seins, les raisins par leur forme triangulaire évoquent le sexe.

Barbe a dessiné un couple nu fort sympathique : sur elle, le raisin blond a pris la place de la toison pubienne ; sur lui, qui bande, le raisin noir est à l'envers, la pointe en haut. Dans l'argot traditionnel, la grappe désigne les organes sexuels de l'homme alors que la pomme n'en est que la tête ou la figure. Lui lécher la pomme est moins définitif que lui cueillir la grappe…

Aujourd'hui, la pomme représente si peu le fruit défendu qu'elle a été choisie pour emblème par la ville de New York et par la société d'informatique Macintosh. Au contraire, le raisin est de plus en plus utilisé comme allégorie de la jeunesse, de la sensualité, de la beauté, du plaisir. Les décorateurs font une orgie de raisins. De même, les bijoutiers, les soyeux, les couturiers, les porcelainiers.

Il n'y a plus de fruits défendus, mais la grappe de raisin, aérienne ou lourde, stylisée ou telle quelle, a quitté la table et le compotier des peintres de natures mortes pour symboliser seule la tentation. Récemment, on pouvait voir dans les abribus la photographie publicitaire d'une femme exquise vêtue seulement d'un slip à dentelles blanches. Devant sa bouche, un raisin noir. Texte de l'accroche : « Succomber à la tentation ». Nous, femmes et hommes, à la tentation de la lingerie, elle, à celle du raisin. Les deux promesses ne sont-elles pas pareillement… pulpeuses ?

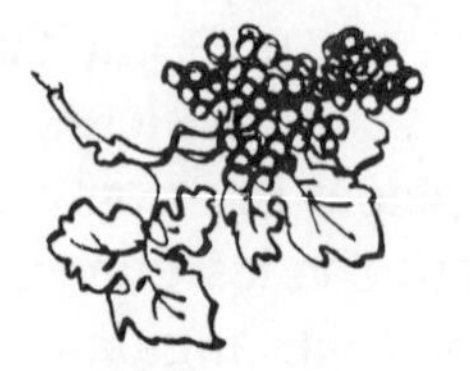

Par ses adjectifs, le raisin semble être une dépendance du langage érotique : charnu, pulpeux, juteux, poisseux. En attendant le capiteux chevauchement des mots du corps et du vin.

Enfin, comme on le verra, les vendanges sont une invitation à ne pas se contenter de cueillir les raisins.

Pauvre Adam ! Pauvre Ève ! Pauvres pommes !

SEXE ET LE VIN (LE), VENDANGES

Rhône (Côtes du)

CHÂTEAUNEUF-DU-PAPE, CONDRIEU,
CÔTES ET COTEAUX, HERMITAGE

Rivalité des vignobles

Bordeaux-Bourgogne. Le Bordelais Pierre Veilletet rapporte que, sur les rives de la Gironde, de la Dordogne et de la Garonne, « bourguignon ! » est le plus terrible anathème qui puisse être prononcé. Au cours d'une émission d'« Apostrophes », Philippe Sollers n'avait pas hésité à classer les bourgognes parmi « les vins de sauce ». Dans un entretien accordé à Pierre Boncenne et à Alain Jaubert, dans *Lire* de décembre 1986 (magazine dont à l'époque je dirigeais la rédaction, on va voir combien j'étais tolérant), l'écrivain bordelais, né à proximité de La Mission-Haut-

Brion, était allé encore plus loin dans le mépris du bourgogne : « Je l'ai en horreur. C'est un vin de sauce et de sang. De même que, dans la lutte entre les Armagnacs et les Bourguignons, j'ai choisi mon camp, de même, dans la véritable guerre civile entre le bourgogne et le bordeaux, je milite là où vous savez. Il faut tout de même que les gens prennent conscience et qu'on le sache : le bourgogne, ce n'est pas du vin, c'est de la boisson pour sauces. De plus, quand on boit du bourgogne on a la terrible sensation de boire quelque chose de saigné, sans compter la lourdeur effroyable d'un terrain que l'on ressent. Donc, pour moi, tous les gens qui aiment le bourgogne (et le beaujolais aussi) sont, disons-le, des ploucs ! À la guerre comme à la guerre : oui, des ploucs, j'affirme ! »

Selon le géographe et historien Jean-Robert Pitte, qui a finement analysé « les passions rivales » de *Bordeaux-Bourgogne*, Jean Lacouture, autre écrivain bordelais, aurait dit — lui dément, et de toute façon ce n'était pas à « Apostrophes » — après avoir apprécié un éclatant bourgogne : « Du bourgogne, vraiment ? Je ne connaissais pas. C'est excellent, mais je préfère quand même le vin. » On prétend que François Mauriac aurait lancé la même amabilité. Et d'autres Girondins avant lui.

Le dédain dans lequel les seigneurs bordelais tiennent le bourgogne (et tous les autres vins français, à l'exception du champagne) est patent. Même si les rédacteurs de la revue *L'Amateur de bordeaux* ont fait naguère des efforts talentueux pour franchir les frontières de l'Aquitaine, le Bordelais ne boit que du bordeaux, ne parle que du bordeaux, ne se passionne que pour le bordeaux. Il naît, vit et meurt dans la religion du bordeaux. C'est un monœlogue. C'est un pinotphobe. Il reconnaît cependant que le chardonnay donne à la Bourgogne une place éminente dans la hiérarchie des vins blancs. Mais c'est sur le rouge qu'a lieu la noble et vraie compétition, ou, plutôt, qu'a eu lieu autrefois, car, dégustatrice infaillible et incorruptible, l'Histoire a jugé depuis longtemps et n'y reviendra pas.

J'exagère à peine. J'ai toujours été étonné par le peu de curiosité des Bordelais pour les autres vins français, ainsi que pour les vins étrangers, hormis ceux qui, issus du cabernet sauvignon, du cabernet franc et du merlot, prétendent, notamment en Californie, rivaliser avec les modèles et maîtres ; et y réussissent trop bien, remportant souvent les concours de dégustation à l'aveugle qui les opposent. La France découvre avec horreur que, quoique fille aînée de Bacchus, elle n'a pas le monopole des bons terroirs, des bons climats et des bons ouvriers.

La grande famille bordelaise compte même ses fondamentalistes, des Médocains qui considèrent que leurs cousins de Pomerol et de Saint-Émilion font des vins qui manquent de distinction, de complexité, de classe. D'ailleurs, les Bourguignons aggravent leur cas en préférant, en majorité, ces appellations-là au médoc, qu'ils jugent, à tort, énigmatique, étroit, contraint. L'on dit qu'il est arrivé à des experts de confondre des pommards avec des pomerols, comme par hasard le bordeaux que plébiscitent les Bourguignons.

Jean-Jacques Brochier, longtemps directeur du *Magazine littéraire*, est le seul pro-bourgogne radicalement hostile aux bordeaux que j'ai rencontré. Partisan comme Sollers d'une guerre civile entre les deux vignobles, il n'était pas loin, connaissant mes faiblesses pour les vins de l'ennemi, de considérer que j'étais un traître. Il était plus ouvert dans le choix de ses lectures.

Du côté des producteurs bourguignons, on observe moins une hostilité aux vins de Bordeaux que de l'indifférence. Ou une méconnaissance. Ils ne doutent pas plus que les Bordelais de faire le meilleur vin du monde (pour les blancs, ils ont raison), mais j'ai rarement observé chez eux du dédain, de l'intolérance. Peut-être ont-ils la sérénité de ceux qui ont admis être collectivement seconds, alors qu'en Gironde on continuerait de développer un complexe de supériorité ? Faut-il voir dans ces attitudes contrastées — ici ramassées à grands traits, j'en conviens — le résultat de l'ascendant gustatif et psychologique pris par le vin de Bordeaux sur ses concurrents ? Oui, sans doute.

C'est l'Angleterre et la Hollande, puis les États-Unis, qui lui ont assuré une gloire universelle et qui ont attribué au Bordelais la première place dans la hiérarchie des vignobles de France et du monde. L'appréciation des primeurs par des experts internationaux auxquels les châtelains girondins ouvrent chaque printemps leurs chais est devenue un événement presque aussi retentissant que les défilés de la haute couture. La comparaison n'est pas innocente. De même que peu de femmes sont capables d'acheter et de porter les modèles présentés, les grandes bouteilles ne sont acquises, et, beaucoup plus tard, bues et appréciées, que par une minorité de privilégiés. L'inaccessibilité au tiers état des robes prototypes et des châteaux haut classés ajoute paradoxalement à la renommée, et même à la popularité, de la couture parisienne et du vin de Bordeaux. Car cet éclectisme influence et entraîne — mais n'est-ce pas de moins en moins vrai ? — le prêt-à-porter comme l'ensemble de l'appellation bordelaise.

Des grands crus classés au vin générique, le Bordelais dispose de l'excellence, de la qualité, de la diversité et de la quantité, conditions nécessaires aussi bien à une appropriation mandarinale qu'à une consommation démocratique. Seule la Champagne bénéficie d'une « force de frappe » comparable, mais d'une autre nature.

Certes, la Bourgogne peut se flatter de posséder des villages et des climats anoblis par les siècles, universellement connus. Elle propose à des fanatiques français et étrangers, qui se les disputent sans compter, des bouteilles beaucoup plus rares que les grandes bordelaises. Mais sa modeste superficie ne lui permet pas d'être assez productive et diverse, ni assez homogène dans la qualité, pour prétendre régner, comme elle le fit jadis, sur le marché et sur le goût.

En effet, les vins de la Côte d'Or, en particulier le célébrissime « vin de Beaune », furent sans rivaux du XIVe au XVIIe siècle. Les ducs de Bourgogne en étaient les habiles propagandistes jusque dans la Flandre, leur propriété, qui, après les cours des rois de France et des papes d'Avignon, découvraient les saveurs du pinot noir. Jean-Robert Pitte rappelle ceci : « Clément V, premier pape d'Avignon, a beau avoir été archevêque de Bordeaux et avoir donné son nom à un domaine, à sa mort, en 1314 (Pape Clément), jamais les vins de Bordeaux n'arriveront jusqu'en Avignon et jusqu'à Rome. Pétrarque s'exaspère en 1366 de voir les princes de l'Église aimer le séjour d'Avignon, en particulier parce que le vin de Bourgogne y coule à flots. »

Bourgogne-Champagne. Bien avant même le règne de Louis XIV, un rival grandit et s'impose au nord de la Bourgogne : la Champagne. Querelle des médecins : quel était des deux vins le meilleur pour la santé ? On en débattit furieusement avec, du côté de Reims et d'Épernay, l'agressivité conquérante des challengers. Les arguments des diafoirus champenois devaient être assez futés et convaincants pour obliger le doyen des Hospices de Beaune à publier une *Défense du vin de Bourgogne contre le vin de Champagne.* Mais Fagon, le médecin de Louis XIV, avait réglé l'affaire en décrétant que la goutte dont souffrait le roi ne pouvait s'accommoder du vin de Champagne alors qu'elle tolérait très bien le vin de Bourgogne. Les prédécesseurs de Fagon avaient choisi le parti inverse. Molière s'était déjà beaucoup amusé et moqué des ordonnances contradictoires des médecins. Toujours est-il que Fagon n'a pas volé la rue de Nuits-Saint-Georges qui porte son nom.

Ce fut ensuite, entre Bourgogne et Champagne, une classique compétition entre deux vignobles pour obtenir, des personnes censées être les plus influentes — rois, princes, seigneurs, hauts dignitaires de l'Église et de l'armée —, les appréciations les plus flatteuses. Aujourd'hui, on appellerait cela une bataille médiatique du « people ».

Il est probable que la rivalité des vignobles et des vins a commencé dès lors qu'il y eut, quelque part dans le Caucase ou en Syrie, deux domaines et deux vignerons. Alors qu'il vient de procéder au recensement des principaux vins d'Italie, Pline l'Ancien écrit : « La plupart des lecteurs, je ne l'ignore pas, me reprocheront beaucoup d'omissions, car chacun tient à son vin et, où que j'aille, c'est toujours la même histoire. »

Ce sera encore la même histoire, au Moyen Âge, avec, stimulés par les Bourbons, le rayonnement considérable des vins de Saint-Pourçain. Ils ont longtemps représenté le *nec plus ultra*, jusqu'à la résurrection et l'essor du vin de Beaune. Selon l'historien Roger Dion, la guerre d'influence entre les deux vignobles fut longue et acharnée, puis les commandes papales et royales concrétisèrent la victoire des Bourguignons.

Bordeaux-Bourgogne. Trop longtemps vin plus célébré et convoité en Angleterre et aux Pays-Bas que dans le royaume de France, le bordeaux, fort de sa réputation internationale, finit par conquérir son propre pays. À partir du XVIIIe siècle, l'ascension de cet immigré de l'intérieur n'a pas cessé, tant en qualité, en quantité qu'en notoriété, l'année 1855 marquant le début de son apothéose avec le classement des meilleurs crus du Médoc et du Sauternes. Quand, vin de mers et d'océans, le bordeaux emprunta, comme le bourgogne et le champagne, les fleuves, les rivières et les routes qui mènent à Paris, il rattrapa ses deux concurrents, puis, au fil du temps, installa son atticisme dans la capitale. Ce qui, par l'espèce de magistère et de terrorisme sur le goût qu'a toujours exercé Paris sur le reste de la France et sur les capitales étrangères, conféra au bordeaux un prestige encore plus grand.

Illustrons cette prépondérance par un exemple. Les caves officielles de la IVe République respectaient, sans le faire exprès, une manière de parité entre bordeaux et bourgognes rouges. Cela allait de soi. La Ve République assura le triomphe des vins de Bordeaux avec le maire de la ville, Jacques Chaban-Delmas, qui régna pendant onze ans sur la cave du Palais-Bourbon, trois ans sur celle de l'Hôtel Matignon, et qui exerça beaucoup plus d'influence sur les cavistes de l'Élysée, du Sénat et du Quai d'Orsay que sur les présidents et ministres. Résultat : les bourgognes rouges ont quasiment disparu des grands repas officiels. (À un dîner récent à l'ambassade de Grande-Bretagne, où j'étais un invité parmi d'autres, il ne fut servi que des bourgognes ! Révolution culturelle ou folie d'un soir ?) Bref, maillot rouge, dossard n° 33, le bordeaux a gagné la partie. D'autant que la capitale girondine accueille, tous les deux ans, Vinexpo, la plus grande foire aux vins du monde.

Cependant, les bulles ayant mis depuis longtemps le champagne à part, il existe toujours une rivalité, une fracture, moins commerciale que culturelle, entre le bordeaux et le bourgogne.

Cela provient de la géographie et de l'histoire, bien sûr. Pour l'un, l'air marin, le grand large, la pratique des langues étrangères, la grande propriété, la mise en bouteilles au château, le maître de chai, les études supérieures à Harvard, le chic anglais, la fortune patrimoniale, la musique classique.

Pour l'autre, l'eau douce, la France profonde, les coutumes vigneronnes, la petite propriété, la mise en bouteilles au domaine, le travail en famille, l'université de Dijon, le diplôme d'œnologie, le jean, le morcellement par héritage, les chansons à boire.

Autant de clichés ici et là, autant d'idées reçues. En prendre et en laisser, on en est bien d'accord. Il y a quand même beaucoup de vrai dans ce kaléidoscope sociologique des deux vignobles. Les grandes lignes des scénarios y sont. En musique d'accompagnement, le violon à Bordeaux, l'accordéon à Vougeot. Mais tout se brouille, se complique. Beaune a créé un festival de musique baroque dont la réputation grandit d'année en année ; Meursault a lancé un festival itinérant qui mêle concerts et dégustations. Les Bordelais n'auraient pas osé ce titre : « De Bach à Bacchus » ! Ils préféreraient s'afficher dans quelque chose comme : « Bartók in Médoc »…

Enfin, c'est dans le verre que s'affrontent deux civilisations. D'un côté, la spontanéité aromatique du pinot noir, son explosion fruitière et florale dans le nez ; puis sa lente transformation au fil du temps dans une éblouissante gamme de nuances que la langue devra aussi aller chercher. De l'autre, l'impressionnante austérité d'un assemblage où domine le janséniste cabernet sauvignon, un capital où les palais les plus affûtés savent déjà distinguer, derrière les tanins que les années forceront à la discrétion, les rondeurs, les arômes, les finesses de demain et, plus sûrement, d'après-demain.

D'un côté, l'inné, le foncier, l'accueil immédiat, la tonicité, la sensualité, la francité.

De l'autre, l'assemblage, l'acquis, la patience, le cérébral, la distinction, le cosmopolitisme.

Oui, deux philosophies, deux civilisations.

Tout le plaisir est de passer de l'une à l'autre. En changeant de verre.

Glouglous

Le Club des Cent est pour la paix des cépages. Au menu de la plupart de ses déjeuners, il inscrit un champagne en apéritif, un bourgogne blanc avec le premier plat, un bordeaux rouge avec le second. Il est rare qu'un « brigadier » (celui qui est chargé de choisir les plats et les vins) se risque à ouvrir sur un bordeaux blanc et à poursuivre avec un bourgogne rouge.

Voici l'un des plus mémorables repas œcuméniques auxquels j'ai eu le privilège de participer : risotto d'aubergines aux cèpes de Sologne, accompagné d'un richebourg 1990, domaine de la Romanée-Conti ; homard en coque fermée et rôti aux châtaignes de Corrèze, servi avec le champagne S de Salon 1976, en magnum ; andouillette de pied de porc à la truffe du Périgord, mariée à un pétrus 1990 ; le chocolat décliné dans tous ses états avec un porto Taylor's vintage 1963 (Au « Cinq » de l'hôtel George-V, cuisine de Philippe Legendre en l'honneur du chef sommelier Enrico Bernardo, champion du monde 2004).

Bienheureuse Colette, à qui ses parents communiquèrent dès sa jeunesse le goût des très bons vins, et pas seulement ceux de Bourgogne. Elle n'avait pas plus de trois ans lorsque son père lui donna à boire — « coup de soleil, choc voluptueux, illumination des papilles novices » — du muscat de Frontignan. La suite n'est pas moins délectable (quoique les éducateurs d'aujourd'hui jugeraient criminel un apprentissage aussi précoce des vins, même « absorbés à gorgées espacées, réfléchies ») : « J'envie, quand j'y pense, la gamine privilégiée que je fus. Pour accompagner au retour de l'école mes en-cas modestes — côtelette, cuisse de poulet froid ou l'un de ces fromages durs, "passés" sous la cendre de bois et qu'on rompt en éclats, comme une vitre, d'un coup de poing — j'eus des Château-Larose, des Château-Laffitte, des Chambertin et des Corton qui avaient échappé, en 70, aux "Prussiens".

« Certains vins défaillaient, pâlis et parfumés encore comme la rose morte ; ils reposaient sur une lie de tannin qui teignait la bouteille, mais la plupart gardaient leur ardeur distinguée, leur vertu roborative. Le bon temps !

« J'ai tari le plus fin de la cave paternelle, godet à godet, délicatement… Ma mère rebouchait la bouteille entamée, et contemplait sur mes joues la gloire des crus français » (*La Treille muscate*).

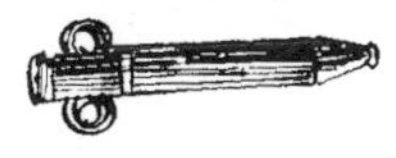

BORDELAIS, BOURGOGNE, CHAMPAGNE

Robespierre

Maximilien de Robespierre n'est pas le nom qui vient spontanément à l'esprit si on cherche un personnage historique avec lequel on aurait aimé partager une bonne bouteille. On n'imagine pas cet homme rigide, renfermé, intégriste de la Vertu et de la Nation, se passer la langue sur les lèvres devant le verre qu'on lui remplit, en fixer le contenu avec une impatiente gourmandise. L'usage du tire-bouchon, du décapsuleur ou du sabre pour le champagne ne rappellerait-il pas trop clairement un geste similaire par lequel il perdit la vie après en avoir privé de la même manière beaucoup de monde ?

Pourtant cet homme austère, du temps qu'il était encore à Arras, célébra le vin sous forme d'une chanson ou d'un poème, assez médiocre — ce qui tend à prouver que le vin ne l'inspirait pas beaucoup. Voici les derniers vers de « La Coupe vide », de Robespierre :

Bacchus de là-haut
À tout buveur d'eau
Lance un regard sévère.
Ô mes amis, tout buveur d'eau,
Et vous pouvez m'en croire,
Dans tous les temps ne fut qu'un sot,
J'en atteste l'histoire.

Ce sage effronté !
Cynique vanté,
Me paraît bien stupide ;
Ô le beau plaisir
D'aller se tapir
Au fond d'un tonneau vide !

Diogène fuyait précisément dans son tonneau des personnages comme Robespierre…

EAU

Romanée-Conti

À la fin du dernier « Bouillon de culture » (29 juin 2001), j'avais moi-même répondu au questionnaire posé à mes invités les plus prestigieux tout au long de dix années d'émissions. Vint la neuvième question : « La plante, l'arbre ou l'animal dans lequel vous aimeriez être réincarné ? »

Ma réponse : « Dans un cep de la romanée-conti. »

À mes yeux, à ma bouche, à mon palais, à mon cœur, la romanée-conti est le meilleur vin du monde C'est un choix, j'en conviens, peu original. Mais comment résister aux mythes quand ils perdurent dans le sublime ? Non seulement le fleuron de la Côte de Nuits se maintient dans l'empyrée des quelques vins dont la complexité et le raffinement stimulent l'églogue et découragent l'analyse, mais chaque millésime le hisse un peu plus dans la légende.

Car déguster une romanée-conti, c'est frotter ses lèvres à l'Histoire. On est soudain à table avec

Louis XIV, à Versailles. On devient l'ami de Louis-François de Bourbon, prince de Conti, qui doit d'être encore connu à son achat de la Romanée et non à ses qualités de chef militaire ou à ses engueulades avec Mme de Pompadour (bravo, monsieur, d'avoir préféré attacher votre nom à la Romanée plutôt qu'à la Pompadour). On participe aux conversations des fonctionnaires de la Révolution qui confisquent le domaine mais qui sont assez lucides et malins pour ajouter pour la première fois le patronyme exécré de Conti à Romanée, pressentant que commercialement l'initiative ne serait pas mauvaise. On se promène dans le village de Vosne auquel d'autres Bourguignons avisés accolèrent le nom de Romanée, le cru le plus prestigieux du vieux village. On se demande comment ce bout de vigne de 1,80 hectare 50 centiares a étendu sa renommée à la planète entière, et par quelle grâce, par quelle magie, il continue, siècle après siècle, année après année, de produire des chefs-d'œuvre.

Son exiguïté et de faibles rendements font de ce vin (6 000 bouteilles en moyenne) une rareté. La rareté et l'excellence créent la convoitise La convoitise fait le prix. Le prix et la rareté rendent sa consommation si peu fréquente qu'elle en devient miraculeuse. Le miracle renforce le mythe Le mythe ajoute à sa splendeur et à sa réputation.

La romanée-conti est le seul vin qu'on ne peut pas acheter à la propriété à l'unité ou par caisse de six ou de douze bouteilles. Pour avoir le privilège d'en détenir une il faut passer commande de treize à quinze bouteilles du domaine : richebourg, la tâche, romanee-saint-vivant, grands-échézeaux, échézeaux, tous grands crus mitoyens ou voisins de la reine, et qu'on ne boit eux aussi qu'exceptionnellement. Pratiquée depuis des lustres, cette forme de rationnement peut choquer. Mais c'est la seule façon, somme toute démocratique, d'éviter que les plus riches ne s'emparent de la totalité de la production annuelle de romanée-conti pour la boire ou… pour s'enrichir encore plus par la spéculation.

Je n'ai savouré la légende que cinq fois, soit une fois tous les douze ans. C'est très peu et, pour l'immense majorité des Français qui n'y ont jamais goûté, c'est beaucoup.

Une fois, ce fut dans des conditions criminelles, sous les projecteurs, dans la chaleur du plateau de « Bouillon de culture », à l'automne 1991. L'Anglais Richard Olney avait publié un ouvrage éblouissant, insurpassable sur Romanée-Conti, son histoire, ses propriétaires, la composition du sol, l'évolution des techniques de culture, de vinification et d'élevage, les millésimes, etc. J'avais réalisé un petit reportage sur les vendanges au domaine de Romanée et l'avais projeté au cours d'une émission dont Jean Ferniot, fin connaisseur de ce qui se mange et se boit, était l'invité d'honneur pour la publication de son autobiographie (*Je recommencerais bien*). Il commenta le livre de Richard Olney (*Romanée-Conti*) avec compétence et délectation.

Les mythes sont particulièrement enchanteurs quand on peut les voir, les toucher, en l'occurrence les boire. Impossible de faire l'émission sans la présence d'une bouteille de romanée-conti sur la table et d'autant de verres qu'il y avait d'invités. Mais ni Richard Olney ni le domaine n'avaient expédié de bouteille. J'en avais une, une seule, dans ma cave, et l'ai donc « sacrifiée » (millésime 1982). Sous les sunlights, nous la bûmes avec déférence et gourmandise, nous la commentâmes avec enthousiasme. Mais ce ne fut l'affaire que de quelques secondes. Elle eût mérité plus de temps, une exégèse plus approfondie dans une intimité plus conviviale. Famille et amis considérèrent que j'avais poussé un peu loin la conscience professionnelle !

Le cœur, ainsi que je l'ai dit au début, a aussi sa place dans mon choix, à travers une certaine nostalgie. Ayant réussi l'examen du permis de conduire, mon père m'autorisa à piloter sa 11 CV Citroën, la fameuse traction de couleur noire. Nous partîmes du Beaujolais pour une balade en Bourgogne. À Vosne-Romanée, j'avançai avec prudence sur des routes et des chemins étroits qui nous menèrent à un petit mur de pierres bordant une vigne. Il y avait beaucoup d'autres murets analogues à celui-ci, certains plus beaux, mais c'était le seul où on pouvait lire, gravé sur une pierre lisse : « Romanée Conti » À côté, haute, majestueuse, une croix protégeait la vigne depuis le XVIIIe siècle.

Ainsi, c'était donc là ce carré de ceps qu'on classait parmi les joyaux de la terre ? Mais j'étais encore trop peu connaisseur de l'histoire des vins et de leur géographie, et trop occupé par la fierté de conduire la « Citron », pour partager l'émotion de mon père. Par la suite, j'eus plusieurs fois l'occasion, devant la même inscription, à l'ombre de la même croix, de contempler la vigne de la Romanée-Conti avec enfin des sentiments tout acquis au lieu.

Cinq mois après la dernière de « Bouillon de culture », je fus invité à présider le chapitre de la Saint-Hubert de la Confrérie des Chevaliers du Tastevin. On me fit, honneur suprême, Grand Officier. On m'attribua les 100 bouteilles du prix du Tastevin 2001. À quoi devais-je tant de générosité ? À ma fidélité bavarde au bourgogne ? Au souvenir d'Henri Vincenot, dont le nom reste lié à « Apostrophes » ? Probablement aussi au fait qu'au cours de mon ultime émission littéraire je servis à mes invités (Jean d'Ormesson, Erik Orsenna, Isabelle Huppert, l'Américain James Lipton, la Québécoise Denise Bombardier, etc.) un fameux bourgogne, un volnay clos des ducs 1989, du marquis d'Angerville. Le prix Nobel de physique Georges Charpak était aussi de la fête. Il était convenu entre nous que chaque fois qu'il accepterait de venir sur mon plateau, j'agrémenterais la conversation, quel qu'en fût le sujet, d'une bouteille de ces bourgognes dont il est un consommateur très épisodique mais conquis. Des mauvaises langues de mon entourage dirent que j'avais invité Charpak pour avoir une raison de servir du bourgogne. Il n'en était rien, car j'admire le physicien et pédagogue et tenais à sa présence. Mais je n'étais pas mécontent, c'est vrai, de joindre l'agréable à l'utile.

Sur la tribune du cellier du château de Clos de Vougeot, où tous les dîners de la Confrérie des Chevaliers du Tastevin sont servis, je pensais, promu, lauré, avoir fait le plein de douceurs quand le Grand Maître, Vincent Barbier, et le Grand Connétable, Louis-Marc Chevignard, me présentèrent le plus inattendu, le plus malicieux, le plus affectueux des cadeaux : un cep de la romanée-conti ! Hors d'âge, épais, massif, noueux, crevassé, avec ses racines abondantes, pétrifiées, il était cloué sur une planche de bois en haut de laquelle une petite plaque certifiait que c'était bien un cep de romanée-conti et qu'il m'était remis le 8 décembre 2001. Ainsi étais-je soudain en face de moi réincarné ! Quelle gueule ! Saisissant ! Au cas très improbable où cette réincarnation aurait lieu, j'envisage d'abord de vivre en pleine terre à l'endroit que me vaudraient ma naissance et mon identité, d'y donner des fruits pendant très longtemps, et de finir, en effet, telle une œuvre d'art brut, laquelle est désormais sur mes murs.

Aubert de Villaine, copropriétaire et patron du domaine de Romanée-Conti, malheureusement absent, m'offrit, en plus du prestigieux cep, une bouteille, oui, mais oui, que les envieux ferment les yeux ! que les vignerons et les séraphins ouvrent le ban ! une bouteille de romanée-conti ! Année : 1961. De ce millésime, il est dit dans l'ouvrage de Richard Olney : « Expression brillante de la romanée. Robe acajou. Très grand nez éblouissant d'épices et de musc, une très grande ampleur de bouche avec un moelleux confortable qui séduira les amateurs de bourgognes opulents » (Note de l'expert Michel Bettane au cours d'une dégustation collective faite en mars 1991).

Ça tombe bien, j'aime aussi les bourgognes opulents. Il faut se défier de l'opulence chez les humains et rechercher celle des vins. Un vin, surtout un bourgogne rouge, ne doit pas naître et grandir dans la pauvreté, le mégotage, la pâleur. Rien n'est trop beau pour lui, rien n'est assez ample et ambitieux. Recherchons la compagnie des vins riches, pleins aux as de couleurs et de parfums.

Me voici donc avec en cave une romanée-conti 1961, introuvable sauf au domaine et chez les collectionneurs. Je ne la collectionnerai pas, je la boirai. Mais quand ? Avec qui ? J'ai quelques idées. Attention de ne pas engager avec la bouteille une course de lenteur que je pourrais perdre…

L'écrivain japonais Kaikô Takeshi a publié une longue nouvelle intitulée *Romanée-Conti 1935*. Un dimanche d'hiver, en 1972, à Tokyo, un romancier et un administrateur d'entreprise bavardent devant une bouteille de la tâche 1966 et une autre de romanée-conti 1935. L'administrateur connaît bien la France et ses vins, surtout la Bourgogne. Il a suivi « la route des grands crus » (en français dans le texte). Il a visité le domaine de la Romanée. Il a déjeuné chez « Point », à Vienne, et il y a aperçu deux bouteilles de romanée-conti de la mythique année 1945. C'est lui qui s'est procuré les deux bouteilles qu'il s'apprête à boire avec le romancier,

Le vin de la tâche 1966 est dans l'éclat de la jeunesse. « Une sensuelle opulence », écrit Kaikô Takeshi, au nom du romancier et de l'entrepreneur. Mais la romanée-conti 1935 est une cruelle déception : aqueuse, flétrie, « une momie de vin ». Pourtant, la romanée-conti 1935 bue en 1991 par Richard Olney alors que nos Japonais ont débouché leur bouteille dix-huit ans auparavant — présentait « un nez vivant de terre d'argile et de chaumes humides. Tabac, cuir de Russie. Une certaine nervosité, solide en bouche. Quelle merveille ! ».

Comment expliquer cette différence du tout au tout entre deux bouteilles jumelles ? Celle de Richard Olney n'avait pas quitté le domaine, alors que la romanée-conti de l'entrepreneur japonais avait transité par les États-Unis avant d'arriver à Tokyo. La guerre ne lui avait-elle pas été fatale ? « À force d'être ballotté, harcelé, étuvé dans la chaleur des étés, empilé, laissé à la lumière, au vent, abandonné, le vin n'avait-il pas connu la déchéance de la sénilité précoce ? » se demande l'entrepreneur. C'est probable.

Ma bouteille de 61 ne subira pas les outrages des longs voyages inconfortables et des gardes brutales. Elle sera sûrement excellente. D'ailleurs, l'entrepreneur de Tokyo en parle sous la plume de Kaikô Takeshi : « D'après ce qu'on m'a dit à Romanée-Conti, le vin de 69 a atteint une grande maturité. Celui de 65 continue à grandir. Celui de 61 est une perfection, l'admiration est seule de mise. » Voilà qui promet !

Glouglou

À propos de réincarnation, notons ce quatrain de Ronsard :

Quand la mort me voudra tuer,
À tout le moins, si je suis digne,
Que les Dieux veuillent me muer,
Je le veux être en fleur de vigne.

AUSONE (CHÂTEAU), BOURGOGNE, MILLÉSIMES, PÉTRUS, TASTEVIN (CONFRÉRIE DES CHEVALIERS DU)

Rothschild (Philippe de)

Vais-je rallumer des feux éteints, des discordes oubliées ? Le Médoc doit beaucoup au baron Philippe de Rothschild et il ne serait pas injuste de lui élever une statue à Pauillac ou au carrefour de la D2 et de la D205.

C'est lui qui, en 1924, eut l'idée, révolutionnaire à l'époque, de procéder lui-même à l'élevage de son vin et à sa mise en bouteilles au château. On imagine sans peine les têtes du négoce ! Un gamin de vingt-deux ans qui osait défier les Chartrons ! Et qui s'en donnait les moyens : la construction, deux ans plus tard, d'un chai magnifique, lui aussi révolutionnaire, long de 100 mètres, où les barriques, alignées, mises en lumière, mises en scène, formaient une impressionnante chorégraphie… moutonnante. Après, d'autres feront encore plus vaste, plus original — comme le chai circulaire imaginé par Ricardo Bofill pour le château Lafite-Rothschild. Mais le baron Philippe avait lancé une nouvelle pratique, de nouveaux usages. Les autres premiers crus classés ne tardèrent pas à l'imiter, puis, peu à peu, les propriétaires de tous les crus classés, suivis au fil du temps de la plupart des châteaux, même les plus modestes. Le château et son vin ne forment plus désormais qu'une seule entité, la mention sur l'étiquette « Mis en bouteilles au château » l'attestant.

Dans l'histoire du vin de Bordeaux, beaucoup d'hommes remarquables se sont illustrés. Mais s'il en est un qui a donné au vin la dimension et la réputation d'un art, qui n'a cessé de lier l'art et le vin, qui a beaucoup contribué à établir l'idée aujourd'hui reçue que les grands médocs sont des œuvres d'art, c'est bien Philippe de Rothschild.

Car, durant les soixante-six ans de son règne sur Mouton, il s'est appliqué à donner une plus-value culturelle à son vin, dont l'élaboration, de la taille de la vigne à la mise en bouteilles, avait été confiée sous sa surveillance à des professionnels irrécusables. Mais la commercialisation, la communication, la valorisation artistique du mouton-rothschild, c'était lui.

À partir de 1945, l'illustration des étiquettes de chaque millésime par un grand artiste fut une idée de génie. Marie Laurencin, Braque, Dali, Mathieu, Matta, Alechinsky, Miró, Chagall, Kandinsky, Poliakoff, Picasso, Warhol, Soulages, Delvaux, Bacon, Balthus… Le chai de Mouton transformé en galerie d'art. Les étiquettes devenues objets de collection, la plus recherchée restant celle de 1924, la première commandée par le baron. Cubiste, ornée d'une tête de bélier et des cinq flèches de la famille Rothschild, elle est l'œuvre de l'affichiste Jean Carlu.

Plus fort encore, plus spectaculaire : l'inauguration, à Mouton, en 1962, par le ministre — évidemment, de la Culture, et, comme le hasard est obligeant, il s'appelle André Malraux —, du musée du Vin dans l'art. Qui n'a pas d'équivalent au monde. Philippe de Rothschild et sa seconde épouse (la première était morte dans un camp de concentration), la baronne Pauline, styliste américaine de talent — c'est elle qui a eu l'idée du musée —, y ont rassemblé le butin de leur chasse universelle aux merveilles. Cela va de la Haute-Antiquité aux années 1930, de l'art des dynasties chinoises à l'art précolombien, de la céramique vénitienne à l'orfèvrerie germanique. Tout, à trois conditions : que ce soit beau ; que ce soit unique ou très rare ; que cela se rapporte, dans la fonction ou la décoration, au raisin, au vin, aux alcools, aux manières de boire, à la mythologie dionysiaque, etc. Je projette depuis trente ans de voler le buste de Bacchus, en terre cuite émaillée, de Giovanni della Robbia (1469-1529 ou 1530). La cuirasse du militaire, ornée d'un masque de lion, contraste avec le regard rêveur d'un beau jeune homme à la tête ceinte de pampres et de lourdes grappes de raisin…

Seule héritière, la pétulante, compétente et très avisée Philippine de Rothschild continue, depuis 1988, d'enrichir le musée et de maintenir liés l'art et le vin. Son passé de comédienne sur la scène de la Comédie-Française, puis pour la Compagnie Renaud-Barrault, a rajouté une petite touche à l'image culturelle de mouton-rothschild. Lequel était devenu entre-temps premier cru du Médoc ! L'égal des châteaux lafite-rothschild, latour, margaux et haut-brion.

Dans le Classement de 1855, mouton rothschild, qui s'appelait encore brane-mouton ou mouton, n'était que le premier des deuxièmes crus. Le baron Philippe n'était pas le seul à dénoncer l'erreur ou à se récrier contre l'injustice. D'où son orgueilleuse devise : « Premier ne puis, second ne daigne, Mouton suis. » Mais qu'il obtînt une révision de l'intangible, du sacro-saint Classement de 1855 à son seul avantage, il n'y fallait pas songer. Les gardiens du Temple, ses ennemis, y compris dans sa famille médocaine, les pouvoirs publics formaient un gros bataillon qu'il ne pourrait ni retourner ni réduire.

Pourtant, après vingt années de lobbying, de polémiques — qui, par parenthèse, eurent le mérite de faire une publicité considérable au Classement de 1855 —, Philippe de Rothschild, ajoutant à tous les arts celui de convaincre, bénéficia de ce qu'il était chimérique d'espérer : un codicille, une dérogation, une transgression. En 1973, par arrêté, le château mouton rothschild était classé premier cru. Le président Georges Pompidou et son ministre de l'Agriculture, Jacques Chirac, avaient fait sauter le bouchon !

Le baron modifia aussitôt sa devise : « Premier je suis, second je fus, Mouton ne change. »

Il eut aussi le dessein de se faire élire à l'Académie française. Ses traductions de Christopher Marlowe et des poètes élisabéthains, pour lesquelles je l'interviewai, n'étaient pas sans mérite. Il avait dirigé le Théâtre Pigalle, où il avait reçu des pièces de Jules Romains et de Jean Giraudoux. Il avait produit le film de Marc Allégret *Lac aux Dames* (1934), ayant même travaillé aux dialogues avec Colette. Il adapta des pièces de Christopher Fry, écrivit un ballet, *Vendanges*, sur une musique de Darius Milhaud, et publia quelques recueils de poèmes.

Priape, épie un feuillu Pan
À nu de nymphe hésite
De tous appels épris te pends
Au pipeau qui palpite

Ô sève juteuse Ô fête Ô trouble voulu
Plût à la peau du corps qu'une autre peau s'y plut

(« Le Pressoir perdu »)

La mythologie, l'érotisme, la poésie. Plus les traductions, plus une vaste culture, plus un somptueux musée qui attirait les Américains dans le Médoc, plus son élégance aristocratique, plus l'accession de mouton au sommet de l'affiche, plus, enfin, l'envoi, pour les fêtes de fin d'année, de quelques bouteilles de son premier cru aux académiciens, tout cela n'a pas suffi pour lui obtenir les faveurs d'une majorité d'entre eux. Il se présenta, en avril 1978, au fauteuil de Jean Rostand, et ne recueillit qu'une demi-douzaine de voix. C'est le seul échec de sa vie professionnelle. On disait à l'époque que certains Immortels n'avaient pas voté pour lui par crainte que, élu, il ne leur offrît plus de vin. Mauvais calcul, car seuls ses vrais amis de l'Académie française continuèrent ensuite de recevoir du mouton.

Moralité : contrairement aux apparences, il est plus facile de conquérir un trône quai des Chartrons qu'un fauteuil quai Conti…

Glouglou

Règne le désespoir chez le peuple mouton
Tondu, saigné depuis Abraham et Moloch.
Un seul, pas un de plus, eut assez de piston
Pour s'immortaliser chez Rothschild, en Médoc

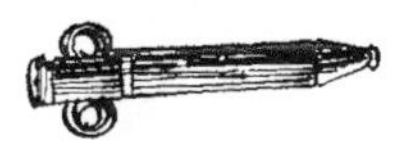

BORDELAIS, CLASSEMENT DE 1855, ÉTIQUETTES, MÉDOC

Saint-Vincent

Le patron. Il est vrai que l'Église n'est pas ennemie du calembour (« Tu es Pierre et sur cette pierre je bâtirai… »). De là à croire que Vincent est devenu le patron des vignerons à cause de la première syllabe de son nom… Dans ce cas, pourquoi saint Arthur ne règne-t-il pas sur les artistes et saint Pothin sur les potiers, les verriers et les barmans ? Même vin-sang ou vin-sent ne convainquent pas.

Espagnol, il n'a eu, dans sa famille et dans sa vie de diacre de Saragosse, aucun lien avec la viticulture. Certains affirment que c'est à son supplice qu'il doit sa capiteuse gloire. Le proconsul Dacien, homme de confiance de l'empereur Dioclétien, le condamna, entre autres douceurs, à avoir le corps broyé, écrasé, ce qui fit jaillir son sang comme le jus du raisin ruisselle sous la violence du pressoir. La métaphore est rude, surtout pour des gens aussi gais que les vignerons. Le corps de Vincent, cousu dans une peau de bœuf, fut jeté au large de Valence mais, par un de ces miracles dont notre époque a perdu la recette, la dépouille sacrée attendait sur la rive le retour des rameurs. Cette victoire sur la mer n'aurait-elle pas dû faire de Vincent le saint patron des marins et des naufragés ?

Plutôt que l'eau, on lui a donné le vin. Tant mieux pour lui. La religion n'est pas avare de mystères. Disons qu'il eut après sa mort la chance qu'il n'eut pas de son vivant. On a même été généreux : Vincent est le patron des vignerons, des négociants, des œnologues, des inspecteurs du vin, des cafetiers. Et aussi des vinaigriers. Excellente ou médiocre, l'année lui vaudra des sympathies. À Xérès, il fait l'unanimité.

Finalement, peut-être est-ce à Paris que l'on débusque l'explication de sa reconversion viticole. Le corps du martyr ibérique ayant été dispersé sous forme de reliques, sa tunique et l'un de ses bras atterrirent dans une abbaye que fit construire dans sa capitale le roi Childebert Ier. Elle fut donc nommée Sainte-Croix-Saint-Vincent. Et, comme elle possédait de nombreuses vignes en Île-de-France, les moines-viticulteurs firent de saint Vincent leur rempart contre les gelées et la grêle. Son culte s'étendit ensuite à d'autres vignobles. Trois siècles après, des reliques d'un autre saint, Germain, supplantèrent celles de Vincent, et

l'abbaye changea de nom. Elle devint Saint-Germain-le-Doré. Puis, plus tard, Saint-Germain-des-Prés.

Que le culte vigneron de saint Vincent naquît dans le quartier le plus intello de Paris, sous les fenêtres de Jean-Paul Sartre, en face des cafés des « Deux-Magots », de « Flore », et de la « Brasserie Lipp », laisse rêveur. Trop beau pour être vrai ? C'est quand même l'explication la plus vraisemblable.

Dans une France déchristianisée, saint Vincent tient bon la rampe. Enfin, il s'accroche. Il est l'un des derniers saints qui continuent de susciter ferveur, prières et processions, soit le jour de sa fête, le 22 janvier, soit au cours du week-end suivant. C'est en Bourgogne qu'il est encore le plus fêté. Il reçoit un hommage chrétien : procession, messe solennelle, prêche, bénédiction ; puis profane : banquet, tournée des caves, expositions, chants folkloriques, etc. Disons que la matinée appartient à saint Vincent et le restant de la journée à Bacchus. Cette alliance du religieux et du païen est un héritage du Moyen Âge. Le Grand Maître de la Confrérie des Chevaliers du Tastevin n'associe-t-il pas, dans sa formule d'intronisation, Noé, « père de la vigne », Bacchus, « dieu du vin », et saint Vincent, « patron des vignerons » ? Ce très large œcuménisme est préférable à la guerre que se livraient, à la fin du XIXe siècle, dans certains villages bourguignons, la procession des cléricaux, avec bannières et chants religieux, et le défilé des anticléricaux, avec drapeaux et *Marseillaise.* On se comptait ensuite au cours des deux banquets rivaux. Ce devait être assez farce, quand même.

La Saint-Vincent bourguignonne est dite « tournante » parce qu'elle change chaque année de village. C'est l'occasion pour toutes les autres confréries du vignoble, associations professionnelles, sociétés culturelles d'envoyer des délégations qui prennent place derrière la statue du patron, sculptée dans le bois d'un vieux pressoir. Elle est portée en fanfare par les membres du Grand Conseil de la Confrérie des Chevaliers du Tastevin, en grand apparat. Ils procèdent ensuite — c'est le moment de tendresse et d'émotion de cette journée à la fois glacée, fin janvier, et chaude il faut boire pour se réchauffer — à l'intronisation des plus vieux vignerons et vigneronnes du village

Les rivaux du patron. Saint Vincent ne fait pas l'unanimité. Aucune excommunication n'étant prononcée contre les viticulteurs qui choisissent d'autres saints, qu'ils jugent plus sérieux, plus attentifs, plus efficaces que Vincent, ses concurrents sont nombreux. Le plus sollicité est saint Vernier, représenté avec en main la serpette du vendangeur parce que lui, monsieur, était fils de vigneron et vigneron lui-même ! Il était allemand, s'appelait en réalité Werner, et lui aussi, monsieur, a été vidé de son sang par le couteau du bourreau ! Il est ou était vénéré surtout sur les rives du Rhin et de la Moselle, en Suisse, en Franche-Comté, en Bourgogne, ainsi qu'en Auvergne, sous le nom de saint Verny.

Il y a aussi saint Martin, parce que son âne a inventé la taille en broutant la vigne. Saint Urbain, saint Marcellin, saint Remi, saint Blaise, saint Antonin, sainte Geneviève… Sainte Hune, en Alsace. Saint Georges, dans le Mâconnais. À se demander, tant les protecteurs de la vigne sont nombreux, pourquoi leur chaude haleine n'empêche pas les gelées ni la grêle. Il arrivait qu'après un désastre la piété se changeât en colère. Les vignerons de Rouffach, en Alsace, constatant, le 25 mai 1682, jour de la Saint-Urbain, que celui-ci n'avait pas protégé leurs vignes d'un gel assassin, jetèrent sa statue dans une fontaine en lui criant : « Si tu ne veux pas nous donner du vin, bois donc, toi aussi, de l'eau ! »

Enfin, la Vierge a toujours été très sollicitée. Peintres et sculpteurs l'ont souvent représentée avec l'Enfant Jésus sur ses genoux, lui ou elle tenant dans ses mains une grappe de raisin. La fête de Marie étant le 15 août, alors que le raisin commence à prendre des couleurs, il lui était demandé, à travers des gestes symboliques, des manifestations pieuses, de protéger la vendange. Victor Hugo note, le 4 août 1846, que les chaleurs sont telles que le raisin sera mûr le 15 août et que la première grappe consacrée traditionnellement, ce jour-là, à la Vierge n'aura pas mûri dans une serre chaude.

Glouglou

S'il fait beau le jour de la Saint-Vincent (22 janvier), les dictons sont formels : l'année sera fructueuse.

Saint-Vincent clair et beau
Plus de vin que d'eau

Saint-Vincent clair et beau
Du vin au tonneau

Quand le soleil luit à la Saint-Vincent
Le vin monte au sarment
(attention, cependant)
Ou s'il gèle, il en descend

DIEUX ET LE VIN (LES), MESSE (VIN DE), TASTEVIN (CONFRÉRIE DES CHEVALIERS DU)

Le Sexe et le vin

Avec Noé, pompette, ses génitoires offertes au regard de ses fils, le sexe n'a pas attendu longtemps pour nouer des relations scandaleuses avec le vin. Ces deux-là ont en commun de donner du plaisir jusqu'au dérèglement des sens. Intermittents de la volupté, ils la diffusent l'un par rasades, l'autre par saccades. Habiles tous deux à déclencher des séismes intimes, le vin et le sexe sont complices depuis toujours dans la transgression. Chacun déplaît aux délicats, aux bigots, aux hypocrites, aux mijaurées. Associés, concomitants dans leurs entreprises, ils leur font horreur.

Toutes les civilisations du vin ont célébré dans les arts l'érotisme bachique. À commencer par Babylone, où des scènes de beuverie et de sodomie alternent sur certains seaux et vases. Les graveurs, qu'ils soient grecs, étrusques, romains, ont rivalisé dans la représentation de scènes amoureuses, grivoises, pornographiques sur les ustensiles du vin : cratère, amphore, coupe, calice, etc. Les peintres savaient aussi (fresques de Pompéi, par exemple) donner des idées aux buveurs, surtout si des prostituées étaient invitées à leurs libations. Vieux fantasme érotique prêté par les cinéastes à César Borgia : le vin rouge qu'il répand sur la poitrine nue et blanche de la femme qu'il va consommer. Dans les orgies des Barbares et des moines, ce sont d'abord les tonneaux que l'on met en perce. Avant la « liqueur séminale » le vin coule à flots.

Ce n'est pas dans ces circonstances-là que les convives prennent le temps de débattre de la *robe* d'un vin, de sa *chair*, de sa *cuisse*. Il n'est pas difficile de deviner, dans l'érotisation du langage du vin, que s'il a du *corsage*, c'est qu'il est féminin et rond. L'*odor di femina* relève du fantasme précoïtal ou de la mutation océanique d'un vin cuit.

Au XVIIIe siècle, les vignerons d'Anjou ont poussé le bouchon plus loin en appelant *fillettes* des bouteilles de 31 à 35 centilitres. L'expression *baiser une fillette*, littéralement appliquer sa bouche au goulot de la petite bouteille, est devenue avec le temps plus équivoque que charmante. Pire : *caresser*, *dépuceler*, *culbuter*, *s'envoyer une fillette*. Ces paillardises d'un autre âge, quand la pédophilie restait cachée et impunie, ont décliné dans la jactance des bords de la Loire. Délicate, subtile, Colette évoquait des « fillettes angevines décoiffées » (*La Treille muscate*).

Si le vin stimule la libido de l'homme et de la femme, les enhardit, leur chauffe la tête et le croupion, il peut aussi, bu d'abondance, les conduire plus rapidement au sommeil qu'à l'amour. En avons-nous lu des récits de noces où le jeune marié, qui n'avait même pas eu la force de se déshabiller, inaugurait le lit conjugal par d'irrémédiables ronflements ! Sauf exception, l'homme ivre, même seulement un peu gris, n'est pas un bon amant. Deux verres, ça va ; trois verres, bonne nuit les dégâts ! Comme dans toutes nos activités, la plus grande diversité et la plus grande injustice règnent dans la capacité des hommes à jouir, en même temps ou à la suite, de l'alcool et du sexe. Avec l'âge, les deux diables se révèlent de plus en plus inconciliables. Boire ou baiser. Mais il y a un temps pour tout. Le vin maintient en état de gourmandise, de sensualité ; le sexe donne faim et soif.

Personne n'a mieux que Shakespeare décrit la bataille que se livrent dans le corps l'alcool et la libido. C'est dans *Macbeth* (acte II, scène 3). Le portier est resté endormi parce que, la veille, il a fait la noce. Macduff, qui a rendez-vous avec le roi et qui, dans quelques instants, va découvrir qu'il a été assassiné pendant son sommeil, est encore d'humeur à badiner. Il demande au portier quelles sont ces « trois choses que provoque en particulier le boire ».

« Pardi, monsieur, répond-il, le rouge au nez, le sommeil et l'urine. La lubricité, monsieur, ça la provoque et la révoque ; ça provoque le désir, mais ça empêche l'exécution. C'est pourquoi on peut dire que trop boire est le jésuite de la lubricité : ça la fait, et ça la défait ; ça la met en route, et puis en déroute ; ça la stimule, et ça la décourage ; ça la dresse, et ça la débande ; et, en guise de conclusion, ça l'embobine en rêve, ça vous la met sur le flanc, et vous la laisse en plan » (Traduction de Jean-Michel Déprats, « Bibliothèque de la Pléiade »).

Cher William, on voit bien que c'est là du vécu !

Sur cette question, en somme de physique-chimie, Molière se montre plus optimiste que Shakespeare. Du moins Cléanthis, à qui il fait dire (*Amphitryon*, acte II, scène 3) :

Il n'est ni vin ni temps qui puisse être fatal
À remplir le devoir de l'amour conjugal.

Sur l'alliance du sexe et de l'alcool, la Bible se montre pragmatique et euphorique. Loth, veuf, bourré, effondré pour avoir bu trop de vin, se fait violer par ses deux filles pendant son sommeil. Double éjaculation. Neuf mois plus tard, il est deux fois grand-père. Chapeau, les filles ! Neveu d'Abraham, le papy était un sacré gaillard qui aurait dû décourager Plutarque et nombre de physiologistes d'écrire que le mâle ivre ne répand sa semence qu'en jets chétifs et que la substance en est pauvre et impropre à la reproduction.

N'empêche que beaucoup d'hommes mûrs se piègent eux-mêmes au lit pour avoir auparavant voulu affirmer leur virilité dans une absorption trop arrogante de vin. Car, face à la femme qui fut jadis interdite d'alcool et qui aujourd'hui boit volontiers, mais raisonnablement, l'homme manifeste une vigueur qu'il espère séductrice par sa connaissance des châteaux et son aisance à en remplir les verres. Les grands crus, pense-t-il, lui ajoutent du tanin, des arômes, du caractère, du corps. Il a *pris de la bouteille* mais pas n'importe laquelle, du classé, du premier, du coûteux, du meilleur. La femme à conquérir ne peut pas s'y tromper : elle mettra dans son lit un grand AOC, une exceptionnelle vendange tardive.

Toujours dans le dessein, souvent inconscient, d'afficher leur virilité par le truchement du vin, d'autres hommes adoptent la stratégie inverse : l'appellation modeste où ils ont su dénicher une rareté sublime, connue et appréciée de quelques initiés. C'est un vin encore jeune, naturel, pas filtré, tout sur le fruit et cependant tout en nuances et distinction. Don Juan vient de faire son autoportrait. Si son invitée n'éprouve pas l'envie d'y aller voir et goûter, c'est qu'elle est du grès dont on fait les cruches à eau.

On déconseille, pour une première fois, l'un de ces vins riches de soleil, puissants, comme les côtes-du-rhône et les languedocs, que le chef Alain Senderens appelle « vins couillus ». Ce serait d'emblée trop promettre.

Les femmes qui aiment boire, qui s'y connaissent et qui sont même devenues des expertes, sont de plus en plus nombreuses. De la propriété à la sommellerie, elles se répandent avec compétence et autorité dans tous les métiers du vin. L'homme veillera à ne pas se risquer dans une tentative de séduction œnophilique d'une femme inconnue qui pourrait se révéler en la matière plus instruite que lui. Sa virilité en prendrait un coup.

Il est encore quelques mâles buveurs qui bougonnent contre l'irrésistible ascension des femmes sur les pas de Bacchus. Certes, ils n'en sont plus à la maxime lyonnaise : « Pour que le vin fasse du bien aux femmes, il faut que ce soyent les hommes qui le boivent » (*La Plaisante Sagesse lyonnaise*). Mais, depuis l'Antiquité, le vin était l'affaire des hommes. Ils y manifestaient leur force, leur supériorité, leur domination, leur sexisme. À eux le prestige viril de l'enivrement. Aux femmes soûles la honte, le déshonneur, le scandale. Aujourd'hui encore, elles suscitent l'indignation et le mépris. (L'alcoolisme chez les femmes est plus irrigué par la bière que par le vin. Encore que le blanc en chahute plus d'une.) Bref, elles ont poussé la porte des domaines, des chais, des caves, des maisons de négoce, des restaurants, des bars, des sites Internet et des revues spécialisées. Souvent dotées d'un palais plus affûté que celui de leurs confrères, elles ont appris à déguster, cracher, boire, comparer, et, surtout, à en causer. Encore très éloignées de la parité, elles se sont tranquillement installées dans le paysage viticole ; et l'homme de verre et de liège a perdu l'usage exclusif du tire-bouchon.

Glouglou

Les tire-bouchons phalliques et érotiques ne devraient être employés que, soit par les libertins qui célèbrent dans le même mouvement les plaisirs de la chair et ceux du vin, soit par les vieux messieurs qui tiennent table ouverte et chambre close.

Le fond de la cuvette de certains tastevins en argent, très recherchés, est décoré de scènes érotiques. Le vin les cache ou les rend floues. Pour les mettre au jour, il faut boire. Cul sec, évidemment.

AMOUR ET LE VIN (L'), IVRESSE, TASTEVIN, TIRE-BOUCHON

Sommeliers

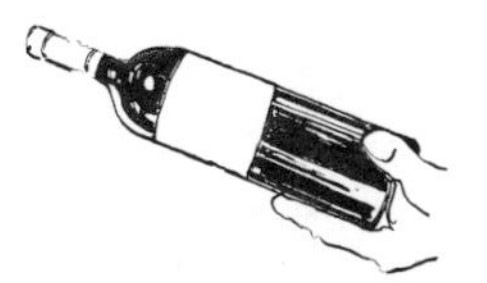

À la lettre A comme Arômes, je me suis un peu moqué de la tchatche des sommeliers, de leur intempérance verbale. Mais il serait injuste d'en rester là. Car beaucoup ont de la compétence et un aimable savoir-faire. Et certains, devenus meilleurs sommeliers de France — très bien —, d'Europe — formidable —, du monde — prodigieux —, sont des hommes devant lesquels il convient de lever son chapeau, puis son verre. Peu de femmes se risquent encore dans les concours, mais Anne-Marie Quaranta, dès 1980,

Marlène Vendramelli, en 1993, et Giovanna Rapali, en 2001, ont remporté le trophée du meilleur jeune sommelier de France.

Six Français ont réussi à devenir champions du monde de la sommellerie : Jean-Luc Pouteau (1983), Jean-Claude Jambon (1986), Serge Dubs (1989), Philippe Faure-Brac (1992) et Olivier Poussier (2000). Auxquels il n'est pas illégitime d'ajouter l'Italien de Paris, Enrico Bernardo (2004). Les connaissances que tous ont dû étaler, par écrit et par oral, sur tous les vignobles et vins de la planète, mais aussi sur mille sujets relevant de l'ampélographie, de la géologie, de la chimie, de l'œnologie, de la cuisine, des législations, des réglementations, etc., ont nécessité des années de travail solitaire. Plus un entraînement quotidien pour goûter les vins, les analyser, les apprécier, les comparer, les retenir, afin de pouvoir triompher à l'épreuve de la dégustation aveugle, suivie de l'exercice qui consiste à marier ces vins, dont on espère avoir deviné l'identité, avec des plats, avec des sauces, avec des épices, avec des surprises du chef et du jury… Le tout minuté, avec le sourire et les commentaires appropriés…

Tout cela exige la possession de quels instruments ? Oh, trois fois rien, un œil de peintre, un nez de botaniste, le palais de Carême, la mémoire d'un historien. Avec cette singularité, la mémoire du sommelier-champion, de se rappeler le goût de milliers de vins passés en bouche, une fois, trois fois, dix fois… Chaque jour, comme un pianiste, le sommelier fait ses gammes avec des vins, répète, reprend, crache, note, flaire, déguste, recrache… Fait passer dans sa tête ce que lui disent son nez et sa bouche… Exploite, travaille, entretient une aptitude, un don. Le don du vin.

Plus le don de la parole, ni trop, ni trop peu, l'essentiel dit avec les mots de la tribu, certes, mais assez clairement pour être saisis par un buveur lambda. J'ai eu plusieurs fois la chance d'apprécier, devant du public, la verve professionnelle d'Olivier Poussier, de Philippe Faure-Brac, d'Enrico Bernardo, enfin d'Éric Baumard, qu'un accident empêcha de s'exprimer en cuisine, qui descendit à la cave et en remonta pour remporter le Championnat d'Europe de la sommellerie (1994).

Pour quelques sommeliers, l'escalier qui mène à la cave était d'autant moins probable qu'ils auraient pu réussir sur des scènes mieux exposées : Georges Lepré, ténor au Conservatoire et à l'Opéra de Toulouse ; Serge Dubs, qui faillit devenir joueur professionnel de football au Racing Club de Strasbourg.

Comme les sommeliers, des journalistes spécialisés dans le vin, entre autres Michel Bettane, ancien professeur agrégé de lettres, et Michel Dovaz, auteur de nombreux ouvrages, ont été dotés par la nature des mêmes instruments de détection, de préhension, d'immixtion, de déduction et d'explication, ce qui laisse rêveur le buveur lambda que nous avions abandonné, ébaubi, débouchonné, entre les mains des sommeliers.

~~*Glouglou*~~

À trop se flatter d'être un connaisseur en vins on peut perdre la vie. C'est ce qui est arrivé à Fortunato. Le narrateur veut se venger des injustices et des insultes dont il est accablé par cet être méprisable. Il lui dit qu'il a reçu une pipe d'amontillado et qu'il a des doutes sur la vraie nature du vin. Malheureusement, il ne s'y connaît pas assez. Dommage que Fortunato ne soit pas libre pour en juger, il fera appel à Luchesi, qui est aussi un expert. Fortunato dit que Luchesi est incapable de distinguer un xérès d'un amontillado et que l'expert, c'est lui. Il va le prouver en accompagnant tout de suite le narrateur dans ses caves. Il ne saurait laisser à un autre une si belle occasion de prouver à la ville entière son art de goûter les vins…

Cette nouvelle d'Edgar Poe s'intitule « La barrique d'amontillado » (*Nouvelles Histoires extraordinaires*).

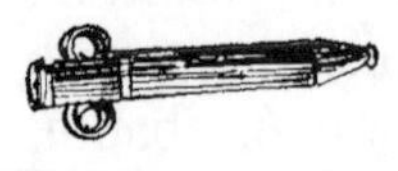

ARÔMES, DÉGUSTATION, DÉGUSTATION À L'AVEUGLE

Tastevin

La disparition du tastevin dans les dégustations est une méchante farce du progrès. Il est incontestable que l'utilisation de verres conçus pour cet exercice le rend plus facile, plus rigoureux. Dans une petite coupelle de 2 à 3 cm de haut, il est risqué d'en agiter le contenu. L'œil ne peut juger de la couleur que par en dessus. Les arômes se dispersent, alors qu'un verre les canalise vers le nez. Le tastevin est devenu un instrument dépassé, démodé, de collection, comme le rat-de-cave et la sulfateuse à dos.

Avec cependant cette différence considérable — selon René Mazenot, unique historien du tastevin — qu'il remonte aux civilisations sumérienne, anatolienne, égyptienne, crétoise, etc. Où il y a eu de la vigne, il y a eu des tastevins. Avec ou sans anse. Des coupelles en céramique, en albâtre, en bronze, en étain, en faïence, en bois, en verre. Surtout, les plus beaux, décorés, guillochés, poinçonnés, les tastevins en argent. Le XVIIIe siècle français en a produit beaucoup, créant notamment l'anse creuse ; l'index du dégustateur passe dedans tandis que son pouce prend appui sur une sorte de pétale qui couronne l'anneau. Quand ils ont été créés par les meilleurs orfèvres, certains tastevins en argent, décorés de pampres et de scènes bachiques ou de figures de saints, qui portent une inscription latine, ou amoureuse, ou proverbiale, et de surcroît le nom de leur propriétaire, valent le prix d'une œuvre d'art unique.

Il n'y a pas si longtemps, on voyait encore des viticulteurs, des négociants, des amateurs émérites, sitôt arrivés sur le lieu de la dégustation, sortir d'une poche de leur veste ou de leur gilet, entouré d'un morceau de torchon blanc, *leur* tastevin. Leur instrument de travail. Se serait-on étonné que le menuisier fût venu avec son mètre et le sourcier avec sa baguette de coudrier ? Sur l'une des fresques de la villa des frères Vettii, marchands de vin à Pompéi, l'artiste a représenté un amour qui verse un peu du contenu d'une amphore dans la coupelle que tient et tend un autre amour. C'est le même geste qui s'est reproduit des milliers de fois sous mes yeux, sauf que le vin provenait d'une bouteille ou d'une pipette auparavant plongée dans la bonde d'un tonneau, sauf encore que les dégustateurs n'étaient pas des anges.

J'affectionnais en particulier les vignerons dont la moustache frisottait juste au-dessus du métal rond et brillant du tastevin, et qui essuyaient ensuite, d'un revers de la main ou d'un grand mouchoir à carreaux, les poils que le vin avait humectés. L'usage des tastevins conférait à la dégustation l'apparence d'un rite d'initiés.

Si toutes les régions viticoles françaises, hormis la Champagne, ont laissé des tastevins que leur style permet d'identifier, la Bourgogne s'est notoirement distinguée dans leur production, abondante et fastueuse. Ce n'est pas par hasard que la confrérie bachique a choisi de s'appeler Confrérie des Chevaliers du Tastevin.

Il semble que, même si on en trouve de semblables dans d'autres vignobles comme le Sancerrois ou les Côtes du Rhône, le tapissage du fond de la coupelle par des stries pour moitié et des cupules pour l'autre soit une invention des artisans parisiens et bourguignons. Pour faire joli ? Non, pour être utile. Pour faciliter la « lecture » du vin. Creuses, concaves, les cupules — qui existaient déjà dans les tasses romaines — renvoient de fins faisceaux de lumière qui éclairent le vin avec intensité dans toutes les directions et en révèlent l'intimité sans tricherie possible. Au contraire, bossues, convexes, les stries ou torses réfléchissent directement la lumière sous forme de raies brillantes et flatteuses, mais laissent dans l'ombre une partie du liquide. Le côté cupules, impitoyable, est celui de l'acheteur ; le côté stries, malin, est celui du vendeur. D'un léger mouvement du poignet, en inclinant le tastevin vers la lumière, tantôt d'un côté, tantôt de l'autre, liberté est laissée à chacun de juger le vin dans tous ses états, du moins sous toutes ses apparences.

Encore un mot : « tastevin », précisément. Il a longtemps désigné, en plus de la coupelle, la pipette ou la canne à vin ou le tire-vin, instrument grâce auquel on puise le précieux liquide dans le tonneau. Le récipient l'a emporté sur le tuyau. De même, tastevin a supplanté l'ancienne appellation tâte-vin.

Nous préférons la simplicité rustique de l'orthographe bourguignonne : tastevin, à l'orthographe officielle : taste-vin. Pourquoi ce petit trait d'union inutile alors que le vin en est un naturel, puissant, commode et chatoyant ?

TASTEVIN (CONFRÉRIE DES CHEVALIERS DU)

Tastevin (Confrérie des Chevaliers du)

Des confréries destinées à célébrer un produit, un plat, un saint, une tradition, il y a foison dans notre pays ! On se réunit, on se coopte, on se déguise, on se donne des grades, on invite la presse, on intronise, on fait jurer fidélité, on boit, on mange, et on se donne rendez-vous pour une nouvelle épiphanie de l'oignon, du cidre, de la poularde de Bresse, de l'andouille artisanale de Guéméné ou des maîtres pipiers de Saint-Claude.

Les confréries vineuses ou bachiques sont les plus nombreuses, ne serait-ce que parce que les vignerons, joyeux de nature, avisés de tempérament, sociables de tradition, aiment la compagnie festive des gens qui boivent leurs vins. Un peu de solennité à un moment de la dégustation, quelques paroles prononcées haut et fort, et voilà, adoubés par Bacchus, saint Vincent ou le bienheureux qui a donné son nom au vignoble, de nouveaux catéchumènes d'une AOC, d'un vin de pays, d'un cépage, de foudres, d'alambics, de francs buveurs ou de pochetrons de quartier.

Toute la stratégie, tout l'art des grandes confréries, créées pour la propagande d'un vin, est de faire oublier, aux personnes rassemblées pour leur promotion dans l'ordre, les raisons commerciales de leur présence. Leur satisfaction, et même leur fierté, d'être venues et bientôt honorées, leur joie d'être réunies, les plaisirs gourmands et gais attendus de la soirée, tout cela vaut bien un engagement public pour un vin, surtout si l'on en est un buveur convaincu. N'est-on pas là, tout compte fait, pour remercier et être remercié ? Une habile confrérie bachique ne fournit à ses impétrants que d'excellentes raisons de devenir ses obligés. C'est fort.

Depuis sa création, en 1934, après des années de mévente des vins de Bourgogne, la réussite de la Confrérie des Chevaliers du Tastevin est insurpassable. Parce que chaque chapitre — une vingtaine par an, tous complets, 550 dîneurs dans le cellier cistercien du château de Clos de Vougeot — est une fête à la fois cérémonieuse et populaire, solennelle comme un vieux pommard, amusante et piquante comme un aligoté, délurée comme un crémant. Donc, a l'image de la Bourgogne, de ses hommes et de ses vins. Rien de guindé ou de burlesque, en dépit des sonneries de trompes, des robes pourpres avec parements or des dignitaires de la Confrérie, tous Grands par leurs titres : Maître, Chambellan, Connétable, Camerlingue, Sénéchal, etc., tous le visage empreint tantôt d'une dignité jouée, tantôt d'une allégresse naturelle. Leur exploit est là : se montrer assez sérieux pour que des princesses, des ambassadeurs, des ministres, des prix Nobel, des académiciens, des patrons acceptent d'être adoubés de leurs mains, et rester simples et d'humeur bourguignonne afin que le dîner soit une liesse où même eux, membres du Grand Conseil, continuent de se divertir.

Des cuisines — où l'on est capable de faire cuire selon les règles 1 100 œufs en meurette qui seront tous servis chauds — à l'estrade où les Cadets de Bourgogne interprètent leur inépuisable répertoire bachique, en passant par le ballet des sommeliers et des serveurs, que des professionnels ! Ou qui paraissent tels. Le bonheur collectif ne s'improvise pas, même le temps d'une soirée. La Confrérie des Chevaliers du Tastevin tiendra son millième chapitre — un roman-fleuve ! — en juin 2007.

Glouglou

Après cinq dîners au château de Clos de Vougeot, j'ai atteint le plus haut grade de la Confrérie : Grand (encore !) Officier. J'ai préféré cet ordre à ceux de la Légion d'honneur et du Mérite. Dans ceux-ci, on ne fait pas le ban bourguignon…

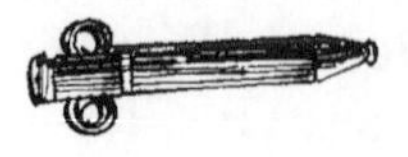

MÉRITE AGRICOLE, MEURSAULT (PAULÉE DE), ROMANÉE-CONTI

Le Temps des vins de pays

Le vin, c'est du temps.

Le temps qu'il fait et le temps qui passe.

Le temps du ciel et le temps de l'homme.

Le temps des colères du ciel et des hommes, et le temps de la liesse, verre en main, sous le soleil.

Le temps du chai et le temps du pichet.

Il y a aussi, pour les veinards qui en ont les moyens, un temps pour déguster des vins grands, châtelains, vieux, rares, et un temps pour boire de petits vins, en particulier les vins de pays ou des VDQS qui ne se montent pas le bourrichon. « Vins à courtes échéances », écrivait Colette (*La Treille muscate*), qui ajoutait : « Cela coule aisé du gosier aux reins et ne s'y arrête guère. » Et c'est bon précisément parce qu'on en boit de belles rasades, sans barguigner, sans discourir, parce qu'on a soif et qu'on touche au bonheur tout simple des vacances en famille ou avec des amis.

Autrefois, on déposait les bouteilles à rafraîchir dans un seau descendu au fond du puits. Une côte-du-brulhois, du pays agenais, un vin tranquille de Savoie, un rosé du Var. Le seau remonté, quand on en sortait les bouteilles elles dégoulinaient comme des bouteilles de champagne, mais, elles, on se gardait bien de les essuyer avant de servir.

Pour accompagner le déjeuner du pique-nique rien n'est meilleur que, démaillotés de leurs bulles réfrigérées, un gamay des Côtes d'Auvergne, un vin de pays des Corbières, un bordeaux clairet ou un ugni blanc du Gers. Certains grattent un peu, d'autres chantonnent ou patoisent ; les langues claquent ; encore un petit gorgeon ; comme on est bien, Seigneur !

Vins de circonstance, vins de rencontre, vins de routes départementales, toujours vins de l'année ; et, tant qu'à faire, mieux vaut les siffler quand l'année n'a pas lésiné sur le soleil et sur la chaleur. Encore que… Il y a des jours où le plaisir de vivre ajoute au plaisir de boire, apportant au vin la rondeur, le velouté qui lui manquent. La chaptalisation par l'optimisme du consommateur ! Le bonus œnologique par la jubilation !

Aux vins de pays s'ajoutent les vins des pays où l'on fait halte ou que l'on visite. Toujours les préférer. Au moins les essayer, dans les caves des producteurs, les caves coopératives, les caveaux de dégustation. Ce sont des guides sûrs qui fleurent les arômes de la campagne environnante. AOC, VDQS ou vins de pays parlent la langue du coin. Mettons cette langue sur la nôtre : on obtient le « *french kiss* », version bachique.

C'est quand même à midi ou le soir, à l'auberge, dans un bistrot à nappes en papier ou à carreaux, autour d'un pâté de lièvre, d'une omelette, d'une friture, de quelques huîtres, d'une andouillette, d'un confit, d'une aile de poulet, d'un gratin dauphinois, de fromages de bique ou d'une tomme, que l'on goûte le mieux les vins régionaux. Refuser les pots et bouteilles dans lesquels le nectar crève de froid. Avoir le palais aussi ouvert que l'esprit. Parfois, on tombe sur les gourmandises espérées. Qui n'a déniché, au hasard d'un dîner impromptu dans une petite ville qui tombe déjà de sommeil, une côte-du-luberon ou du ventoux, un mâcon-village, un gros-plant, une côte-du-forez, un minervois, une côte-du-jura et son poulsard de cépage, un irouleguy, un saint-chinian, un tursan…

En balade dans les pays étrangers — en particulier en Italie, en Espagne, en Suisse et en Allemagne —, on sera récompensé de manifester la même soif de découverte.

Le temps consacré à la connaissance sur le terrain de vins modestes ou méconnus n'est jamais du temps perdu. De même la lecture d'auteurs des deuxièmes et troisièmes rayons. Ainsi peut-on établir soi-même des rapprochements, des correspondances, des hiérarchies.

Le vin français est un tout, du courant à l'excellence, du petit bleu au château. On a le droit de préférer ; on n'a pas le droit de mépriser. On a le droit de critiquer ; on n'a pas le droit de condamner. Qui aime vraiment le vin sait bien que les grands ont besoin des petits, et les petits des grands. La solidarité du vignoble ne devrait pas être une utopie. Raymond Dumay, il y a trente ans, a écrit là-dessus des lignes magnifiques qu'il faut citer et lire : « Le vin est d'abord une grande armée, c'est-à-dire un tout. Un esprit, une qualité. Les dons de la nature, les faveurs du destin peuvent être différents, la foi et l'élan doivent être les mêmes chez le général et chez le deuxième classe. L'image d'une France produisant seulement des romanée-conti est aussi réjouissante que celle d'une école primaire destinée à la formation des prix Nobel. Qu'un général ait besoin de soldats, que les soldats aient besoin d'un chef, qui en douterait ? Qu'en définitive leur sort soit le même, voilà qui ne paraît guère être soupçonné. Pourtant, tout se tient, et nos grands crus ne séduiront pas de nouveaux clients s'ils n'ont pas été formés par des appellations plus modestes, et nos vins de consommation courante ne pourront se maintenir à un prix de vente décent si ceux qui portent le drapeau du régiment sont écrasés. Produit social avant tout, le vin vit de la solidarité » (*La Mort du vin*).

Glouglou

Des propriétaires de vignes situées dans des régions d'AOC ou de VDQS, le Languedoc surtout, refusent de se soumettre aux réglementations de l'INAO pour ce qui est des cépages. Comme ils en utilisent un ou plusieurs qui ne sont pas autorisés, leurs vins sont déclassés en « vins de pays ». Mais, le plus souvent, soit parce qu'ils ont réussi à créer de nouveaux et remarquables assemblages, soit parce que leur fronde leur a valu la sympathie et la publicité de la presse et de la sommellerie, leurs vins se vendent beaucoup plus cher que ceux de leurs voisins restés dans la légalité.

CÔTES ET COTEAUX, LANGUEDOC, PROVENCE

Terroir

De prime abord, le terroir fait vieux jeu. Presque vieux con. Les poètes du terroir, les coutumes du terroir, l'accent du terroir. A-t-on idée de parler encore de terroir, de racines, à l'ère de la circulation instantanée, d'un continent à un autre, des mots qui disent la délocalisation, l'immigration, la mutation, la globalisation ?

Cela n'empêche cependant pas les patrons de multinationales, les surfeurs professionnels du Web, ou les experts internationaux de tout poil, de rechercher, quand ils sont en vacances à Brive-la-Gaillarde ou à Cucuron, les produits du terroir. Il semble même que plus les hommes et les femmes dispersent leur énergie dans le vaste monde, plus ils ont besoin de se rassembler, de se recentrer pour un temps sur les valeurs pérennes de l'authentique. Le bon vieux terroir devient alors — plus encore s'il donne des produits bio — l'exotisme des gobe-trop-d'air mondialistes.

Dans la viticulture, on appelle « terroir » tout ce qui se rapporte au sol de la vigne, au sous-sol et à l'environnement. De sorte que sont constitutives de la nature du terroir la géologie, la pédologie, la climatologie, auxquelles ont été récemment ajoutés l'encépagement et la biologie végétale. Autrement dit, l'inné et l'acquis, celui-ci étant adapté à celui-là. Le terroir ne se limite plus comme autrefois au sol. Le terroir c'est la terre et le ciel, plus le cep que l'homme a confié à l'une et à l'autre Plus le vigneron lui-même. Auquel Roger Dion, puis Jean-François Revel, enfin Jean-Robert Pitte ajoutent le marchand et le client. Cela fait beaucoup. N'est-ce pas confondre le terroir et l'image du terroir ?

Il est exact que, pendant des siècles et des siècles, les vins nés loin de la mer ou de cours d'eau navigables étaient handicapés au point que les vignerons les produisaient plus pour eux-mêmes et leurs voisins que pour des clients lointains qui eussent été plus exigeants. La conquête d'un marché donne un surcroît de zèle et de talent. Mais, aujourd'hui, avec la facilité et la rapidité des moyens de transport, quel vignoble se sent encore enclavé et dispensé d'être chaque année à son meilleur ? Il est exact aussi que le goût des Américains et de Robert Parker, leur stylo-pipette, exerce une réelle influence sur l'élaboration des vins, en particulier ceux de Bordeaux. En ce sens, critiques, négociants et clients feraient donc partie du terroir. Mais je préfère garder ce nom de *terroir* pour tout ce qui, du sol au vigneron, travaille sur le vif, d'après nature, et appeler *faire-valoir* tout ce qui, ensuite, concourt à la personnalisation, à la promotion, à la commercialisation et à la réputation d'un vin.

Terroir et faire-valoir sont aussi liés l'un à l'autre que la bouteille et l'étiquette.

Sans chercher à diminuer la part du faire-valoir, constatons cependant que seuls le sol, le climat et le vigneron restent les références capitales quand on oppose les vins de terroir aux vins de cépages. Les vins français continuent de mettre en avant leur géographie et leur histoire alors que les vins des pays neufs : États-Unis, Australie, Chili, Afrique du Sud, etc., se contentent le plus souvent de nommer les cépages dont ils sont issus. La tradition contre la modernité, la complexité contre l'unicité. Le public nouveau qui découvre le vin préfère évidemment ce qui lui demande le moins d'effort. C'est pourquoi l'on verra de plus en plus de vins français afficher en plus grosses lettres leur merlot, leur syrah, leur cabernet sauvignon, leur chardonnay ou leur viognier, que leur terre natale.

Il est vrai aussi que le mot « terroir » a été galvaudé. Presque dans tous les vignobles il a été étendu à des sols qui donnent des vins plats, décevants. Le laxisme des pouvoirs publics a laissé proliférer, se banaliser et se discréditer des appellations qui continuent cependant de se recommander du terroir. Bien des consommateurs étrangers se sont aperçus de la dérive et font moins confiance qu'autrefois à des étiquettes sur lesquelles de traditionnelles dénominations ne sont plus aussi garantes de la qualité

Le terroir, c'est la rencontre d'un sol qui a du talent, parfois du génie, toujours du caractère, avec un vigneron qui a du talent, parfois du génie, toujours du caractère.

À y bien réfléchir, le film *Mondovino* était moins un réquisitoire contre le faire-valoir international qu'un plaidoyer pour le terroir. Il est singulier que son auteur, le très informé et pugnace Jonathan Nossiter, qui ne fait pas mystère de son appartenance à la gauche radicale américaine, défende avec une énorme conviction la tradition, la spécificité et la différence. Le respect du terroir est selon lui une valeur autrement plus importante que la science unificatrice de l'œnologue. La qualité d'un vin dépend d'abord de la vigne. Le terroir doit exprimer sa singularité dans le verre. On reconnaît alors un grand terroir à ce qu'il est bavard et cependant nuancé. Le vigneron Henri Jayer dit à peu près la même chose que le cinéaste américain.

JAYER (HENRI)

Tire-bouchon

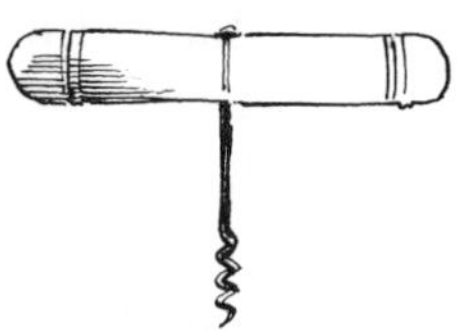

On ne sait qui est l'inventeur du tire-bouchon. Il est probable que ce fut un Anglais. Ce ne sont pas les bouteilles de vin, mais de cidre. qui lui inspirèrent sa lumineuse idée. Était-il natif d'un comté où le porc abondait ? Il inventa la mèche en forme de queue de cochon, et c'est inverser le cours des choses que dire aujourd'hui des porcins qu'ils ont la queue en tire-bouchon.

Il est incontestable en tout cas que c'est le Londonien Samuel Henshall, un clergyman, qui, en 1795, déposa le premier brevet pour un tire-bouchon déjà un peu sophistiqué puisqu'il était doté d'un bouton-repoussoir. Les Anglais n'ont cessé par la suite d'inventer de nouvelles formes de tire-bouchon, d'en modifier, varier, perfectionner le mécanisme. Au cours du XIXe siècle, ils prirent des centaines de brevets, justifiés par de petites différences. On comprend pourquoi le génie anglais s'est appliqué sans répit à améliorer le gazon, le trench-coat, le rugby et la démocratie. Mais le tire-bouchon ? Les Britanniques se sont-ils sentis moralement obligés d'apporter à la grande cause du vin, à travers la technique pour déboucher les bouteilles, ce qu'ils ne pouvaient lui apporter dans l'art de les remplir ? Était-ce volonté chez des consommateurs, y compris les clergymen, d'accéder au vin le plus rapidement possible, avec cependant élégance et sûreté ? Bernard Watney et Homer Babbidge n'expliquent pas cette passion bricoleuse outre-Manche pour le tire-bouchon. Mais je constate que l'un est anglais, l'autre américain, et qu'ils sont les auteurs du livre (*600 tire-bouchons de collection*) qui fait référence sur un sujet où l'on eût aimé que les Grecs, les Italiens et les Français, ancienneté oblige, manifestassent davantage de créativité. Peut-être nous, Français, nous sommes-nous effacés devant les Britanniques en reprenant du comte d'Anteroche, à la bataille de Fontenoy, sa réplique à

Milord Charles Hay : « Messieurs les Anglais, nous ne tirons jamais les premiers, tirez vous-mêmes. »

Après avoir salué comme il se doit le rôle historique des « rosbifs » dans l'histoire du tire-bouchon, constatons cependant que le reste de l'Europe n'est pas demeuré les doigts croisés. Les experts savent distinguer les spécificités pratiques, et surtout artistiques, des productions allemande, hollandaise, italienne et française (les Américains s'y sont mis aussi, plus tard). Nos tire-bouchons du XVIIIe siècle, s'ils ne font que reprendre des techniques anglaises, prétendent non sans raison au statut d'œuvres d'art, la poignée, le fût et le capuchon de la mèche étant en or, en argent ou en vermeil.

Mais c'est dans le tire-bouchon de poche, souvent luxueux et poinçonné, que les Français ont montré le plus d'inventivité et de talent. Sans pour autant empêcher les majordomes de la famille royale et de l'aristocratie britanniques, et les pique-niqueurs d'Oxford, d'Epton et de Glyndebourne, de glisser dans les paniers, à côté des bouteilles de bordeaux, des tire-bouchons de poche *made in England*.

Je tiens le tire-bouchon, au-delà de son utilité, pour l'objet ordinaire le plus extraordinaire. Plus de trois siècles après son invention, il continue de susciter l'imagination des industriels et des artisans. Ainsi le spectaculaire *screwpull*, encombrant mais très efficace (à déconseiller cependant pour les très vieux bouchons). Il a été créé par Herbert Allen, ingénieur de la Nasa. Seigneur, entre un module à diriger sur Mars et une capsule à envoyer sur Pluton, ils trouvent le temps à la Nasa de s'investir dans un bidule à lancer dans les caves de Napa Valley !

Il faudrait plusieurs pages pour simplement énumérer toutes les variantes, tous les ajouts, toutes les trouvailles, tous les stratagèmes, y compris dans la forme de la mèche, que les successeurs du révérend Samuel Henshall ont apportés au tire-bouchon. Au choix : à crémaillère, à hélice, à cloche, à bouton-repoussoir, à manchon, à double mèche, avec un plumet au bout de la poignée pour ôter du goulot les miettes de cire, à levier, simple ou double, à treuil (mais oui), avec un mécanisme en zigzag qui se déploie comme un accordéon, avec des bras articulés, pliable, démontable, escamotable, musical, etc. À elle seule, la diversité des poignées, pour des raisons pratiques ou esthétiques, est infinie. Instrument familier, le tire-bouchon reste un truc énigmatique, un bidule philosophique qui ne cessera jamais de solliciter l'ingéniosité et l'admiration des hommes, même des buveurs d'eau.

Il méritait bien pour lui seul un musée. Situé à Ménerbes, dans le Luberon, il présente plus d'un millier de tire-bouchons du monde entier, de toutes époques, de toutes les espèces mentionnées plus haut. On est stupéfait de constater qu'il a été associé à bien des objets et instruments : coupe-cigare, cure-pipe, tasse-pipe, briquet, tabatière, décapsuleur, couteau, cuiller. On reste là dans les plaisirs de gueule. Plus inattendus, le passe-lacet, l'épingle de cravate, la canne, le piton d'escalade, le tournevis, le rasoir (pour accompagner la toilette d'un coup de blanc ?).

la dague, le pistolet, etc. J'ai même cru qu'on avait osé associer un tire-bouchon à un clystère : c'est un énorme modèle anglais qui ressemble à la seringue évacuatrice.

Voyageur avoué ou clandestin, le tire-bouchon nous rappelle que sans lui il y a loin de la coupe aux lèvres et qu'il fait partie de ce qu'en économie domestique on appelle le *nécessaire.*

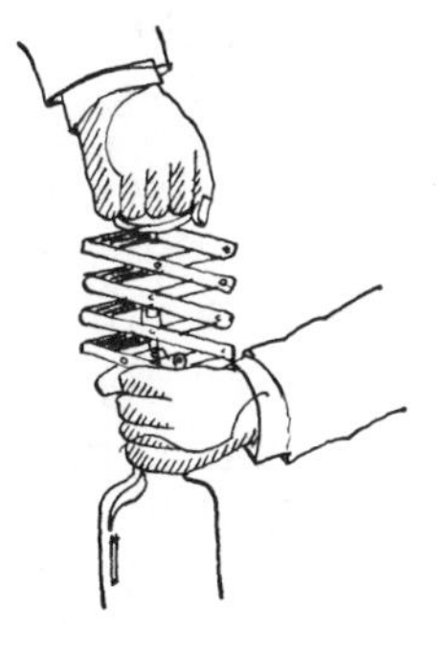

Glouglou

Mon tire-bouchon préféré est le plus simple, avec une poignée ronde en bois et une mèche longue torsadée en queue de cochon. Il exige de tenir serrée la bouteille entre les cuisses et de tirer avec force. Le claquement prometteur du liège expulsé du goulot vaut bien l'énergie déployée. Mais, l'âge venant, les tire-bouchons silencieux des flemmards ne sont pas sans charme.

Tonneau

Le poète et ancien tonnelier Pierre Boujut (*Célébration de la barrique*) remarque avec raison que le tonneau est « une invention loufoque, burlesque, à contre-courant, à contre-raison, à contre-utilité Comment a-t-on pu imaginer de faire tenir du liquide dans un montage de bois fort difficiles à assembler ? ». Et, pour l'essentiel, des lames de bois de forme cintrée (les douelles) !

Qui a eu l'idée saugrenue et géniale du tonneau ?

Nos ancêtres les Gaulois.

Pierre Boujut pense que les Grecs et les Romains étaient des gens trop sérieux pour se laisser aller à une création aussi fantaisiste. L'amphore, l'outre, voilà du pratique, du rationnel, du raisonnable ! Seul un peuple de rêveurs et de dilettantes pouvait inventer le tonneau. Les Celtes étaient des poètes.

Dès l'époque de César, sur des sculptures et des bas-reliefs, des tonneaux, cerclés de bois, sont représentés alignés sur des bateaux. Ils n'étaient probablement pas en chêne, mais ils paraissent de dimensions analogues à celles de nos fûts de 215 à 230 litres. Ils ont plus qu'un air de famille. Ils sont *du même tonneau*.

Le fameux tonneau des Danaïdes n'était probablement qu'une grosse amphore. Il est vraisemblable que Diogène, qui est né trois siècles avant César, dans un pays, la Grèce, qui, à cause de la chaleur, préféra longtemps l'immuable céramique de l'amphore au capricieux bois de la barrique, a vécu dans un tonneau. Robert Sabatier, qui a fait brillamment dialoguer le philosophe sur 500 pages de vers (*Diogène*), penche pour une légende. C'était son droit de l'exploiter en prêtant au tonneau de Diogène, « cette maison qui roule », une odeur de vin aigre.

En revanche, il est certain que le tonneau, en France, a longtemps servi d'abri pour les miséreux et les vagabonds. Grand, debout, ouvert largement, il tenait lieu, à Paris et dans d'autres villes, de boutique pour des marchands de bricoles, pour des ravaudeuses, des diseuses de bonne aventure, des joueurs de bonneteau. Des écrivains publics aussi. J'aime cette idée qu'une barrique ventrue, un muid de Bourgogne, du Roussillon ou du Languedoc, une pipe d'Anjou ou de Cognac, un tonneau de Bordeaux ou une queue de Paris, après avoir donné asile à un vin, peut-être délectable et cher, terminent leur existence en bureau d'*écrivin*, au service de l'écriture la plus humble.

Utilisé aux Pays-Bas et dans d'autres pays du Nord, extension moins plaisante, le « tonneau d'infamie ». C'était une barrique dans laquelle on enfermait pendant deux heures une femme convaincue d'adultère, seule sa tête émergeant du haut. Ne pouvant se tenir ni debout ni assise, obligatoirement accroupie, elle risquait la strangulation si ses jambes flanchaient.

À cet instrument de torture, on préférera une « commodité de la conversation », un siège historique de l'esprit français, le « tonneau » de Mme du Deffand. Ainsi appelait-on dans son salon le fauteuil, avec toit en berceau, où l'illustre aveugle conversait avec les plus grandes intelligences de son siècle.

Le bruit des tonneaux que le vigneron lavait et remuait dans la cour, au-dessus d'une bouche d'évacuation de l'eau, m'a souvent réveillé. Faire rouler les pièces vides était un jeu qui demandait peu d'effort. Les saisir à chaque extrémité pour les lever tantôt d'un côté tantôt de l'autre, les faire en même temps tourner, et ainsi racler leurs parois internes par le mouvement d'une grosse chaîne, les rincer, exigeait d'être un homme. Je n'étais qu'un enfant en vacances qui n'avait pas les bras assez longs. Mes tentatives étaient chaque année des échecs dont Julien Dulac, le vigneron, s'amusait. Il me disait immanquablement que je n'avais pas encore assez mangé de soupe. Aux choux, à la courge, aux pommes de terre, aux légumes mélangés, la soupe était un produit dopant, très conseillé, obligatoire même (ça ne me dérangeait pas, je l'aimais), dont j'attendais qu'il accélérât le grandissement, non pas de ma taille, mais de mes bras. J'ai su que j'étais un homme quand j'eus assez d'envergure et de force pour bouger avec autorité la pièce beaujolaise de 216 litres.

Je jaugeais enfin un tonneau.

Glouglous

Encore des mots du vin dont le sens n'a pas glissé du bon côté. Certes, un *tonneau* désigne un mouvement d'acrobatie aérienne, mais aussi le dérapage tournoyant et incontrôlé d'une voiture au cours d'un accident. On emploie métaphoriquement le verbe *soutirer* à la place d'extorquer, d'escroquer, de voler. J'enrage !

Le goût de boisé fait fureur chez les consommateurs américains. Ils apprécient les vins concentrés, vanillés, obtenus par l'élevage en barriques de chêne. Ou par la macération de copeaux jetés dans les cuves en béton, en acier ou en inox (procédé encore interdit en France, mais autorisé dans les pays du Nouveau Monde). Arrive-t-on au même résultat en employant indifféremment tonneaux (très coûteux) ou copeaux ? J'en doute. Aujourd'hui violent, sans finesse, ce goût de boisé est une mode qui passera, comme toutes les modes. On reviendra à des vins plus francs, plus frais, où le fruit naturel domine. En attendant, retenons ce mot assassin de Jacques Puisais : « Voici un vin plus proche de la forêt que de la vigne. »

DULAC (JULIEN)

Trinquer

« Trinquer » est un verbe bizarre. D'abord il évoque le heurt convivial des verres, le toast amical, les vœux de santé et de bonheur. On trinque pour le plaisir de boire ensemble. La Dive Bouteille de Rabelais prononce le mot « trinc », que le pontife et savant Bacbuc explique ainsi : « Trinc est un mot qui annonce les oracles en toutes les langues, célébré et entendu par toutes les nations, et qui signifie : buvez » (*Pantagruel*).

Trinquer et boire, c'est donc pareil. Trinquons, mes amis ! Trinquons, camarades ! Trinquons, mon amour ! Par Lucifer, trinquons !…. Est-il verbe plus affable et plus engageant ?

Mais il peut aussi annoncer des épreuves, introduire du malheur : « Qu'est-ce qu'il a trinqué ! » Autrement dit, plus que tout autre il a reçu, il a morflé, il a écopé, il a payé. Pas de chance, c'est lui qui a tout pris. Il a trinqué pour les autres. C'est lui la victime.

Il est probable que cette fâcheuse acception de « trinquer » vienne du premier sens du verbe, à savoir : boire avec excès. Quand on a trop bu, on en subit les dommages, on le paye d'une façon ou d'une autre, c'est fatal. Des ennuis qui découlent de l'alcool absorbé sans modération on est passé aux emmerdements de toute nature dont souffre un individu imprudent ou pas veinard.

Mon conseil : trinquons, lecteur, en nous souhaitant de n'avoir jamais à trinquer…

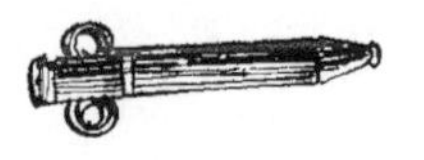

À LA TIENNE !, DÉGUSTATION, IVRESSE, VENDANGER, ZINC

Vendanger

Il n'est pas rare d'entendre les journalistes spécialisés, les commentateurs de football et les anciens champions qui les assistent, employer le verbe « vendanger ». D'un joueur qui a raté un but très facile, manqué une occasion immanquable, ils disent qu'il a vendangé le but ou l'occasion.

Absurde métaphore !

Car « vendanger » signifie récolter du raisin, le déposer dans un panier ou une hotte, donc le contraire d'un loupé, d'un échec. Par ailleurs, en argot, la vendange est le butin d'un vol. Dans tous les cas, « vendanger » signifie qu'on recueille les fruits de son travail (légal ou pas), qu'on est récompensé de sa patience, de son ardeur ou de son audace, alors que, dans le football, ce même verbe exprime la maladresse et le gâchis.

À quoi est dû ce ridicule contresens ? Pourquoi les reporters du ballon rond continuent-ils d'user d'un verbe auquel ils font dire l'inverse de ce qu'il exprime dans l'abondance et l'euphorie de l'automne ?

Glouglou

Admirable langue allemande dans laquelle le verbe *lesen* signifie à la fois « lire » (glaner, rassembler, déchiffrer des signes, les interpréter) et « vendanger », ramasser, cueillir, choisir le meilleur. *Die Zeit der Weinlese* : le temps des vendanges. Ainsi, quand je lis, je vendange des mots ; quand je cueille des raisins, je poursuis ma lecture...

DÉGUSTATION, TRINQUER

Vendanges

Paradis. Il n'y eut pas de vendanges que je ne tombai amoureux. À douze, quinze, dix-huit, vingt ans, c'était chaque fois la même histoire, tandis que j'entrais dans la vigne pour la piller, la dévaster, une délicieuse poussée de fièvre me gagnait le cœur. C'était si fort que, aujourd'hui encore, adossé à un pressoir manuel laissé dans le cuvage pour la nostalgie, devant une aquarelle où Dunoyer de Segonzac a fixé le mouvement d'un coupeur ou de deux porteurs, je ressens de l'ardeur et du plaisir. Je devrais plutôt, tant elle était aiguë, me remémorer la douleur qui, dès la première journée de vendanges, limait les reins. Inutile, anciens compagnons des matins frileux ou des soirées pluvieuses de septembre, de me rappeler les doigts gourds et entaillés, les bennes trop lourdes, la lente fatigue des mêmes gestes répétés, la tentation de renoncer devant les vignes sans fin, chargées de tant de fruits. Inutile de me dire que c'était beaucoup de travail et de peine. Pour moi, il faisait toujours beau, j'étais amoureux, et le raisin déposait du sucre sur mes lèvres.

Nos jeunesses étaient très contraintes. Les vendanges survenaient comme des entractes de liberté C'est là que j'ai gagné mon premier argent. Nous étions enfin considérés et traités comme des adultes Avant de retourner au collège ou au lycée, avant de replonger dans la discipline des familles, nous étions dans les vignes, les moineaux ! Nous étions donc gais, affranchis, audacieux. Pour qui avait de la santé, de l'appétence, les vendanges étaient une magnifique école de sensualité.

Il y avait les mains qui entraient par effraction dans les ceps, qui s'insinuaient entre les feuilles, glissaient, écartaient, saisissaient, et ramenaient des grappes lourdes de rosée, de soleil, de suc.

Il y avait le sentiment de plénitude que donne la profusion.

Il y avait les joues barbouillées de jus de raisin — rouge est le jus des teinturiers —, les doigts qui collaient au tablier, au pantalon, la peau salie, devenue rugueuse et délicieusement méphitique.

Il y avait, rendues folles par la noria des seaux et des bennes, les guêpes, ivres de gourmandise, qui voulaient prélever leur part et qui, les après-midi chauds, rendaient dangereux notre commerce avec les raisins.

Il y avait des jeunes filles. Elles aussi gagnées, peu à peu, mais bien trop lentement, à la licence sucrée des vendanges.

Il y avait des femmes qui, penchées au-dessus des ceps, montraient d'opulentes poitrines. Certaines, en short, ressemblaient à Silvana Mangano dans *Riz amer*. Aussi courbes et belles ? Non, bien sûr. Aussi capiteuses, désirables, fatales ? Mais, beaucoup plus !

Une sexualité latente, dissimulée sous l'éducation chrétienne, soudain activée par la cueillette des fruits, me donnait une formidable énergie. Plus vite, vendanger toujours plus vite, pour arriver le premier en haut de la vigne et pour aider l'élue qui coupait les raisins avec d'autant moins de célérité qu'elle était assurée de recevoir du secours. Flattée, un peu moqueuse — les raisons de mes bonnes manières ne lui échappaient pas —, elle regardait s'agiter dans ses ceps le jeune homme éreinté, mais d'une insurpassable vaillance. Elle ne se pliait plus que pour prendre entre deux doigts un grain, rouge sombre et bien charnu, qu'elle faisait éclater sur sa langue. Je me disais qu'elle aurait quand même pu faire un effort, ajouter son travail, même ralenti, au mien — et Dieu ! quel plaisir, quelle volupté ce serait de vendanger côte à côte, assis sur nos talons, cachés par la vigne, comme engloutis en elle, nos mains se frôlant, se touchant dans les ceps où, par une inadvertance calculée, nous irions saisir les mêmes raisins…

Il arrivait que nous nous retrouvions à deux petits mecs pour l'aider. Abomination. Malheur, cependant, à celui qui, par dépit, aurait laissé la place à l'autre Il fallait, au contraire, le masque serein, redoubler d'ardeur. Sans aller trop vite, car il était dans notre intérêt de rester le plus longtemps possible en sa compagnie.

Le pire pouvait alors arriver : laissant ses deux esclaves énamourés remplir son seau, elle allait bavarder avec un autre vendangeur, plus âgé, en retard, qui sifflotait dans sa moustache, qui n'aurait jamais fait tant de frais pour elle, et avec qui elle disparaissait entre les ceps.

On avait toujours l'espoir d'être plus tard récompensé. Au cours des danses qui suivaient le dîner ; dans les granges où le foin servait de cachette et de matelas ; au cuvage où, faisant un vœu, exprimant un souhait — on aura deviné lequel —, nous buvions, la main sur le cœur, le premier vin, tiède, doux, très sucré, qui coulait à flots du pressoir. Dans le Beaujolais, on appelle ce vin bourru le *paradis*. Il ne remplaçait pas le septième ciel, mais il y conduisait.

Donc, aucune comparaison avec les vendanges vulgaires que décrit Zola dans *La Terre* : « Rognes (le village beauceron) puait le raisin pendant huit jours ; on en mangeait tant, que les femmes se troussaient et les hommes posaient culotte, au pied de chaque haie ; et les amoureux, barbouillés, se baisaient à pleine bouche, dans les vignes. Ça finissait par des hommes soûls et des filles grosses. »

Par chance, j'ai lu tardivement *La Terre*. Zola ne m'a pas gâché mes vendanges.

La fête. N'ayant jamais participé à la cueillette des pommes, des olives ou des oranges, j'ignore si ce sont de joyeuses journées. Le ramassage des raisins et leur mise en cuve ont de tout temps été accompagnés de bonne humeur, de rires, de chansons, d'allégresse. La *fête des vendanges* est immémoriale. Mais, ici la mécanisation, là l'internationalisation de la main-d'œuvre, des rapports codifiés et surveillés entre patrons et vendangeurs, qui se sont substitués à une anarchique troupe de parents, d'amis, de voisins, d'étudiants, d'habitués passés à la longue dans la catégorie des amis, ont rendu les vendanges moins folkloriques, moins festives. Bacchus cotise maintenant à l'Urssaf et exige de la rentabilité.

Pourtant, l'on s'accorde à reconnaître que, si les vendanges ne font plus ou beaucoup moins sonner le rire des filles et le pas des danseurs, elles continuent de représenter un moment d'exception dans la vie répétitive et morne de bien des gens, entre autres les chômeurs et les étrangers. Généralement, la bouffe est excellente et abondante. Le soir, on boit de bons coups. En dépit de la fatigue, des reins noueux, un esprit de gaieté souffle sur la troupe des vendangeurs. Il y a, dans l'acte de couper le raisin, dans son transport, dans son tri, dans son accumulation, dans ses promesses, une sorte d'optimisme, de confiance, de bonheur, qui gagne les âmes les plus austères. Les vendanges produisent de la joie collective.

Même pendant la guerre elles n'étaient pas tristes. Beaucoup moins radieuses et débridées qu'elles l'ont été, certes, quand les Allemands furent repartis et les prisonniers rentrés, mais on ne vendangeait pas dans l'affliction patriotique. Tout frais, le jus de raisin est un élixir de bon moral.

Colette rapporte l'étonnement d'une de ses amies à l'idée de vendanger en 1917 — en Corrèze, dans un vignoble appartenant à Robert de Jouvenel (*Paysages et Portraits*). Pour cette femme, vendanger c'est prendre du plaisir. C'est participer d'une « liberté assez licencieuse, de chants et de danses, de propos lestes et de gourmandise ». Ce plaisir, cette liberté sont incompatibles avec la guerre. « Que voulez-vous ? lui répondit Colette, on n'a pas encore trouvé le moyen de récolter le raisin sans vendanger. »

Elle aurait pu regretter le temps des guerres médiévales. Alors, on interrompait la bataille pour laisser les paysans récolter en paix le raisin et les seigneurs surveiller les vendanges. Pendant le siège de Paris, Henri IV accorda une trêve et une escorte aux propriétaires qui craignaient de perdre la récolte de leurs vignes de Suresnes ou d'Argenteuil. Henri IV était décidément un bon roi.

La mort. Les vendanges dont Jean Giono fait le récit dans *Faust au village* sont très particulières. Elles se déroulent en Haute-Provence, dans les montagnes, sur des terres où il fait froid prématurément.

Il ne devrait pas y avoir de vignes. Mais il y en a. Six mille pieds que se partagent plusieurs paysans.

Aucun ne prétend que le vin de Prébois — c'est le nom du principal village — est bon. Pour le boire « il faut se cramponner à la table ». Aucun étranger n'en veut. Mais les montagnards en raffolent. « Nous ne serions pas tels que nous sommes si nous n'étions pas ceux-là qui boivent (qu'est-ce que je dis ! qui aiment !) le vin de Prébois. C'est le signe de notre caractère. »

Les derniers jours de soleil de l'automne décident *in extremis* de la maturité du raisin. Il n'a jamais trop de sucre, oh non ! Oui, mais si la pluie et le froid tombent soudain sur le pays, et ce sera pour plusieurs mois, l'on s'en veut d'avoir trop attendu. Oui, mais si l'on vendange alors que plusieurs journées de soleil suivront, ce dont profiteront des voisins plus audacieux, plus avisés ou plus chanceux, leur vin sera meilleur. Accablement et déshonneur, dans ce cas.

Là-haut, dans l'ombre des montagnes, les vendanges sont aussi âcres que la piquette qu'elles produiront. Ni rires ni chansons. Du lugubre. En récoltant le raisin on parle de la mort. Des morts récents ou des morts prochains. Le narrateur n'explique pas pourquoi. Giono non plus. C'est la tradition. Ses viticulteurs des crêtes sont très étranges : « Si nous pouvons nous souvenir d'une chose bien laide : aspect d'une plaie ou cris de souffrance, ou peut-être d'un épisode où il a fallu lutter à bras-le-corps avec un moribond qui se débattait violemment pour mourir, c'est pain bénit. C'est celui-là dont nous parlons paisiblement entre mari et femme pendant que, côte à côte, nous coupons les raisins bien pleins et bien mûrs. »

Retour au paradis. On l'appelle *cuvier*, *cuverie*, en Beaujolais *cuvage*. C'est dans ce local où, de la cuve au pressoir, du pressoir à la cuve, se fait le vin, qu'en quelques décennies les changements ont été les plus radicaux. On est passé du bois à l'inox, de la tuyauterie bricolée à la thermorégulation, du pressoir mécanique au pressoir électronique, de la pifométrie à l'œnologie. Même si elles se révèlent parfois trop contraignantes ou trop rusées (le levurage, par exemple, qualifié ironiquement par Guy Renvoisé d'« acte médical »), la science et les techniques ont considérablement amélioré la vinification, donc les vins. Les progrès sont incontestables, spectaculaires, particulièrement dans les vignobles qu'on pourrait qualifier, par analogie avec l'urbanisme social, de défavorisés.

Mais cette révolution s'est faite au détriment de la fête. Les chimistes sont rarement des boute-en-train. Le cuvage n'est plus un théâtre de forts en muscles et de forts en gueule qui, la poitrine nue, en short, ou en caleçon, ou les jambes de pantalon relevées au-dessus des genoux, foulaient la vendange en échangeant des histoires grivoises ou des propos salaces avec un public féminin admiratif. Faut-il croire l'écrivain roumain N.D. Cocea quand il raconte (*Le Vin de longue vie*) qu'autrefois « des femmes nues comme le Bon Dieu les avait faites (…) foulaient le raisin dans des cuves grandes comme des viviers » ? On ne croira pas, en tout cas, le vieux boyard, propriétaire des vignes, héros du livre, qui affirmait que le raisin passé sous une presse ne produisait qu'un jus fade. « Écrase ce même raisin sous les pieds de l'homme et, malgré l'impureté et la sueur, tu boiras ce que tu n'as jamais bu de ta vie. » Une chance pour la Roumanie que la Commission de Bruxelles n'existait pas à l'époque…

N'empêche que, dans des odeurs sucrées de macération, de fermentation, de décomposition, d'alcool volatil, c'était bien cette intimité chaude, poisseuse, des hommes et des raisins, la peau des uns frottée à la peau des autres, qui rendait charnelles, gaillardes, pour le moins sensuelles, les soirées de pressurage. Le vin s'échappait des orifices du pressoir, coulait à flots dans les rigoles qui l'entouraient, tombait en cascade dans la *gerle*. Il courait rouge rubis, il s'immobilisait rouge grenat, presque noir. Du vin doux, du sirop. Un vin féminin, ce paradis, disaient les virils pressureurs. C'est au cuvage que j'ai entendu prononcer pour la première fois le mot « aphrodisiaque ».

Envoyé spécial. Journaliste débutant au *Figaro littéraire*, en vacances dans le Beaujolais, je reçus, à la veille des vendanges, un appel téléphonique de mon rédacteur en chef, Maurice Noël.

— On me dit que ce millésime 59 sera le millésime du siècle…

— Les vignerons assurent, chaque année, que ce sera le millésime du siècle ! Mais, probablement, celui-ci l'est-il un peu plus que les autres.

— Pensez-vous qu'un envoyé spécial du journal trouverait de quoi nourrir un grand reportage sur les vendanges ?

— Oui, sûrement. Quel envoyé spécial ?

— Vous !

— Moi ?

— Ne vous en sentez-vous pas capable ?

Si, si. Avec plaisir, avec fierté, avec crainte. Il s'agissait de remplir une page entière du *Figaro litté-*

raire, grand format de l'époque. Après des brèves, des échos, de petits billets, mon premier long article. Seigneur, ce que j'ai pu le fignoler, le décanter, le chambrer, me le mettre en bouche, ce papier sur lequel il me semblait que je jouais mon avenir. Appel à la une, de notre envoyé spécial, mon nom en grosses lettres… Je connaissais bien le sujet, mais c'était, si l'on peut dire à propos de vendanges, un sujet bateau. Donc, risqué. Si elle ne lui plaisait pas, Maurice Noël n'hésiterait pas à jeter ma copie dans sa corbeille.

Le jour de la parution du *Figaro littéraire*, je partis de Quincié, en voiture, avant l'aube, pour rejoindre Paris. Sur la route nationale 6 — l'autoroute n'existait pas encore —, à Arnay-le-Duc, j'avisai un café-dépôt de journaux qui ouvrait ses portes. Je m'y précipitai : *Le Figaro littéraire* ? Oui, monsieur, nous l'avons reçu ce matin. Le cœur battant, je dépliai le journal. Il y avait toute une page de « Choses vues et entendues en Beaujolais, par Bernard Pivot ». Seuls le premier numéro de *Lire* et la télévision me procureront plus tard une émotion professionnelle aussi intense. Mais celle-ci fut la plus radieuse.

Le lendemain, je découvris sur mon bureau une note d'un confrère du journal me demandant de rappeler l'Académie du vin. On lira la suite à l'entrée… « Yquem » !

YQUEM

Veuve Clicquot

Elle m'a toujours fait rêver, la veuve Clicquot. Elle n'a que vingt-sept ans lorsque meurt François Clicquot. Libre, si jeune, et avec sous les pieds des caves remplies de milliers de bouteilles de champagne, mazette, quel beau parti ! Pourtant, aucun homme ne parvint à enlever la position. À un nouveau mariage elle préféra son indépendance de femme d'affaires. Sa réussite fut d'autant plus exceptionnelle que c'était il y a bien longtemps, au début du XIXe siècle, et qu'elle imposa son autorité à la famille du défunt, aux cavistes et au négoce. Elle était tellement avisée qu'elle fut surnommée « la grande dame de la Champagne ».

Sait-on de quoi est mort François Clicquot ? Oui, d'une fièvre banale. Si banale que les médecins n'étaient pas inquiets. Pressée de régner sur un empire de bulles, la pétillante Mme Clicquot n'aurait-elle pas inventé, pour accompagner les desserts de son mari, le champagne-arsenic ? J'imagine, je suppose, je fantasme… C'est qu'elle en vaut la peine, la Veuve Clicquot ! Elle doit titiller aussi Philippe Sollers, qui a fait d'elle son champagne préféré. On connaît son amour immodéré des femmes. Plutôt que la cuvée Joséphine, de Joseph Perrier, la cuvée Louise, de Pommery, la Demoiselle, de Vranken, la Tsarine, de Chanoine, il a élu La Grande Dame, de Clicquot. C'est aussi le choix d'Amélie Nothomb.

Au « Rick's », le café américain de *Casablanca*, Humphrey Bogart suggère le Veuve Clicquot 26, « c'est un bon cru » (mais, quand il embrasse pour la première fois Ingrid Bergman, c'est une bouteille de Mumm Cordon rouge qui est sur la table).

J'ai été convaincu pendant longtemps que la Clicquot et la Ponsardin étaient deux veuves dressées l'une contre l'autre. J'imaginais une guerre des Bulles comme il y eut la guerre des Roses. La conquête au prix fort des hectares de vignes, les meilleurs cavistes enrôlés comme amants, la technique secrète des assemblages, le négoce sommé de choisir son camp. Moi aussi, j'avais pris parti.

« Le cidre ! Le mousseux ! Le goujat ! Le gredin ! »
S'écria, très fâchée, la veuve Ponsardin,
Quand je lui annonçai, levant tout quiproquo,
Que celle que j'aime c'est la veuve Clicquot...

Et puis, un jour, patatras, j'appris que la Clicquot et la Ponsardin étaient une seule et unique femme, que la Clicquot était née Nicole-Barbe Ponsardin, qu'elle affichait son double nom sur ses étiquettes et qu'elle avait eu du tempérament pour deux.

Sur le tard, elle ressemblait à la reine Victoria. Mais jeune ? Fut-elle, grisée de champagne, une veuve joyeuse ? Y eut-il autour d'elle beaucoup de coqs-clicquot ? Ou, plus à son avantage au muid qu'au déduit, fut-elle une sorte d'austère dom Pérignon en jupons ? Selon les témoignages de ses contemporains, si elle montra de l'indulgence pour son gendre, le brillant mais dispendieux Louis de Chevigné, elle était dotée d'un caractère ferme, décidé, économe. Certes, elle manifesta un esprit d'aventure et d'audace, mais exclusivement comme femme d'affaires partie à la conquête des marchés.

Jamais cité — et c'est une injustice — dans le palmarès des femmes célèbres, le nom de Clicquot est pourtant sur (presque) toutes les lèvres. Le prix

Veuve-Clicquot est attribué chaque année à une femme d'affaires. Il n'est pas obligatoire qu'elle soit veuve.

Glouglou

Comme le champagne, le porto a eu une femme exceptionnelle. Elle s'appelait doña Antonia Adelaïde Ferreira, de la célèbre maison Ferreira. Au cours du XIXe siècle, elle a planté de nouveaux cépages, créé de nouveaux crus. Dotée d'une énergie que rien ne pouvait décourager et d'une intelligence commerciale que les hommes lui enviaient, elle a, sous son règne, marqué l'histoire du porto.

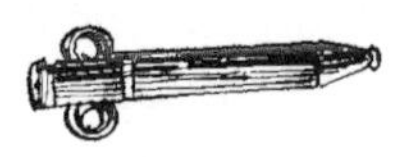

CHAMPAGNE, DOM PÉRIGNON, KRUG

Voltaire

Si l'on en juge par le soin qu'il mettait à rédiger ses lettres de commande, Voltaire devait beaucoup apprécier le vin. Il était inenvisageable qu'il n'en eût pas en permanence dans sa cave, ne serait-ce que parce qu'en boire chaque jour était pour lui un gage de santé.

Datée du 6 octobre 1769 et écrite à Ferney, voici une lettre que j'ai achetée et encadrée. Il l'a envoyée à M. Le Bault, conseiller au parlement, à Dijon : « Monsieur, Vous êtes charitable, je bois du vinaigre, j'ai recours à vos bontés ; je vous suplie de m'envoier cent bouteilles de vôtre meilleur vin rouge, et cent bouteilles du joli petit vin blanc de Madame Le Bault. Aiez pitié d'un pauvre malade qui vous est bien véritablement attaché. J'ai l'honneur d'être, avec bien du respect de Monsieur et de Madame Le Bault, le très humble et très obéissant Serviteur. Voltaire » (orthographe de l'époque).

Le sieur Le Bault a traité cette commande sans égard particulier. Il a écrit dans le coin supérieur gauche de la lettre de Voltaire quelques chiffres d'où il ressort que l'écrivain allait lui devoir 275 francs (ou livres tournois ?). Et il a ajouté à l'adresse de son intendant qu'il conservera la lettre « jusqu'à payement ». Le Bourguignon en use avec Voltaire comme avec tout autre client.

Pourtant, l'écrivain est un fidèle consommateur des bourgognes du conseiller-propriétaire dijonnais. Depuis 1755, donc depuis quatorze ans, Voltaire lui achète, chaque année, soit des bouteilles, soit, le plus souvent, deux tonneaux (en 1758, quatre !), l'un de bourgogne ordinaire, l'autre du cru qu'il préfère : le corton. Et toujours dans l'imploration du quémandeur : « Revenons, s'il vous plaît, au vin de Corton, je ne le demande ni nouveau, ni en tonneau, ni en bouteilles, je le demande tout comme vous voudrez me l'envoyer ; tout m'est égal, pourvu qu'il soit bon ; faites comme il vous plaira, vous êtes le maître » (lettre du 14 janvier 1763). Et, quand ses remerciements coïncident avec la nouvelle année, Voltaire ne manque pas de souhaiter à M. et Mme Le Bault « une bonne vinée ».

S'il m'arrive de dire que Voltaire buvait du beaujolais, personne ne me croit. Serais-je de ces vampires qui vont tirer des cadavres illustres d'invérifiables citations dont ils se barbouillent la bouche ? Que nenni ! Voici ce qu'écrivait Voltaire, toujours à notre ami le conseiller Le Bault, le 12 octobre 1757 : « Plus je vieillis Monsieur et plus je sens le prix de vos bontés. Votre bon vin me devient bien nécessaire. Je donne d'assez bon vin de Beaujolais à mes convives de Genève, mais je bois en cachette le vin de Bourgogne » (*Correspondance de Voltaire*, tome IV, page 1116, « Bibliothèque de la Pléiade »).

On observe que Voltaire juge les vins selon l'opinion que nous en avons deux siècles et demi après lui : le beaujolais pour les jours ordinaires (il recevait beaucoup), le bourgogne, en particulier le corton, pour les grandes occasions (se régaler soi-même en cachette en est une, cela ne s'appelait pas encore boire en Suisse, même pour un Français qui vivait près de Genève).

Quand il commande du vin de Frontignan, Voltaire est tout aussi maniéré et amusant : « Je vous demande une autre grâce : elle est un peu considérable : c'est de me conserver la vie en m'envoyant un petit quartaut du meilleur vin de Frontignan. Ne le dites pas à ceux qui me paient de rentes viagères. Ce sera une petite extrême-onction que vous aurez la bonté de me donner. Je vous ferai tenir l'argent par Lyon ou par Genève, comme il vous plaira.

« Si vous me refusez, je suis homme à venir chercher moi-même du vin de muscat à Marseille, car je ne puis plus tenir aux neiges du mont Jura » (Lettre à Dominique Audibert, membre de l'Académie de Marseille, le 19 décembre 1774).

Mais voici plus étonnant : Voltaire, alors qu'il habitait aux Délices, près de Genève, a commandé, en juin 1757, toujours à M. Le Bault, 200 ceps de vigne ! Une requête toute d'humilité : « Ce n'est qu'un très petit essai que je veux faire. Je sens combien ma vilaine terre est indigne d'un tel plan, mais c'est un amusement dont je vous aurais l'obligation. »

M. Le Bault lui ayant répondu favorablement et lui proposant même plus de 200 pieds, Voltaire lui écrit aussitôt que son « terrain calviniste », son vigneron et lui sont « indignes d'une telle faveur », mais que l'idée de produire un jour du « bourguignon allobroge » l'enchante.

Dès octobre suivant, alors que M. Le Bault prélève des ceps — pinot ou chardonnay, aucune précision — sur ses terres, Voltaire fait arracher « mes ceps hérétiques pour recevoir vos catholiques ». Déjà, il rêve de boire son vin en compagnie du conseiller au parlement de Dijon.

Nous apprendrons plus tard que les ceps se sont bien acclimatés à leurs nouveaux sol et climat. Voltaire est fier d'être devenu « un petit Noé » Il ambitionnait même d'en devenir un grand lorsqu'il projeta de planter 5 000 autres ceps dans la seigneurie de Tournay, située au nord de Genève, sur la commune de Pregny. Il avait acheté château et domaine à Charles de Brosses, autre Bourguignon, celui-ci connu pour ses *Lettres familières sur l'Italie* qu'on lit toujours avec profit et plaisir. Mais le tempérament bâtisseur et défricheur de Voltaire, son énergie roublarde de châtelain se heurtèrent au réalisme comptable et procédurier du président au parlement de Dijon

Plus tard, il écrira à M. Le Bault que le vin de Tournay est bon, mais moins bon que le sien.

Glouglou

Le champagne est le vin qui représente le mieux Voltaire, son esprit, son humour, son effervescence, son panache, sa renommée dans toute l'Europe. Ça tombe bien, il l'appréciait. Avec indulgence ou bonté, il pensait même que…

… De ce vin frais l'écume pétillante
De nos Français est l'image brillante.

Wanted !

Les « hybrides » sont des cépages nés de l'union de cépages français et américains. Ils sont très costauds, ils résistent vaillamment au gel, aux insectes, aux papillons, aux champignons, et ils produisent énormément de raisins. Ils seraient parfaits s'ils donnaient du bon vin. La plupart ont été interdits ou peu à peu abandonnés. Les hybrides couvrent aujourd'hui, en France, moins de 20 000 hectares.

Dès 1935, une demi-douzaine avaient été déclarés hors la loi. Mais, avec la guerre, ils avaient au contraire prospéré au point d'être à l'origine, dans les années 1950, de 30 % de la production de vin. Les gouvernements successifs se sont alors fâchés et, à l'instar des placards affichés par les shérifs pour mettre à prix la tête des bandits et des gangsters recherchés (*Wanted !*), des avis comme celui-ci furent diffusés par le ministère de l'Agriculture :

> « Le noah, l'othello, l'isabelle, le jacquez, le clinton et l'herbemont sont des cépages dont la culture est interdite. Ils doivent disparaître avant le 1er décembre 1956.
>
> Arrachez vos cépages prohibés !
>
> Ils vous exposent à des sanctions.
>
> Ils donnent du mauvais vin.
>
> Ils ne sont plus à la mode : ce sont des reliques du passé.
>
> Profitez de la prime de 135 000 francs par hectare accordée pour les arrachages définitifs des cépages prohibés effectués avant le 1er décembre 1956. »

En dépit de la prime, l'arrachage ne se fit pas sans douleur ni protestation. Dans l'Ouest, la Loire-Atlantique et la Vendée notamment, où les hybrides régnaient sur de grandes surfaces, la résistance aux ordres de Paris provoqua des cortèges, des heurts et des violences. Comme pendant la Révolution, des évêques et des curés, choqués par l'expression « reliques du passé » dans laquelle ils percevaient une attaque contre la religion, se rangèrent du côté des rebelles. Mais la chouannerie viticole s'éteignit heureusement plus vite que celle de 1793.

L'interdiction du clinton, implanté dans une autre région ensanglantée par les guerres religieuses, les Cévennes, alimenta aussi des colères dont Jean-Pierre Chabrol s'est fait le conteur (*Les Rebelles*). Allez donc faire comprendre à des viticulteurs que leur cépage, fécond et vigoureux, produit un vin exécrable et qu'un jour ils seront les seuls à en apprécier le goût et les vertus !

Cépage blanc américain riche en alcool, le noah fut accusé de rendre fou et de hâter l'éthylisme des populations de l'ouest de la France. Il fut interdit dès 1934. Antiaméricanisme primaire ? Il semble bien que sa teneur en alcool méthylique, nettement au-dessus de la moyenne, ait justifié cette censure viticole.

Glouglou

Combien de cépages dans le monde ? Plus de 5 000 ont été observés, décrits, répertoriés, classés. Combien en France ? Environ 200. Certains, liés à la polyculture ou à une viticulture de montagne, disparaissent ou ont disparu. Ils ont pourtant des noms sympathiques : le balzac (Charentes), le hibou (Savoie), le genouillet (Berry), le chichaud (Ardèche), le canari (appelé dans l'Ariège *esquiche-braguette* à cause de ses propriétés diurétiques, précise le professeur Gilbert Garrier).

Avec l'essor des vins de pays, le désir de sortir des sentiers battus, d'autres cépages connaissent une renaissance ou une extension. Comme le tibouren, en Provence, autour de Saint-Tropez, le vermentino dans le Var. Ou encore le colombard, cépage charentais réfugié dans le Gers et en Vendée, et que des audacieux ont planté, comme un défi, face au Médoc, sur l'autre rive de la Gironde, dans les « Hauts de Talmont ». Très pâle, avec un nez d'agrumes où domine le pamplemousse, ce colombard « lampant et parfumé » (Balzac, *La Peau de chagrin*) prouve, s'il en était besoin, que dans la viticulture la tradition et l'innovation sont organiquement liées.

Xérès

Seul un très bon champagne peut en apéritif rivaliser avec un xérès. Un xérès *seco*, bien sûr, ce qui élimine les *dulces* : moscatel et pedro ximenez, vins doux naturels. Les finos, les amontillados, de couleur jaune avec de puissants reflets verts, ouvrent l'appétit sur une amertume d'amande, de noisette ou de café. Surtout ne pas croquer en même temps des fruits secs. Ce serait écraser la subtilité sous la redondance. À goûter aussi, les manzanillas de Sanlucar de Barrameda, à l'arrière-goût salé rappelant la mer, les olorosos.

« Sherry » est le nom anglais du xérès. Comme du bordeaux, comme du porto, les Britanniques en ont toujours été fous. Quel butin Francis Drake ramena-t-il à Londres après avoir mis le feu aux navires espagnols dans la baie de Cadix ? Près de 3 000 barriques de sherry ! Pour trinquer à la victoire, il avait vu large.

Je ne suis jamais allé à Jerez de la Frontera, capitale andalouse du xérès, et le regrette, non pas pour la dégustation de très vieux finos — si on y met le prix, on en trouve à Paris —, mais pour le vignoble, son étrange beauté, les ceps bien verts du palomino alignés sur un sol tout blanc. Oui, tout blanc. L'*albariza*, ainsi s'appelle cette terre qui n'est pas faite de craie mais de marne, et qu'on croirait de loin, paraît-il, même au plus chaud de l'été, recouverte de neige.

Chaque fois que je trempe mes lèvres — trop rarement — dans un verre de xérès, je pense à la terre magique et surréaliste où il naquit, et que j'aimerais bien visiter en compagnie de mon ami Jorge Semprun.

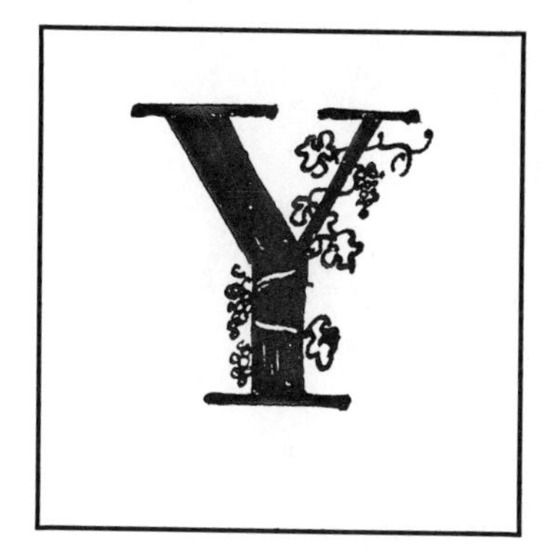

Yquem

… Au téléphone, une personne me dit que des membres de l'Académie du vin avaient lu et apprécié mon reportage, paru dans *Le Figaro littéraire*, sur les vendanges en Beaujolais (se reporter à la fin de l'entrée « Vendanges ») et que le marquis de Lur Saluces, son président, m'invitait au prochain dîner de l'Académie.

Il eut lieu au relais de la gare de l'Est, qui était alors un restaurant réputé, deux étoiles au Michelin. L'Académie du vin réunissait — réunit toujours, active, influente — des propriétaires-récoltants des AOC, des grands noms de tous les vignobles (plus, aujourd'hui, des chefs, des journalistes spécialisés). L'un de ses présidents fut le marquis d'Angerville, dont les volnays reproduisaient l'élégante et subtile personnalité. En 1959, j'entendais pour la première fois parler des Lur Saluces. Une famille qui remontait au XVIe siècle. Un château, d'Yquem, qui donnait un vin singulier, rare et cher. Ni moi ni mes proches n'en avions goûté ni même approché une bouteille. Et voilà que j'étais l'invité personnel du marquis Bertrand de Lur Saluces, maître d'un château, d'un vin et d'une légende qui se situaient tellement loin du vignoble plébéien que j'avais vendangé avec des mots de journaliste.

Comme je n'avais que vingt-quatre ans, les membres de l'Académie du vin me parurent très vieux. Je fus peu à mon affaire parmi ces personnes pourtant gentilles à mon égard, attentionnées, en particulier le marquis, mais si savantes, si à l'aise pour évoquer le contenu de leurs assiettes et de leurs verres, puis, sans transition, passer à un commentaire moqueur, inquiet ou confiant sur la politique du général de Gaulle. Mon seul souvenir, c'est d'avoir bu du château d'yquem. Le goût en était étrange, délicieux, voluptueux, fou. J'étais médusé, baba. Cela ressortissait-il encore au vin ? m'étais-je demandé. Rien à voir avec le monbazillac de mes parents, que j'aimais bien pourtant. La présence et les explications du marquis de Lur Saluces, le prestige de l'Académie, la compétence des convives, l'euphorie de la fin du repas, tout cela n'avait-il pas amplifié mon enthousiasme ? Étais-je dans des conditions où j'aurais pu apprécier l'yquem, sans plus, et ne pas m'extasier comme un puceau après sa découverte de la complémentarité des sexes ?

Dans mon souvenir, il est le meilleur yquem que j'aie bu. Parce qu'il était le premier (jeune homme désinvolte et sans mémoire, je n'ai hélas ! pas noté son millésime). Quelques autres dégustés sur un demi-siècle, qui lui étaient probablement supérieurs (59, 70, 71, entre autres), n'exhalaient pas autant de fragrances sentimentales. Les spécialistes disent même que le comte Alexandre de Lur Saluces, qui succéda au marquis, encore plus rigoureux et exigeant que celui-ci, accrut la qualité et la renommée de l'yquem. Mais rien ne peut y faire : aucune bouteille d'aucun millésime n'égalera jamais l'yquem sans date de mon baptême.

Me relisant, je me demande si, pour yquem, je ne me suis pas laissé aller à un excès d'effusion…

N'est-ce pas le vin qui pousse le plus à l'hyperbole, au dithyrambe, aux envolées lyriques ? Les Chartrons disent que « c'est l'extravagance du parfait ». Dans *La Raison gourmande*, Michel Onfray raconte son premier yquem (1979), son « initiation » au « culte » par Denis Mollat, libraire-éditeur à Bordeaux. Le philosophe est dans un état second. « Les couleurs chatoyantes dansent encore dans mon âme. » Plus tard, il publiera chez Mollat, dédié à Alexandre de Lur Saluces, un essai sur *Les Formes du temps*, sous-titré *Théorie du sauternes*.

Ce « nectar » fait perdre à Frédéric Dard (préfacier de *Yquem*, de Richard Olney) l'humour de San-Antonio : « Yquem, c'est nos facultés gustatives poussées jusqu'à l'indicible. C'est la suavité absolue. La pleine jouissance. (…) Car l'yquem est aussi lumière. De la lumière bue. » Fichtre !

Jean-Claude Carrière est en lévitation : « Yquem est une star, comme Greta Garbo. Yquem est un modèle, une sorte de point extrême, d'horizon idéal, qui trace et éclaire la route, qui montre au moins que ce chef-d'œuvre était possible » (*Pour Yquem*). Bigre !

Dans le même ouvrage, Bernard Clavel raconte un souvenir qui mériterait de figurer dans les manuels d'histoire de France et du vin.

« Un jour qu'Alexandre de Lur Saluces nous avait invités à partager un dîner avec l'ancien Premier ministre du Canada Pierre Eliott Trudeau et quelques-uns de ses amis, il nous offrit un yquem 1945. C'est ce que j'ai bu de meilleur de toute ma vie. Notre hôte expliqua qu'il avait choisi ce magnum pour célébrer la mémoire des Canadiens venus mourir sur nos plages pour nous libérer.

« Le repas terminé, je pris Alexandre à part pour lui glisser :

— Tout de même, vous exagérez : le Débarquement, ce n'est pas 45, mais 44 !

Il eut un haussement d'épaules :

— Je sais. Malheureusement 44 n'est pas une grande année.

« Ça n'a l'air de rien, mais, au fond, tout tient dans cette réplique.

« Ici, le vin domine même l'Histoire. »

Glouglou

Au Classement de 1855 des vins rouges du Médoc, s'ajoutait un Classement des vins blancs de la Gironde (sauternes et barsac). Yquem était le seul à être qualifié de « premier cru supérieur ». Cela ne se discutait pas, tant était grande sa renommée à la table des souverains d'Europe, ainsi qu'aux États-Unis, grâce à Jefferson. Lors de son voyage en France, le futur président américain commanda 250 bouteilles *Diquem* 1784 (écriture phonétique retrouvée dans ses notes).

La gloire d'yquem ne doit pas occulter les autres vins de Sauternes et de Barsac nés, eux aussi, de la pourriture noble opérée par le champignon *botrytis cinerea* dans les grains de sémillon et de sauvignon, de muscadelle aussi. Moins ruineux que la star — mais l'or en bouteille coûte quand même bonbon —, les châteaux guiraud, climens et rieussec (premiers crus), doisy-daëne et lamothe-guignard (deuxièmes crus) peuvent, eux aussi, susciter pas mal de lyrisme.

CLASSEMENT DE 1855, NECTAR

Zinc

Dans ma mémoire, copain, gorgeon, zinc et troquet sont quatre mots indissociables. Mais le gorgeon a été rayé du *Petit Larousse* et du *Petit Robert*. À moins qu'il n'y ait jamais accédé ? Après avoir failli disparaître, « troquet » est redevenu à la mode. Les copains, d'abord ceux de Brassens, ensuite les nôtres, s'ils ont un peu viré potes, sont toujours accoudés au zinc pour un p'tit blanc du matin ou un ballon de rouge après le boulot. Le « zinc » en jette : synonyme populaire de bar, il désigne aussi un petit bistrot, le modeste café du coin, un rade, un troquet.

Les copains ne sont pas du genre, sauf lettrés ironiques, à lancer : « Fouette-moi ce verre galamment ! »

Devant leurs verres vides, ils seraient plutôt enclins à dire au garçon : « On voit les graviers ! » Ou : « Il faudrait rhabiller les petits… » (Variante : « les enfants ».)

On ne quitte pas le zinc après un unique gorgeon : « Tu ne vas pas t'en aller sur une seule jambe ? »

Une « guinguette » est un troquet dans la chlorophylle, le plus souvent au bord de l'eau. Les canotiers de Renoir ont arrosé leur déjeuner de vin rouge. On a fini, on se lève, on est jeune, on est amoureux. Les verres sont vides. Les femmes sont coiffées de gracieux chapeaux d'été. L'une d'elles porte une dernière fois son verre à ses lèvres. Il y a des raisins dans un compotier. Beau mois de septembre.

J'aime aussi la photo de Robert Doisneau représentant Jacques Prévert, seul, à la terrasse d'un café du boulevard de l'Hôpital, à Paris. Il est assis devant un guéridon sur lequel est posé un verre de rouge. Le poète a tout son temps. Son éternelle clope aux lèvres, son caniche couché à ses pieds, il réfléchit. Selon le patron du bistrot « Le Saint-Pourçain », à Saint-Sulpice — sitôt attablé, un verre de saint-pourçain blanc devant votre assiette ! —, le rouge dans le verre de Prévert est un côtes-du-rhône.

Santé à tous !

Bibliographie

Ouvrages généralistes récents, indispensables à un amateur de vins

CLARKE Oz, *Atlas des vins du monde*, Gallimard, 2003

DOVAZ Michel, *Dictionnaire Hachette du vin*, 1999

FRANCE Benoît, *Grand Atlas des vignobles de France*, Solar, 2002

GARRIER Gilbert, *Histoire sociale et culturelle du vin*, Bordas, 1995

GARRIER Gilbert, *Les Mots de la vigne et du vin*, Larousse, 2001

GAUTIER Jean-François, *Histoire du vin*, « Que sais-je ? » n° 2676, PUF, 1996

JOHNSON Hugh, *Une histoire mondiale du vin*, Hachette, 1990

RENVOISÉ Guy, *Le Monde du vin : art ou bluff*, Éditions du Rouergue, 1994

RIBÉREAU-GAYON Pascal, *Atlas Hachette des vins de France*, 1995

ROWLEY Anthony, Jean-Claude Ribaut, *Le Vin, une histoire de goût*, « Découvertes »/Gallimard, 2003

Collectif, *Larousse des vins (tous les vins du monde)*, 2001 (nouvelle édition)

Collectif, *Le Vin, nectar des dieux, génie des hommes*, catalogue d'exposition, Infolio, 2004

Plus anciens, donc probablement plus difficiles à se procurer

CHATELAIN-COURTOIS Marie, *Les Mots du vin et de l'ivresse*, Belin, 1984

DION Roger, *Histoire de la vigne et du vin en France des origines au* XIXe *siècle*, Flammarion, 1977 (nouvelle édition)

DOUTRELANT Pierre-Marie, *Les Bons Vins et les autres*, Seuil, 1976

DUMAY Raymond, *Guide des vins de pays*, Stock, 1969

DUMAY Raymond, *La Mort du vin*, Stock, 1976

LACHIVER Marcel, *Vins, vignes et vignerons*, Fayard, 1988

PEYNAUD Émile, *Le Goût du vin*, Dunod, 1980

Littérature (parutions récentes)

ABÛ Nuwâs, *Poèmes bachiques et libertins*, Verticales, 2002

CARRIÈRE Jean-Claude, *Le Vin bourru*, Plon, 2000

COCEA N.D., *Le Vin de longue vie*, Le Serpent à plumes, 2000

KAIKÔ Takeshi, *Romanée-Conti 1935*, Philippe Picquier, 1993

KAUFFMANN Jean-Paul, *Le Bordeaux retrouvé*, 1990 (hors commerce)
LACLAVETINE Jean-Marie, *Le Rouge et le Blanc*, Folio, 1994
ONFRAY Michel, *La Raison gourmande*, Grasset, 1995
PIROTTE Jean-Claude, *Les Contes bleus du vin*, Le Temps qu'il fait, 1988
QUEFFELEC Yann, *La Dégustation*, Fayard, 2005
VEILLETET Pierre, *Le Vin, leçon de choses*, Arléa, 1994

Dans la collection « Écrivins » (Stock) :
ARSAND Daniel, *Ivresses du fils*, 2004
CHARRAS Pierre, *L'Oiseau*, 2004
CLOUX Patrick, *Un vin de paille*, 2004
LAPAQUE Sébastien, *Chez Marcel Lapierre*, 2004
ROEHR Alain, *Le Fil de l'eau*, 2005

ALAUX Jean-Pierre, BALEN Noël, « Le Sang de la vigne » (Fayard), série de romans policiers viticoles : *Vendanges tardives en Alsace*, *Pour qui sonne l'Angélus*, *Sous la robe de Margaux*, etc.

Ouvrages consultés

AUDOUZE François, *Carnets d'un collectionneur de vins anciens*, Michalon, 2004
AVOINE, Barbe, BLACHON, BRIDENNE, LACROIX, LAVILLE, etc., *Le Vin*, Humoristes Associés, 1980
BATON Antoine, *La Patrie lyonnaise*, Imprimerie P. Legendre, 1913
BAZIN Jean-François, *Le Clos de Vougeot*, Jacques Legrand, 1987

BAZIN Jean-François, *Montrachet*, Jacques Legrand, 1988

BAZIN Jean-François, *Chambertin*, Jacques Legrand, 1991

BAZIN Jean-François, *La Romanée-Conti*, Jacques Legrand, 1994

BAZIN Jean-François, *Le Vin de Bourgogne*, Hachette, 1996

BECHTEL Guy, *1907. La Grande Révolte du Midi*, Robert Laffont, 1976

BERNARDO Enrico, *Savoir goûter le vin*, Plon, 2005

BERTALL, *La Vigne. Voyage autour des vins de France*, Plon, 1878

BERTHIER Marie-Thérèse, SWEENEY John-Thomas, *Les Confréries en Bourgogne*, La Renaissance du Livre, 2000

BLANCHET Suzanne, *Les Vins du Val de Loire*, Éditions Jema, 1982

BOIRON Christine, *Les Vins de Paris*, Glénat, 1988

BOITOUZET Lucien, *Les Chevaliers du Tastevin*, Société bourguignonne de Propagande et Éditions, 1984

BONAL François, *Anthologie du champagne*, Dominique Guéniot, 1990

BOUJUT Pierre, *Célébration de la barrique*, Éditions du Lérot, 1983

BOURGUIGNON Philippe, *L'Accord parfait*, Chêne, 1997

BRÉSILLON Jean-Pierre, *La Bourgogne de Colette*, Edisud 1983

BRUNET Raymond, *Le Vin et la religion*, Librairie agricole de la Maison rustique, 1926

CASAMAYOR Pierre, *Vins du Sud-Ouest et des Pyrénées*, Éditions Daniel Briand-Robert Laffont, 1983

CASAMAYOR Pierre, *L'École de la dégustation*, Hachette, 1998
CHAUVET Jules, *Le Talent du vin*, Jean-Paul Rocher éditeur, 1997
CHAUVET Jules, *Le Vin en question*, Jean-Paul Rocher éditeur, 1998
CHAYETTE Hervé, *Le Vin à travers la peinture*, ACR Édition, 1984
CHEBEI Malek, *Anthologie du vin et de l'ivresse en Islam*, Seuil, 2004
COBBOLD David, *Bandol*, Flammarion, 2001
COBBOLD David, *Beaune*, Flammarion, 2001
COBBOLD David, *Sauternes et Barsac*, Flammarion, 2001
COFFE Jean-Pierre, WILLEMIN Véronique, *Le Banquet de Bacchus*, Éditions du Rouergue, 2002
COFFE Jean-Pierre, *Mes vins préférés à moins de 10 €*, Plon, 2005
COSTE Pierre, *Les Révolutions du palais*, Lattès, 1987
CRESTIN-BILLET Frédérique, PAIREAULT Jean-Paul, *Veuve Clicquot, la grande dame de la Champagne*, Glénat, 1992
CRESTIN-BILLET Frédérique, *La Folie des étiquettes*, Flammarion, 2001
DEBUIGNE Docteur Gérard, *Les Vins. Dictionnaire de la vigne et du vin*, Larousse, 1998
DESBOIS-THIBAULT Claire, *L'Extraordinaire Aventure du champagne Moët et Chandon*, PUF, 2003
DESCLOZEAUX, *Cul-sec !* Albin Michel, 2002
DIBIE Pascal, *Traditions de Bourgogne*, Marabout, 1978
DION Roger, *Le Paysage et la Vigne*, Payot, 1990
DOVAZ Michel, *Les Grands Vins de France*, Julliard, 1979

DOVAZ Michel, *Encyclopédie des crus bourgeois du Bordelais*, Éditions de Fallois, 1988

DOVAZ Michel, *Vins du siècle*, Assouline, 1999

DUBS Serge, MOREL Christian, *Les Vins d'Alsace*, Robert Laffont/Serpenoise, 1991

DUBS Serge, RITZENTHALER Denis, *Les Grands Crus d'Alsace*, Serpenoise, 2002

DUIJKER Hubrecht, *La Route des vins, Alsace*, Flammarion, 1997

DUIJKER Hubrecht, *La Route des vins, Bordeaux*, Flammarion, 1997

DUIJKER Hubrecht, *La Route des vins, Loire*, Flammarion, 1997

DUMÉZIL Georges, *Fêtes romaines d'été et d'automne*, Gallimard, 1986

DURAND-VIEL Sébastien, *Margaux*, Flammarion, 2001

DURAND-VIEL Sébastien, *Saint-Émilion*, Flammarion, 2001

ECHIKSON William, *Pourriture noble*, Grasset, 2005

ELWING Henri, *Georges Dubœuf, Beaujolais vin du citoyen*, Lattès, 1989

EYLAUD Docteur, *Glossaire vineux*, Jehan-Hélie Dumarchat Éditions, 1979

FAITH Nicholas, GUILLARD Michel, *Château Beychevelle*, Olivier Orban, 1991

FAURE-BRAC Philippe, *Les Grands Vins du siècle*, E.P.A., 1999

FAURE-BRAC Philippe, *Vins et mets du monde*, E.P.A., 2004

FERET Édouard, *Dictionnaire-manuel du négociant en vins et spiritueux*, Éd. Féret et fils, 1896

FRIOL Jean-Paul, BERTAUD Michel, *Jura, les vins authentiques*, Bertaud-Friol, 1999

GALET Pierre, *Dictionnaire encyclopédique des cépages*, Hachette, 2000

GARRIER Gilbert, *Paysans du Beaujolais et du Lyonnais 1800-1970* (2 t.), Presses Universitaires de Grenoble, 1973

GARRIER Gilbert, *L'Étonnante Histoire du Beaujolais nouveau*, Larousse, 2002

GINESTET Bernard, *Margaux*, Jacques Legrand-Nathan, 1984

GINESTET Bernard, *Saint-Julien*, Jacques Legrand-Nathan, 1984

GINESTET Bernard, *Côtes de Bourg*, Jacques Legrand-Nathan, 1984

GINESTET Bernard, *Pomerol*, Jacques Legrand-Nathan, 1984

GINESTET Bernard, *Pauillac*, Jacques Legrand-Nathan, 1985

GINESTET Bernard, *Saint-Estèphe*, Jacques Legrand-Nathan, 1985

GINESTET Bernard, *Saint-Émilion*, Jacques Legrand-Nathan, 1986

GINESTET Bernard, *Médoc*, Jacques Legrand, 1989

GINESTET Bernard, *Thomas Jefferson à Bordeaux et dans quelques autres vignes d'Europe*, Mollat, 1996

GIRAUD Robert, *L'Argot du bistrot*, Marval, 1989

GLATRE Éric, *Riesling*, Flammarion, 2001

GOULAINE Robert de, *Le Livre des vins rares ou disparus*, Bartillat, 1995

GUERMÈS Sophie, *Le Vin et l'Encre (la littérature française et le vin du* XIIIe *au* XXe *siècle)*, Mollat, 1997

GUILLERMET Jean, PIAT Charles, *Aphorismes ou Paroles mémorables sur le culte du vin*, 1970

HENNIG Jean-Luc, *Érotique du vin*, Zulma, 1999
HERMAN Sandrine, PASCAL Julien, *Mouton Rothschild, le musée du vin dans l'art*, Imprimerie nationale, 2003
HERVIER Denis, *Le Médoc et ses crus bourgeois*, Féret, 2003
HUMBEL Xavier, *Vieux Pressoirs sans frontières*, Librairie Guénégaud, 1976
JACQUEMONT Guy, GUICHETEAU Gérard, COTTIN Pierre, *Le Grand Livre des vins de Loire*, Chêne, 1992
JEFFORD Andrew, *Le Nouveau Visage du vignoble français*, Hachette, 2003
JUHLIN Richard, *4 000 champagnes*, Flammarion, 2004
KLADSTRUP Don et Petie, *La Guerre et le Vin*, Perrin, 2001
KRUG Henri, *L'Art d'être Krug*, 2002
KRUG Henri et Rémi, *L'Art du champagne*, Robert Laffont, 1979
LAGRANGE Marc, *Paroles de vin*, Féret, 2000
LAPAQUE Sébastien, LEROY Jérôme, *Éloge de l'ivresse d'Anacréon à Guy Debord*, Librio, 2000
LAWTON Hugues, MIAILHE Jean, *Conversations et souvenirs autour du vin de Bordeaux*, Confluences, 1999
LEBÈGUE Antoine, *L'Esprit du bordeaux*, Hachette, 1999
LEPRÉ Georges, MALNIC Évelyne, *Le Vin en son palais*, Solar, 2002
LICHINE Alexis, *Encyclopédie des vins et des alcools*, Robert Laffont, 1972
LUTUN Aude, *Châteauneuf-du-Pape*, Flammarion, 2001
LYNCH Kermit, *Mes aventures sur les routes du vin*, Payot, 1988

MAGNIEN Émile, *Avec Lamartine en Bourgogne*, La Taillanderie, 1988

MAHÉ Nathalie, *Le Mythe de Bacchus*, Fayard, 1992

MARKHAM Dewey, Jr., *1855. Histoire d'un Classement des vins de Bordeaux*, Féret, 1997

MAZENOT René, *Le Tastevin à travers les siècles*, Éditions des 4 seigneurs/Éditions de Bellande, 1977

MIDAVAINE François, *Muscadet*, Jacques Legrand, 1994

MIDAVAINE François, *Chinon*, Jacques Legrand, 1995

MIDAVAINE François, *Anjou — Coteaux du Layon*, Jacques Legrand, 1996

MOISY Robert, *Beaujolais*, Éditions de La Baconnière, 1956

MOREL François, *Chablis*, Flammarion, 2001

MOREL François, *Sancerre*, Flammarion, 2001

MOREL François, DUPONT Jacques, DIERTERLEN Jean-Pierre, *Vins du monde*, Chêne, 2005

MOTSCH Élisabeth, *Ciels changeants, menaces d'orages, Vignerons en Bourgogne*, Actes Sud, 2005

NAHOUM-GRAPPE Véronique, *La Culture de l'ivresse* Quai Voltaire, 1991

NAPO Félix, *1907. La Révolte des vignerons*, Privat 1971

OLNEY Richard, GUILLARD Michel, *Yquem*, Flammarion, 1985

OLNEY Richard, *Romanée-Conti*, Flammarion, 1991

ORIZET Louis, *À travers le cristal*, Éditions du Cuvier, Villefranche, 1958

ORIZET Louis et Jean, *Les Cent Plus Beaux Textes sur le vin Anthologie*, Le Cherche Midi, 1984

PARKER Robert, *Guide Parker des vins de Bordeaux*, Solar, 2005

PASTEUR Louis, *Études sur le vin*, Éditions Jeanne Laffitc, réimpression de l'édition de 1875
PAUL HARRY W., *Bacchus sur ordonnance*, PUF, 2005
PESSEY Christian, *L'ABCdaire des vins de Bourgogne*, Flammarion, 2001
PEYNAUD Émile, *Le Vin et les Jours*, Dunod, 1988
PIJASSOU René, *Le Médoc*, Tallandier, 1980
PITTE Jean-Robert, *Bordeaux-Bourgogne, les passions rivales*, Hachette, 2005
PLINE l'Ancien, *Histoire naturelle. Livre XIV*, Les Belles Lettres, 2003
POUPON Pierre, *Toute la Bourgogne*, PUF, 1970
POUPON Pierre, *Nouvelles Pensées d'un dégustateur*, Bibliothèque de la Confrérie des Chevaliers du Tastevin, 1975
POUPON Pierre, *Mes dégustations littéraires, l'odorat et le goût chez les écrivains*, Bibliothèque de la Confrérie des Chevaliers du Tastevin, 1979
POUPON Pierre, *Le Vin des souvenirs*, Éditions de l'Armançon, 1996
PRADELS Octave, *Le Vin et la Chanson*, Flammarion, 1913
PUISAIS Jacques, *Le Goût juste*, Flammarion, 1985
RAGACHE Gilles, *Vignobles d'Île-de-France*, Presses du Village, 2005
RENOY Georges, *Les Mémoires du bordeaux*, B.A.V. Éditions, 1984
RENOY Georges, *Les Mémoires de Bourgogne*, B.A.V. Éditions, 1985
RENVOISE Guy, *Le monde du vin a-t-il perdu la raison ?*, Éditions du Rouergue, 2004
REVEL Jean-François, *Un festin en paroles*, Plon. 1995

RIGAUX Jacky, *Ode aux grands vins de Bourgogne*, Éditions de l'Armançon, 1997

RIGAUX Jacky, BON Christian, *Les Nouveaux Vignerons*, Éditions de Bourgogne, 2002

RIOL Jean, *Le Vignoble de Gaillac*, Honoré Champion/Charles Amat, 1912

RODIER Camille, *Le Vin de Bourgogne (la Côte-d'Or)*, Jeanne Laffitte/Damidot, réimpression de l'édition de Dijon, 1948

ROTHSCHILD Edmond de, *Le Culte du vin*, Gallimard, 1997

ROWLEY Anthony, *L'Étiquette du vin*, Hachette, 2003

ROYER Claude, *Les Vignerons*, Berger-Levrault, 1980

ROYER-PANTIN Anne-Marie, *Dégustations fabuleuses dans la cave des écrivains*, La Table ronde, 2003

SCIZE Pierre, *Aux vendanges de Bourgogne*, Éd. Lugdunum, 1944

SEARLE Ronald, *Le Monde merveilleux du vin*, Albin Michel, 1986

SEWARD Desmond, *Les Moines et le Vin*, Pygmalion, 1982

SIMONS Roger, KOUPRIANOFF Alex, *Porto, une ville, un vin*, La Renaissance du Livre, 2001

STÉTIÉ Salah, *Le Vin mystique*, Albin Michel, 2002

STEVENSON Tom, *Encyclopédie mondiale du vin*, Flammarion, 1999

TARANSAUD Jean, *Le Livre de la tonnellerie*, 1976

THIÉBAUT de BERNEAUD A., MALEPEYRE F., *Nouveau Manuel Roret du vigneron*, 1904

TURNBULL, *Les Plus Grands Vins de France*, Flammarion, 2002

VURPAS Anne-Marie, *Dictionnaire du français régional du Beaujolais*, Bonneton, 1992

WATNEY BERNARD M., BABBIDGE Hommer D., *600 tire-bouchons de collection*, Edita, 1983

WELLENS Annie, *Le Vin des Écritures*, Desclée de Brouwer, 2001

Ouvrages collectifs

De l'esprit des vins de Bordeaux, Adam Biro, 1988

La France face aux vins du Nouveau Monde, Albin Michel, 2002

Vins et Vignobles de France, Larousse Savour Club 1997

La Saint-Vincent tournante, Les Éditions du Tastevin, 1999

Saveurs de Porto, L'Escampette, 2003

Paroles à boire — le vin. Une petite anthologie littéraire, Éditions du Carrousel, 1998

Le Médoc, presqu'île du vin, ACE, 1982

Bordeaux, grands crus classés 1855-2005, Flammarion, 2004

Le Guide Hachette des vins 2006

La Vigne et le Vin en Île-de-France, Fédération des Sociétés historiques et archéologiques de Paris et de l'Île-de-France, 1984

Revues spécialisées

L'Amateur de bordeaux

Bourgogne Aujourd'hui

Cuisine et vins de France

La Revue du vin de France

Wine Spectator

Table

Avant-propos : Le vin d'honneur........................... 9

À la tienne ! la nôtre ! la vôtre ! 15
Abû Nuwâs 19
Alsace 21
Amour et le vin (l') 25
Antiquité 27
Arômes 29
Ausone (château) 32
Bacchus 37
Beaujolais 1 — Miracle, étiquette et couvert 41
Beaujolais 2 — Après Pâques 47
Beaujolais 3 — Avant Noël 58
Bernard (Claude) 62
Blondin (Antoine) 64
Bordelais 67
Bourgeois 72
Bourgogne 76
Bukowski (Charles) 84
Cadavres exquis 91
Cave 92
Caviste 97

Champagne 99
Chaptalisation 110
Chardonnay 113
Chasse-spleen 116
Châteauneuf-du-pape 117
Chauvet (Jules) 119
Classement de 1855 121
Complexité 126
Condrieu 127
Côtes et coteaux 129
Courier (Paul-Louis) 133
Dégustation 139
Dégustation à l'aveugle 142
Dieux et le vin (les) 148
Dom Pérignon 155
Don Juan 159
Dubœuf (Georges) 162
Dulac (Julien) 165
Eau 173
Éloges du vin 177
Étiquette 182
Feuille 187
Gaillac et Cahors 191
Gaulois 192
Glouglou 194
Gnafron 196
Goût de bouchon 198
Grêle 199
Guerre et le vin (la) 202
Haddock (capitaine) 209
Hamlet 211
Harrison (Jim) 214
Hermitage 217
Islam et le vin (l') 221
Ivresse 224
Jayer (Henri) 235

Jura et Savoie 239
Jurançon 242
Krug 247
Lamartine (Alphonse de) 253
Languedoc-Roussillon 257
Loire (Val de) 258
Mauriac (François) 265
Médoc 267
Mérite agricole 270
Messe (vin de) 272
Meursault (Paulée de) 275
Millésime 279
Moines-viticulteurs 284
Montesquieu 290
Nectar 295
Œnologues 299
Paf 303
Paris et Île-de-France (vins de) 308
Perret (Pierre) ou l'amitié et le vin 312
Pétrus 315
Pinard 317
Pinot noir 321
Pivot (Jean-Charles) 324
Pontac (Jean de) 327
Porto 328
Provence 333
Quel vin ? 337
Quincié-en-Beaujolais 341
Raisin 351
Rhône (Côtes du) 353
Rivalité des vignobles 353
Robespierre 363
Romanée-Conti 365
Rothschild (Philippe de) 372
Saint-Vincent 381
Sexe et le vin (le) 386

Sommeliers 391
Tastevin 397
Tastevin (Confrérie des Chevaliers du) 400
Temps des vins de pays (le) 403
Terroir 406
Tire-bouchon 409
Tonneau 414
Trinquer 417
Vendanger 421
Vendanges 422
Veuve Clicquot 432
Voltaire 434
Wanted ! 441
Xérès 447
Yquem 451
Zinc 459

Bibliographie 461

DANS LA MÊME COLLECTION

Ouvrages parus

Claude ALLÈGRE
Dictionnaire amoureux de la science

Yves BERGER
Dictionnaire amoureux de l'Amérique

Jean-Claude CARRIÈRE
Dictionnaire amoureux de l'Inde

Michel del CASTILLO
Dictionnaire amoureux de l'Espagne

Jean des CARS
Dictionnaire amoureux des trains

Patrick CAUVIN
Dictionnaire amoureux des héros

Malek CHEBEL
Dictionnaire amoureux de l'Islam

Jean François DENIAU
Dictionnaire amoureux de la mer et de l'aventure

Alain DUCASSE
Dictionnaire amoureux de la cuisine

Dominique FERNANDEZ
Dictionnaire amoureux de la Russie

Daniel HERRERO
Dictionnaire amoureux du rugby

Christian LABORDE
Dictionnaire amoureux du Tour de France

Jacques LACARRIÈRE
Dictionnaire amoureux de la Grèce
Dictionnaire amoureux de la mythologie

André-Jean LAFAURIE
Dictionnaire amoureux du golf

Peter MAYLE
Dictionnaire amoureux de la Provence

Bernard PIVOT
Dictionnaire amoureux du vin

Pierre-Jean RÉMY
Dictionnaire amoureux de l'opéra

Jérôme SAVARY
Dictionnaire amoureux du spectacle

Jean-Noël SCHIFANO
Dictionnaire amoureux de Naples

Alain SCHIFRES
Dictionnaire amoureux des menus plaisirs

Robert SOLÉ
Dictionnaire amoureux de l'Égypte

Philippe SOLLERS
Dictionnaire amoureux de Venise

Mario VARGAS LLOSA
Dictionnaire amoureux de l'Amérique latine

Dominique VENNER
Dictionnaire amoureux de la chasse

Jacques VERGÈS
Dictionnaire amoureux de la justice

À paraître

Jacques ATTALI
Dictionnaire amoureux du judaïsme

Antoine de CAUNES
Dictionnaire amoureux du rock

Pascal PICQ
Dictionnaire amoureux de la préhistoire

Pierre ROSENBERG
Dictionnaire amoureux du Louvre

Denis TILLINAC
Dictionnaire amoureux de la France

TRINH Xuan Thuan
Dictionnaire amoureux du ciel et des étoiles

Frédéric VITOUX
Dictionnaire amoureux des chats

Cet ouvrage a été composé par
Nord Compo (Villeneuve-d'Ascq)
et imprimé par **Bussière**
à Saint-Amand-Montrond (Cher)
pour le compte des Éditions Plon

Achevé d'imprimer en juin 2007.

N° d'édition : 14086. — N° d'impression : 072172/4
Dépôt légal : septembre 2006.
Imprimé en France